Dunkerque
Calais
FLANDRE
BELGI
Lille
ARTOIS
PICARDIE
Somme
LUXEMBOURG
LORRAINE
ALLEMAGNE
Laon
Laffaux
Soissons
Oise
Marne
CHAMPAGNE
ÎLE DE FRANCE
Meaux
Chatou
Levallois
Paris
Étampes
Montereau
Fontainebleau
Metz
Rhin
Strasbourg
Épinal
ALSACE
Orléans
ORLÉANAIS
Yonne
BOURGOGNE
FRANCHE-COMTÉ
NIVERNAIS
BERRY
Cher
SUISSE
Saône
Thonon
Bourg
Neuville
HAUTE SAVOIE
Vichy
Monts d'Auvergne
Limoges
Clermont-Ferrand
Lyon
SAVOIE
ALPES
Saint Étienne
DAUPHINÉ
ITALIE
Cévennes
LANGUEDOC
Rhône
BASSES-ALPES
Avignon
Manosque
Nice
Nîmes
Arles
Durance
PROVENCE
Toulouse
Marseille
Riviera
Mer Méditerranée
LA CORSE

French Civilization through Fiction

A Blaisdell Book in the Modern Languages

UNDER THE ADVISORY EDITORSHIP OF

Robert J. Clements

French Civilization through Fiction

A Second-Year College Reader

EDITED BY DON LOUIS DEMOREST
Ohio State University

AND EDWARD PEASE SHAW
New York State College for Teachers (Albany)

B·P

BLAISDELL PUBLISHING COMPANY
A Division of Ginn and Company
NEW YORK · TORONTO · LONDON

FIRST EDITION, 1956

SIXTH PRINTING, 1965

PREFACE

THE MAJOR innovation of this text is suggested by its title, *French Civilization through Fiction*. The book has been prepared for use in second-year college French classes and in French civilization courses.

In these critical years, characterized by a great development of our international interests and responsibilities, government agencies and business organizations are vigorously supporting educators and other cultural groups in encouraging young Americans to acquire a thorough knowledge of at least one foreign language, and to understand the character and the way of life of the people who speak it. France, with her strategic geographical and political position in today's world, seems destined to continue to play a vital role in the commonwealth of nations; and her language, still the instrument of clarity, precision, and beauty which for centuries has made it a favored second language everywhere, appears certain to occupy, as in the past, a central position. The great cultural, intellectual, and social richness of France, today as formerly, strengthens that position, as do the many interests and ideals which, in spite of certain differences, we share with her. Consequently, teachers of French are increasingly calling for texts designed to develop simultaneously a knowledge of the French language and an understanding of the French people.

Texts in civilization have sometimes been little more than a series of facts and generalizations, lacking direct and living contact with the pulse of the nation studied, and failing to stimulate or hold the interest of college students. The editors of this book believe that both linguistic and cultural goals are best achieved by using a collection of vivid stories and other fictional materials from the pens of significant French writers, accompanied by precisely designed editorial help. The testimony thus obtained is all the more authentic since the stories were written, not for use in a book extolling France and her people, but in response to the urge to create literature out of the typical materials of French life, character, problems, and ideals. The editors' belief in the usefulness of such a text has been strengthened by many years of classroom experiment.

It is impossible to reduce to a formula a people as complex, diversified, and individual as the French, who are eternally engaged in a fascinating and momentous debate with their own soul. Nevertheless, the themes chosen for inclusion in this collection recur in representative French writings with sufficient frequency to indicate a core of constants in the French temperament and in the cultural history of France.

The selections are grouped under three major headings: distinguishing traits, social structure, and basic institutions and ideals. As far as feasible in a text arranged in such a pattern, stories which present the least difficulty in vocabulary, style, and subject matter are placed in the earlier part of the book.

For each of the fifteen subdivisions there is an introduction, designed to focus attention on the details in the story which illustrate or suggest a particular phase of French character, life, and ideals. While the more earthbound aspects of the French are well represented, those traits which have made the greatest contribution to our modern world and to our concept of man occupy a place of prominence in both stories and introductory remarks. These latter, like the notes and questions provided, are of course not intended to replace the individual instructor's contributions. The purpose of the footnotes is to furnish supplementary information and translation of the more difficult passages.

Detailed questions in French, important for linguistic progress during the second year and in conversational courses, and designed primarily to aid the student in the preparation of the lessons, follow the selections. Most of these questions are based on the narrative element of the story. To cover the general aspects of French civilization which each selection illustrates, two approaches are offered. In the first place, two questions invite the student to discuss in French the cultural content of the story in the light of the introduction. The teacher will doubtless wish to introduce other simple, explicit questions in the classroom. Second, for discussions likely to go beyond the linguistic powers of most intermediate students, questions in English have been furnished. Besides permitting additional thoughtful discussion of French life and ideals, these questions should provoke further examination of the stories in their relation to problems confronting intelligent students of our contemporary world.

The introductions and notes are in English. Reading them in French would require the student to expend time and energy which he can more profitably employ in understanding and enjoying the stories, and in appreciating the special qualities of thought and style, of content and presentation, which make them literature.

The page vocabulary recognizes the importance of stressing idioms, even relatively familiar ones, in intermediate and conversational courses. In general, it includes words above the first three thousand items of accredited frequency studies, such as those of Landry and Tharp, but omits words so similar to English that their meaning is evident. Only the meaning employed in the immediate text is given. Words in common use are included when their meaning in the particular text is unusual. The translation of a word already appearing with the same meaning in a previous page vocabulary is usually omitted. The end vocabulary is complete, with the exceptions stated at the head of that vocabulary. The endpaper maps show most of the localities mentioned in the stories, and will be found convenient for frequent reference. The illustrations, chosen from the works of representative modern French artists, are designed to give vividness to certain facets of French life, and to furnish a glimpse of the richness of French art.

The editors wish to acknowledge their indebtedness to Professor Robert J. Clements for his scrupulous review of the typescript and his many helpful suggestions and contributions; to Mrs. Robert F. Creegan for her careful scrutiny of the *questionnaires*; to Mrs. Paul L. Sisson for valuable assistance on French art as well as to her mother and brother for many hours spent in the painstaking reading of typescript and proofs. They also express their thanks to the authors and editors who have authorized the use of the stories and other fictional passages employed in the text. They have been deeply gratified by the interest shown in the project, and wish to indicate their special appreciation to the following: Madame Myriam Harry; M. Henry Bordeaux and La Librairie Plon; M. Joseph Kessel and René Julliard, éditeur; La Librairie ancienne

Honoré Champion; La Librairie Fischbacher; Les Éditions Spes; M. Jules Romains and La Librairie Flammarion; M. Jean Giono and Les Éditions Bernard Grasset; Madame L. Dieudonné and M. Henri Poulaille.

D.L.D.

E.P.S.

TABLE OF CONTENTS

PART III · *Basic Institutions and Beliefs*

French Civilization through Fiction

PART I · *Major Character Traits*

ALPHONSE DAUDET

HENRY BORDEAUX

JEAN GIONO

GUY DE MAUPASSANT

1

THE INDIVIDUAL AND SOCIETY

THE STORY of Alphonse Daudet which opens this collection is a little fantasy written in the lighter vein. Yet it may serve to introduce what is perhaps the central trait of French character, indeed, of French history: the constant struggle between a deep, natural thirst for individual independence and a highly developed social consciousness. In this story the struggle is depicted during its phase of momentary surrender by our bedizened government functionary to the world of dreams and poetry, to the call of the good earth and its sensory pleasures. This is the more striking since it comes at the very moment when he should be preparing his speech in favor, no doubt, of improved breeds of swine or better farm equipment.

Ever since Gallo-Roman times France has been noted for its brilliant orators nurtured on a strong tradition of rhetoric, for its keen but canny appreciation of social and political rites (including "a good show"), for its practical-mindedness. But equally strong is its devotion to lyric poetry and to Nature. So we need not doubt that later in the day our administrator, strengthened by his contact with field and stream, will wax duly eloquent in his belated official address to "Messieurs et chers administrés."

Our obscure subprefect, with his dual interest in politics or public service and literature, is typical of a long line of Frenchmen who have distinguished themselves in both endeavors. In the past there were Chateaubriand, Lamartine, Stendhal, Hugo, Zola, Barrès, Péguy, Giraudoux, and Claudel; while the present affords the examples of Morand, Mauriac, and Malraux.[1] Following the line

[1]Of course there have been many other writers active in politics (*engagés*, to use Sartre's existentialist terminology). Among our contemporaries or near-contemporaries, for instance, there would be Sartre himself and Aragon, Romain Rolland, and Jules Romains. Likewise, scores of French politicians and statesmen have made real contributions to literature; for instance, Édouard Herriot, Saint-John Perse, and the late Léon Blum, or the distinguished former ambassadors to the United States, Jules Jusserand (a Shakespearean authority), Henri Bonnet (critic of contemporary French literature), and the great poet Claudel, mentioned above.

further back, one finds the great sixteenth-century essayist, Montaigne, who was also a diplomat and mayor of Bordeaux. Paraphrasing Terence, Montaigne declared that nothing in the realm of human endeavor left him indifferent. Like many of his compatriots, he tried to achieve the goal of being at the same time a distinct individual, free to question any social values or traditions ("Que sais-je?"), and a public servant, a loyal citizen of Bordeaux, of France, and of the world, ready to honor and perpetuate those traditions when they proved their authenticity.

This diversity and, occasionally, conflict of tendencies, as well as the ideal of comprehensiveness and of balance, are as old as France itself, and are sorely needed in our time of totalitarian or conformist pressures. Indeed, as the end of the story suggests, preference will usually be given by the true Frenchman to the inner needs of the individual rather than to the imperious demands of an abstract state. In the words of Jacques Maritain, it is fitting that "la personne humaine transcende naturellement l'État."

This story is typical of many others from the facile pen of Daudet (1840–1897), whose charming tales are popular among Americans. He was a devoted son of that predominantly rural Provence which serves as a setting for this story. Born at Nîmes, but like many of his fellow men of letters a Parisian by adoption, he was at once a poet and the private secretary of a high-ranking government official, and may well have been familiar with the ordeal of writing speeches for public ceremonies.

He staunchly defended the cause of regionalism, with its emphasis on conserving the distinct personality of each of the old provinces of France, with its love of local life and history, to which the Frenchman gives the name of "l'amour du clocher" (love of the local bell tower). Regionalism and the autonomous spirit are nothing more than the collective expression of individualism, as we shall have occasion to observe again below. This collective individualism frequently erupts in the *frondeur* spirit, which applies not only to regional rebellion against a centralized authority, but, by extension, to the individual's resistance to the dictates and obligations of society. Yet in periods of national crisis the rebellious spirit of the individual region (such as Alsace or Bretagne) has given way to a higher loyalty, as will our subprefect's momentary rebellion against society by the time the appointed hour of his discourse has arrived.

ALPHONSE DAUDET

Le Sous-Préfet aux champs

M. LE SOUS-PRÉFET[1] est en tournée. Cocher devant laquais derrière, la calèche[2] de la sous-préfecture l'emporte majestueusement au concours régional de la Combe-aux-Fées.[3] Pour cette journée mémorable, M. le sous-préfet a mis son bel habit brodé, son petit claque, sa culotte collante à bandes d'argent et son épée de gala à poignée en nacre... Sur ses genoux repose une grande serviette en chagrin gaufré qu'il regarde tristement.

M. le sous-préfet regarde tristement sa serviette en chagrin gaufré; il songe au fameux discours qu'il va falloir prononcer tout à l'heure devant les habitants de la Combe-aux-Fées.

—Messieurs et chers administrés[4]...

Mais il a beau tortiller la soie blonde de ses favoris et répéter vingt fois de suite:

—Messieurs et chers administrés... la suite du discours ne vient pas.

La suite du discours ne vient pas... Il fait si chaud dans cette

en tournée on an official trip
le cocher coachman
le laquais lackey
la sous-préfecture subprefecture
le concours fair
un habit dress coat
brodé embroidered
le claque top hat
la culotte knee breeches
collant close-fitting
la bande stripe
une épée de gala dress sword
la poignée hilt
la nacre mother-of-pearl
la serviette portfolio
le chagrin gaufré embossed leather
il a beau it is useless for him
tortiller to twirl
la soie silk
les favoris (m. pl.) side whiskers
de suite in succession

[1]*le sous-préfet*, administrative head of an *arrondissement*, subdivision of a *département*, directed by a government-appointed *préfet*. [2]*la calèche*, light carriage with four wheels, having a folding top. [3]*la Combe-aux-Fées*, imaginary town. [4]*l'administré*, person under one's administration.

calèche! A perte de vue, la route de la Combe-aux-Fées poudroie[5] sous le soleil du Midi... L'air est embrasé... et sur les ormeaux du bord du chemin, tout couverts de poussière blanche, des milliers de cigales se répondent d'un arbre à l'autre... Tout à coup M. le
5 sous-préfet tressaille. Là-bas, au pied d'un coteau, il vient d'apercevoir un petit bois de chênes verts qui semble lui faire signe.

Le petit bois de chênes verts semble lui faire signe:

—Venez donc par ici, monsieur le sous-préfet; pour composer votre discours, vous serez beaucoup mieux sous mes arbres...

10 M. le sous-préfet est séduit; il saute à bas de sa calèche et dit à ses gens de l'attendre, qu'il va composer son discours dans le petit bois de chênes verts.

Dans le petit bois de chênes verts il y a des oiseaux, des violettes, et des sources sous l'herbe fine... Quand ils ont aperçu M. le sous-
15 préfet avec sa belle culotte et sa serviette en chagrin gaufré, les oiseaux ont eu peur et se sont arrêtés de chanter, les sources n'ont plus osé faire de bruit, et les violettes se sont cachées dans le gazon... Tout ce petit monde-là n'a jamais vu de sous-préfet, et se demande à voix basse quel est ce beau seigneur qui se promène en culotte
20 d'argent.

A voix basse, sous la feuillée, on se demande quel est ce beau seigneur en culotte d'argent... Pendant ce temps-là, M. le sous-préfet, ravi du silence et de la fraîcheur du bois, relève les pans de son habit, pose son claque sur l'herbe et s'assied dans la mousse au
25 pied d'un jeune chêne; puis il ouvre sur ses genoux sa grande serviette de chagrin gaufré et en tire une large feuille de papier ministre.

—C'est un artiste! dit la fauvette.

à perte de vue as far as one can see
le Midi South (of France)
embrasé burning hot
un ormeau elm
la cigale locust
tout à coup suddenly
tressaillir to start
le coteau hill
il vient d'apercevoir he has just noticed
par ici this way
séduit lured
sauter à bas de to jump out of
la source spring
le gazon grass
à voix basse in a low voice
la feuillée foliage
la fraîcheur coolness
le pan tail
la mousse moss
ministre official
la fauvette warbler

[5] *la route . . . poudroie,* dust rises from the road.

—Non, dit le bouvreuil, ce n'est pas un artiste, puisqu'il a une culotte en argent; c'est plutôt un prince.

—C'est plutôt un prince, dit le bouvreuil.

—Ni un artiste, ni un prince, interrompt un vieux rossignol, qui a chanté toute une saison dans les jardins de la sous-préfecture... Je sais ce que c'est: c'est un sous-préfet! 5

Et tout le petit bois va chuchotant:

—C'est un sous-préfet! c'est un sous-préfet!

—Comme il est chauve! remarque une alouette à grande huppe.

Les violettes demandent: 10

—Est-ce que c'est méchant?

—Est-ce que c'est méchant? demandent les violettes.

Le vieux rossignol répond:

—Pas du tout!

Et sur cette assurance, les oiseaux se remettent à chanter, les 15 sources à courir, les violettes à embaumer, comme si le monsieur n'était pas là... Impassible au milieu de tout ce joli tapage, M. le sous-préfet invoque dans son cœur la Muse des comices agricoles, et, le crayon levé, commence à déclamer de sa voix de cérémonie.

—Messieurs et chers administrés... 20

—Messieurs et chers administrés, dit le sous-préfet de sa voix de cérémonie...

Un éclat de rire l'interrompt; il se retourne et ne voit rien qu'un gros pivert qui le regarde en riant, perché sur son claque. Le sous-préfet hausse les épaules et veut continuer son discours; mais 25 le pivert l'interrompt encore et lui crie de loin:

—A quoi bon?

—Comment! à quoi bon? dit le sous-préfet, qui devient tout rouge; et, chassant d'un geste cette bête effrontée, il reprend de plus belle: 30

—Messieurs et chers administrés...

le bouvreuil bullfinch
le rossignol nightingale
chuchoter to whisper
chauve bald
une alouette lark
à grande huppe tufted
courir to flow
embaumer to perfume the air
impassible unmoved
le tapage racket
le comice agricole fair
de cérémonie formal
le pivert woodpecker
comment! what do you mean?
à quoi bon? what's the use?
effronté impudent
de plus belle with renewed vigor

—Messieurs et chers administrés... a repris le sous-préfet de plus belle.

Mais alors, voilà les petites violettes qui se haussent[6] vers lui sur le bout de leurs tiges et qui lui disent doucement:

5 —Monsieur le sous-préfet, sentez-vous comme nous sentons bon?

Et les sources lui font sous la mousse une musique divine; et dans les branches, au-dessus de sa tête, des tas de fauvettes viennent lui chanter leurs plus jolis airs; et tout le petit bois conspire pour l'empêcher de composer son discours.

10 Tout le petit bois conspire pour l'empêcher de composer son discours... M. le sous-préfet, grisé de parfums, ivre de musique, essaye vainement de résister au nouveau charme qui l'envahit. Il s'accoude sur l'herbe, dégrafe son bel habit, balbutie encore deux ou trois fois:

15 —Messieurs et chers administrés... Messieurs et chers admi... Messieurs et chers...

Puis il envoie les administrés au diable; et la Muse des comices agricoles n'a plus qu'à se voiler la face.[7]

Voile-toi la face, ô Muse des comices agricoles!... Lorsque, au 20 bout d'une heure, les gens de la sous-préfecture, inquiets de leur maître, sont entrés dans le petit bois, ils ont vu un spectacle qui les a fait reculer d'horreur... M. le sous-préfet était couché sur le ventre, dans l'herbe, débraillé comme un bohème.[8] Il avait mis son habit bas... et, tout en mâchonnant des violettes, M. le sous-25 préfet faisait des vers.

la tige stem
des tas lots
un air melody
grisé intoxicated
ivre drunk
le charme feeling of delight
envahir to come over
s'accouder to lean on one's elbows
dégrafer to unfasten
balbutier to mumble
mettre . . . bas, to take off
mâchonner to chew on

[6]*se haussent*, raise their heads. [7]*n'a plus . . . face*, has nothing left to do but to hide her face. [8]*débraillé comme un bohème*, having the untidy, free-and-easy appearance of a Bohemian (person who leads an unconventional life, quite opposed to the decorum of a subprefect).

QUESTIONNAIRE *Le Sous-Préfet aux champs*

I

A. En quoi le sous-préfet exemplifie-t-il un trait important du caractère français?

B. Bien que le Français subisse une certaine diversité de tendances, quelle est, en général, la tendance prévalante?

II

1. Qui accompagne M. le sous-préfet? 2. Que porte-t-il pour cette journée mémorable? 3. Qu'est-ce qui repose sur ses genoux? 4. Pourquoi regarde-t-il tristement sa grande serviette en chagrin gaufré? 5. Devant qui va-t-il prononcer son fameux discours? 6. M. le sous-préfet est-il blond ou brun? 7. Que répète-t-il vingt fois de suite? 8. Que semble faire le petit bois de chênes verts? 9. Que dit M. le sous-préfet au laquais et au cocher? 10. Que font les oiseaux quand ils aperçoivent M. le sous-préfet? 11. Que font les sources? 12. Que font les violettes? 13. Que se demande tout ce petit monde-là? 14. Que fait M. le sous-préfet pendant ce temps-là? 15. Que tire-t-il de sa grande serviette? 16. Que fait le petit bois? 17. Que dit l'alouette? 18. Que demandent les violettes? 19. Que répond le vieux rossignol? 20. Quelle Muse le sous-préfet invoque-t-il? 21. Quelle question le petit pivert pose-t-il? 22. Que lui demandent alors les petites violettes? 23. Peut-il composer son discours sans difficulté? 24. Qu'est-ce que le sous-préfet crie à la Muse des comices agricoles? 25. Que faisait-il dans l'herbe? 26. A votre avis, faisait-il de bons vers?

DISCUSSION *The Individual and Society*

1. Can you explain why so many French (and other European) men of letters and scholars enter political life? What are the advantages and disadvantages of such a tradition, so unlike our own?

2. Is the revolt against the demands and forms of society in which our *sous-préfet* momentarily participates more likely to erupt out in the country or in the crowded cities?

3. The first article of the French "bill of rights," *La Déclaration des droits de l'homme*, states: "Les hommes naissent et demeurent libres et égaux en droits. Les distinctions sociales ne peuvent être fondées que sur l'utilité commune." In your opinion, does the second statement cover all possible cases?

2

INDIVIDUALISM AND ITS SOCIAL CORRECTIVES

"Les Amateurs de spectacle," by the well-known novelist Henry Bordeaux,[1] suggests more realistically than does the preceding story the sharp opposition between the instinctively individualistic and the acquired social forces in French character, as well as a proper balancing of these forces, which is usually sought if not attained. It reflects the law as a supreme social power inherited from Gallo-Roman times, which causes Farine to proclaim, "Quand on a droit, on a droit. Il n'y a rien à faire." It reveals some of the less admirable forms of Gallic individualism which have led a wit to define the Frenchman as an anarchist who believes in private property, particularly if it be a question of farm land. This is above all true in many originally barren regions, such as the author's own Savoy mountains, which form the setting for this story. Here successive generations of the same family have, by their tireless efforts, almost literally given birth to the soil, as though it were one of their own kith and kin.

Careful attention to financial matters is naturally joined to respect for property. The desire to get one's money's worth, allied to the equally powerful French love of a practical joke, the bigger the better, leads to the conclusion of Bordeaux's story. Slyness, keen appraisal of one's adversary, insinuating suggestion, inventive and suspicious imagination, anger quickly controlled by the deep-seated conviction of the importance of self-control, all these French traits, embodied in Riboulard and Farine, are indications of self-centeredness. Yet most of these very characteristics, like the similar components of our own Yankee "rugged individualism," have their counterparts in precious qualities which have enabled France to

[1]M. Bordeaux is one of the forty members of the famous *Académie française*, composed of eminent French writers. Other members represented in this text are François Coppée, Anatole France, Jules Lemaître, Jules Romains, and Georges Duhamel.

survive many grave crises. Imagination, ingenuity, alertness, originality, a passionate belief in the rights of the individual, and a thirst for personal liberty are as characteristic of the Frenchman's central nature and credo as they are of the American's. In their more idealistic forms, which abound in both countries, they contribute to that high position reserved for human dignity which typifies our common way of life.

The Frenchman's customary realism and common sense are manifested in the tacit recognition by each adversary of a certain logic in the position of the other. This realization, together with the knowledge that a compromise will be mutually profitable and amusing, leads the two "enemies" to parallel the domestic history of their country by composing their differences at the very time when they seem to be irreconcilably opposed. Other forms of the social corrective to excessive individualism are to be seen in the fact that "une politesse en vaut une autre," even between antagonists, and that a glass of wine[2] without accompanying conversation is unbearable. Many Frenchmen go once a day to the café or the *bistro* to converse with friends, whether they live in a small town in Savoie or along the fashionable Champs-Élysées in Paris.

Isolated in the mountains in those earlier days without benefit of radio or television, the community of Recluse had to amuse itself as best it could, with the prospects of a rousing courtroom dispute between such prominent fellow citizens as the miller and the blacksmith provoking joyful anticipation. No one enjoyed these prospects more than the two disputants, particularly when, like true Frenchmen, they planned their big joke at the expense of their highly

[2]Grape-growing (or viticulture) and the wine industry occupy an important place in the French economy, as does conviviality in social intercourse. But in everything the French ideal is temperance (not abstinence), paralleling the idea of liberty without the abuse of liberty. Riboulard and Farine are typical in this respect, and their "bottled sunshine" helps them gaily to effect a reconciliation without dulling their faculties. Not all Frenchmen, of course, are as temperate as these two. Especially in some rural areas and in congested slums too much alcohol is consumed for physical and economic well-being, a fact causing some concern to government officials. However, drunkenness is quite infrequent among the middle classes and the better-paid workers of all categories. Moreover, reports in American papers of the ravages of alcoholism and biological exhaustion in France are difficult to reconcile with the fact that, to quote the *New York Times* of February 25, 1955, France "has the oldest population in the world. The average age of the French is 35 compared with 30 in the United States. The percentage of men and women over 60 in France is 16.2 as against 9.9 in the United States." In France 11.80 per cent of the population are over 65, in the United States 8.18 per cent.

paid lawyers, as well as the judges and other representatives of the distant, rather distrusted central government of Paris. Readers of this tale must remember that in France many public functionaries, such as judges and their assistants, prefects and subprefects, teachers and gendarmes, are appointed by the central government on a nonpolitical merit basis, and often have little in common with the communities they serve. The *esprit frondeur* of Riboulard and Farine is closely related to the strong regionalistic tendencies already observed.

Such an attitude is a source of some of the dangerous political and economic weaknesses of contemporary France. It resembles our own traditional insistence on states' rights or, indeed, the American mountaineer's attitude toward the "revenuers" from Washington. This hostility of the mountaineer is the exact duplicate of that of the French peasant toward the *fisc*, or revenue assessor. The *frondeur* spirit has deep roots, sinking into the ancestral memory of sharp ethnic, cultural, and historical differences between the perimeter regions or provinces and the Parisian basin. It manifests itself in the repeated resistance to despotism in any form during the postfeudal period, the seventeenth century (when the war of the Fronde, which literally means "slingshot," was fought against the royal court), and the era of the French Revolution. It was immediately after this Revolution, in an effort to unify the country against all separatist historical and regional forces, that provinces were replaced as administrative units by *départements*, or units devoid of cultural, ethnic, or linguistic coherence. But the French farmer has not forgotten that it was also the Revolution which distributed many of the estates of the nobility to the profit of his ancestors, so that, while he is economically a conservative, as we have seen, he will often tend politically toward "New Deal" liberalism or socialism. This phenomenon has given rise to the statement that the Frenchman keeps his heart on the Left, but his pocketbook on the Right.

The paradox of such an individualistic people as the French tolerating a highly centralized authority is another phase of their intensely realistic attitude, based on constant remembrance of repeated menace from without and on recognition of the dangers inherent in their own individualism. Their attitude is typified by the extraordinary individualist Jean-Jacques Rousseau, who, in his

Contrat social of 1762, proposed, as did our forefathers a few years later, the abandonment by the individual of certain personal powers in order that other more precious inalienable rights of free men might presumably be maintained. Progressively, since its adoption by the Constituent Assembly of 1789, the French Bill of Rights, entitled *La Déclaration des droits de l'homme et du citoyen,* has been fiercely and effectively defended against repeated attacks from various antidemocratic elements. It is well known that there is unwillingness in France to entrust too much power to any given head of state. While this precaution protects France from the excesses of dictatorship, it has given rise to frequent cabinet crises and changes of government, which have subjected that country to much criticism and even ridicule, especially from totalitarian critics.

Les Amateurs de spectacle

A LA RECLUSE[1] l'hiver dure ni peu ni guère,[2] et l'été le soleil n'envoie ses rayons qu'un moment, lorsqu'il est très haut dans le ciel et ne peut s'en dispenser. En manière de protestation ou de compensation, les habitants s'y amusent le plus qu'ils peuvent.
5 L'amour et la guerre les occupent, et ce n'est guère différent. L'amour se conclut aux veillées où l'on parlotte tant que dure la chandelle. Et pour la guerre, il y a les coups et il y a les procès. Rien n'est meilleur pour passer le temps et bien prendre la vie. Surtout les procès qui obligent à fréquenter Neuville[3] où siègent le
10 tribunal de première instance et des cabarets bien pourvus de vin et d'alcool.

Quand on apprit au village que le forgeron Riboulard, dit Nez-en-moins, et le meunier Tarbotin, surnommé Farine, allaient plaider l'un contre l'autre, ce fut une joie bruyante, une occasion de vider des pots et la perspective d'un joyeux combat.

Un passage que Farine prétendait exercer sur les champs de Riboulard, bien qu'il ne fût pas enclavé, mais en vertu d'une

se dispenser de to avoid
en manière de by way of
la veillée evening spent together
parlotter to chat
tant que as long as
la chandelle candle
le procès lawsuit
siéger to sit
le tribunal court
une instance appeal
le cabaret tavern
le forgeron blacksmith
Nez-en-moins Minus-a-nose
le meunier miller
surnommé nicknamed
farine flour
plaider to have a lawsuit
bruyant noisy
le pot jug
le passage right of way
prétendre exercer to claim use of
enclavé enclosed

[1]*La Recluse* and *Neuville* are villages in picturesque, mountainous Savoy, located approximately 15 miles southeast of Bourg. [2]*dure ni peu ni guère*, is long and severe. [3]See note 1.

ancienne enclave disparue, causait le litige. C'était un beau procès, avec autant de pour que de contre, et tout l'embrouillamini des questions de servitudes apparentes, discontinues, et, par-dessus le marché, des prescriptions.[4] On s'intéressa, on prit parti, on paria, la commune[5] se divisa en deux camps, et l'on goûta, en attendant mieux, les plaisirs de l'attente. 5

Cependant les deux antagonistes prenaient souvent le chemin de la ville. Comme elle n'est pas grande, ils s'y rencontraient, et le soir, à la montée, où l'on ralentit le train, leurs chars se suivaient à peu de distance. Ils ne se parlaient pas, se lançaient des œillades 10 menaçantes ou sournoises, s'observaient, se dépistaient, se retrouvaient à l'auberge, buvaient, et dans le vin s'injuriaient, mais tout bas, pour ne pas brouiller les cartes que chacun croyait bonnes. Tous deux connaissaient déjà, vieux routiers de justice,[6] les cabinets d'avocats, les offices d'avoués, les greffes et les salles d'audience. 15 Ils pouvaient considérer le Palais[7] comme leur théâtre, car ils avaient eu diverses fois l'occasion d'écouter les plaidoiries comme un drame dont le dénouement est plein d'inquiétude. Cependant, intéressés dans la partie,[8] ils manquaient d'équité dans leurs appréciations. 20

Après de savantes marches et contremarches de leurs hommes d'affaires, le procès fut inscrit au rôle, appelé et fixé. Tout le village connut la date, et l'on se promit d'assister à la bataille. La Recluse descendrait en masse sur Neuville: ne fallait-il pas

un embrouillamini (fam.) confusion
la servitude easement
discontinu interrupted
par-dessus le marché in addition
prendre parti to take sides
parier to bet
goûter to enjoy
une attente anticipation
ralentir to slow down
le train pace
le char wagon
une œillade glance
sournois crafty
dépister to put off the trail
injurier to insult
tout bas in a whisper
brouiller to shuffle
un avoué attorney
le greffe office of the clerk of the court
la salle d'audience courtroom
la plaidoirie address of counsel
le dénouement ending
une inquiétude uncertainty
une équité fairness
une appréciation evaluation
la marche move
le rôle docket
fixé assigned a date

[4]*prescriptions*, prescriptions (*i.e.*, title to property founded on uninterrupted possession or loss of title by failure to assert it within a given time). [5]*commune*, smallest administrative division of France. [6]*vieux routiers* (fam.) *de justice*, old hands at lawsuits. [7]*i.e.*, *Palais de Justice*, courthouse. [8]*intéressés dans la partie*, having taken sides in the contest.

savoir lequel des deux avocats avait la langue mieux pendue?[9] Allons, les moulins à paroles, à vous de tourner avec des mots, en place de vent, mais c'est tout comme![10]

Farine et Riboulard avaient, la veille, fait leur tour, apportant le 5 nerf de la guerre, plus, le meunier, un gâteau doré, et l'autre, grand chasseur, un coq de bruyère... Un soldat bien nourri met plus de cœur à la besogne, avaient-ils pensé tous les deux.

Comme ils remontaient presque à la même heure, l'orage les surprit sur la route.

10 Pour atteindre, de Neuville, la Recluse, on passe un col pas bien haut, mais découvert. Un petit bouchon est là, guettant les voyageurs que la montée fatigue. Il y a une remise pour les chars, un bout d'écurie[11] et une salle à boire qu'indique un petit sapin pendu à une galerie.

15 Farine, qui était devant, fut arrêté à l'auberge au plus fort de l'averse. Quand il entra, il n'avait pas un poil sec et gargouillait sur le plancher. On mit au feu un fagot de sarments pour le réchauffer et l'on plaça devant lui un broc de vin rouge, vieux de deux ans et déjà gaillard.

20 Moins d'une demi-heure plus tard, Riboulard se précipitait sur la porte. Il avait reçu toute l'eau du ciel sur le corps et la répandait à son tour comme un arrosoir. Il fut accueilli par des rires, mais le meunier lui céda sa place au feu par commisération ou parce qu'il était déjà séché à peu près.

25 Les deux ennemis étaient seuls dans la salle avec le cabaretier qui, pour garder ses pratiques, ne se mêlait point de leurs histoires et

le moulin à paroles word mill
le nerf de la guerre sinews of war (money)
le gâteau cake
le coq de bruyère grouse
le col mountain pass
découvert exposed
le bouchon tavern
guetter to lie in wait for
la remise coach house
le sapin pine tree
la galerie balcony
au plus fort de at the height of
une averse shower
le poil hair
gargouiller to shed water copiously like a gargoyle
le plancher floor
le fagot bundle
le sarment vine shoot
réchauffer to warm
le broc jug
gaillard strong
se précipiter sur to rush toward
à son tour in turn
un arrosoir watering-can
à peu près nearly
le cabaretier innkeeper
la pratique customer

[9]*avait . . . pendue,* talked the more glibly.
[10]*c'est tout comme!* it's all the same!
[11]*un bout d'écurie,* a tiny stable.

qui, d'ailleurs, allait et venait, un garçonnet dans les jambes,[12] un chien sur les talons. Pour comble de malheur, on les avait servis sur la même table, côte à côte, comme deux collègues. Sûrement cela finirait mal et le forgeron, prompt à se croire persécuté, imaginait déjà un guet-apens et se tâtait les poings. 5

Farine vida son verre, fit claquer sa langue et proféra à voix haute:

—Il est bon.

Riboulard, soupçonneux et inventif, crut qu'il parlait de son procès et ne souffla mot. Mais dans ses vêtements mouillés il transpirait de colère. L'autre ajouta: 10

—A votre santé.

Se retournant, le forgeron chercha du regard le cabaretier, à qui ce vœu s'adressait sans doute. Point de cabaretier dans la salle. On a beau se haïr, une politesse en vaut une autre.

—A la vôtre, murmura-t-il, à demi étranglé. 15

Sur ce souhait réciproque, ils se turent. Ils se turent longtemps. L'aubergiste, rentrant, les trouva tout occupés à se taire:

—Eh! vous n'êtes pas bavards, vous autres!

—On est ce qu'on est, lui fut-il répondu, et il se le tint pour dit.[13]

Au dehors, le vent et la pluie faisaient rage, conspiraient pour les 20 enfermer nez à nez. Nez à nez, c'est une façon de parler, puisque l'un était surnommé Nez-en-moins.

A tour de rôle, ils inspectèrent la fenêtre pour mettre fin à ce gênant tête-à-tête. Mais le ciel se moquait d'eux à écluses ouvertes. Que faire, dans une auberge, sinon boire? Et boire sans parler, 25 quel supplice! Au deuxième pot, toujours dégouttant mais ré-

le garçonnet little boy
le talon heel
pour comble de malheur as a crowning misfortune
le guet-apens ambush
tâter to feel
proférer to articulate
à voix haute in a loud voice
soupçonneux suspicious
inventif imaginative
transpirer de to perspire with
chercher du regard to look around for
le vœu toast
valoir to call for
étranglé choking
le souhait wish
se taire (*turent*) to be silent
un aubergiste innkeeper
bavard talkative
faire rage to rage
nez à nez face to face
à tour de rôle in turn
gênant embarrassing
une écluse floodgate
le supplice torture
dégouttant dripping

[12]*dans les jambes*, underfoot. [13]*il . . . dit*, he let it go at that.

chauffé, Riboulard fut contraint d'ouvrir la bouche par tous les mots qui s'y étaient amassés:

—Alors, c'est pour demain, affirma-t-il.

—C'est pour demain, approuva le meunier.

5 Nouveau silence. La situation était intenable. Farine qui, pendant tout ce temps, avait laissé mijoter un projet dans sa tête comme une soupe sur le feu, la dénoua d'une façon inattendue. Il se leva avec sa chaise, s'approcha de son adversaire tout près, si près que l'autre voulut se reculer, et lui tapa sur l'épaule:

10 —Dis donc, si on s'arrangeait?

La foudre fût tombée sur la maison que[14] le forgeron s'en fût mieux accommodé que de cette proposition saugrenue. Il poussa un grognement de défense qui exprimait tant bien que mal sa surprise. L'insinuant meunier reprenait sans retard:

15 —Est-ce que j'y tiens tant que ça à passer sur ton trèfle et tes pommes de terre? Puisque j'ai la route.

—Juste, reconnut Riboulard, qui, déjà, se croyait vainqueur.

—Mais c'est pour le principe. J'ai droit. Quand on a droit, on a droit. Il n'y a rien à faire.

20 Le forgeron n'approuva pas cette seconde affirmation, bien qu'elle lui parût assez forte.

—Et puis il y a ton eau.

Car le meunier visait une source qui appartenait à son ennemi et dont il avait anciennement négocié l'achat sans succès. Le présent 25 procès cachait des menées souterraines. Riboulard, malhonnêtement, tourna le dos. L'avisé Farine changea de tactique:

—C'est toute la commune qui serait volée si on s'arrangeait.

L'autre dressa l'oreille et se remit en place.

amasser to store up
mijoter to simmer
dénouer to clear up
dis donc, si say, suppose
s'arranger to come to an agreement
s'accommoder de to adjust oneself to
saugrenu ridiculous
le grognement grunt
tant bien que mal after a fashion
le retard delay
tenir à to be anxious
le trèfle clover
le vainqueur victor
viser to have one's eyes on
un achat purchase
les menées (f. pl.) scheming
souterrain underhanded
malhonnêtement impolitely
avisé crafty
dresser l'oreille to prick up one's ears
se remettre en place to take one's place again

[14]*La foudre . . . que,* If lightning had struck . . .

—On ne dirait rien, et demain ils descendraient tous, continua le meunier.

Cette perspective de duper leur monde les amusa tant qu'ils trinquèrent. Et de fil en aiguille, ils trouvèrent un joint pour terminer la lutte: l'un abandonnerait le passage dont il n'avait pas besoin, l'autre céderait son eau pour un prix convenable. Ils commandèrent à l'aubergiste une bouteille du *meilleur*, et réclamèrent de l'encre et du papier. Après l'averse le soleil avait reparu, mais ils n'y prenaient pas garde. Quand ce fut fini, daté et signé—non sans peine, car la rédaction leur coûta une suée[15]—Riboulard conclut:

—Ce n'est pas tout, ça. Maintenant, il faut redescendre à la ville.

—Quoi faire? interrogea Farine.

—Informer nos avocats, rayer la cause.

—As-tu payé le tien?

—Bien sûr.

—Moi aussi.

Et le meunier d'ajouter:

—Ils ne rendront pas l'argent.

—Bien sûr, répéta l'autre.

—Alors, il ne faut rien leur dire.

—En voilà une idée!

—Et une bonne. Demain, ils causeront tout leur saoul. On verra s'ils ont travaillé. Et toi et moi, bien arrangés, bien d'accord,[16] en beaux habits, et tranquilles, on sera là pour entendre, rien que pour son plaisir. Sans compter la vue de tout ce monde, descendu exprès et qui ne saura rien de rien.

Riboulard, émerveillé d'une combinaison aussi plaisante,—ce

le monde public
trinquer to drink together
de fil en aiguille little by little
trouver un joint pour to discover the trick of
réclamer to call for
une encre ink
prendre garde à to pay attention to
la rédaction wording
rayer la cause to call off the case
tout leur saoul all they want
rien que solely
exprès on purpose
ne . . . rien de rien nothing about anything
émerveillé amazed
la combinaison arrangement
plaisant funny

[15]*leur coûta une suée*, was a very hard job (cost them a sweat). [16]*bien arrangés, bien d'accord*, in complete agreement, in full accord.

Farine, quelles inventions[17] tout de même!—éclata d'un large rire qui fit accourir l'aubergiste.

—Chut! réclama le meunier.

Ils se levèrent et payèrent.

5 —On s'en va ensemble? demanda le forgeron, tout fier de son nouvel ami.

—Mais non, mais non. Toi d'abord, moi ensuite. Puisqu'on est en guerre.

—Puisqu'on ne l'est plus.

10 —On l'est pour les autres.

—C'est juste.

Ils rentrèrent au village, l'un devant l'autre, et les commères qui les virent passer successivement ne manquèrent pas de rapporter:

—Voilà les plaidants qui reviennent de la ville. Regardez ces 15 faces longues et ces yeux rouges. C'est leur procès qui les travaille. Et demain, c'est le grand jour.

Le lendemain, le Palais de justice donna tout entier[18]—magistrats, huissiers, greffier, avoués, avocats, surtout avocats—pour deux plaideurs qui s'étaient réconciliés et qui, endimanchés, 20 désintéressés et goguenards, goûtèrent, en présence de leurs concitoyens sérieux et attentifs, le plaisir d'un spectacle organisé pour eux-mêmes à grands frais, comme les souverains s'en peuvent seuls offrir.[19]

QUESTIONNAIRE *Les Amateurs de spectacle*

I

A. Quels aspects du tempérament français Riboulard et Farine manifestent-ils?

B. Comment l'esprit frondeur de ces hommes peut-il s'accommoder à l'idée d'accepter tacitement l'existence d'un pouvoir central?

large hearty
chut! ssh!
la commère busybody
successivement one after another
manquer de to fail
le plaidant litigant
travailler to worry
un huissier bailiff
le greffier clerk
le plaideur litigant
endimanché in one's best (Sunday) clothes
désintéressé uninvolved
goguenard laughing up their sleeves
le concitoyen fellow citizen

[17]*quelles inventions*, what schemes he imagines. [18]*le Palais . . . entier*, the whole courthouse went into action. [19]From *Carnet d'un stagiaire*. Publication authorized by Librairie Plon, Paris.

"Les Joueurs de cartes," by *Paul Cézanne* (1839-1906)

While the landscapes of this noted postimpressionist are more frequently acclaimed than his interiors and portraits, his paintings of card players are well known. They mirror the Frenchman's interest in a type of game which satisfies his individualistic, social, and reflective tendencies.

II

1. Pourquoi les habitants de la Recluse s'amusent-ils le plus possible? 2. Comment l'amour à la Recluse se conclut-il? 3. Comment la guerre y est-elle représentée? 4. Quelle a été l'occasion de vider les pots de vin? 5. Quelle était la cause du litige? 6. Riboulard et Farine se parlaient-ils quand ils se rencontraient le soir? 7. Pourquoi tout le village voulait-il assister au procès? 8. A qui les deux ennemis ont-ils apporté un gâteau doré et un coq de bruyère? 9. Qu'est-ce qui a surpris le meunier et le forgeron sur la route? 10. Lequel des deux est entré le premier dans l'auberge? 11. Après combien de temps Riboulard est-il entré? 12. Qui étaient les trois personnes dans la salle? 13. Qu'imaginait le forgeron? 14. Malgré sa haine pour Farine, qu'est-ce qu'il lui fallait faire par politesse? 15. Qui les a accusés de ne pas être bavards? 16. Qu'ont-ils fait à tour de rôle? 17. Comment Riboulard a-t-il rompu le silence au deuxième pot de vin? 18. Quel projet Farine avait-il laissé mijoter dans sa tête comme une soupe sur le feu? 19. Qu'a dit Farine en changeant de tactique et ne parlant plus de la source? 20. Quelle perspective les a tellement amusés qu'ils ont fini par trinquer? 21. Pourquoi ont-ils commandé de l'encre et du papier à l'aubergiste? 22. Pourquoi Riboulard voulait-il redescendre à la ville? 23. Quelle objection Farine a-t-il faite à ce propos? 24. Pourquoi l'aubergiste est-il accouru? 25. Sont-ils rentrés au village ensemble ou bien l'un devant l'autre? 26. Qu'est-ce que les commères ont dit quand elles les ont vus passer successivement? 27. Qui s'intéressait le plus au procès—les deux plaideurs ou leurs concitoyens? 28. Dans quelle partie de la France se passe cette histoire?

DISCUSSION *Individualism and Its Social Correctives*

1. To understand fully the nature of the "spectacle" of which the miller and the smith were unwilling to deprive all the "amateurs," the American reader must remember that in the final scene at the Palais de Justice, not only were these worthy men "endimanchés," but that the three (or five) judges as well as the lawyers were all dressed in black robes, white bibs, and magisterial bonnets. Does the impressiveness of such a legal "spectacle" serve a purpose in the dispensation of the law?

2. The tradition of politeness compels even such antagonists as Nez-en-moins and Farine to observe social amenities. This tradition is evident in the many "formules de politesse" in the French language. What polite phrases do you know in French (indicating pleasure on meeting someone, closing a letter, etc.)?

3. Do you approve of a system of civil service, such as that in France, by which judges, public officials, teachers, and even police are assigned to positions in outlying provinces by centralized offices in Paris? What advantages and disadvantages does such a system have?

4. In France and generally in Europe for many years every individual has been obliged to carry with him at all times his *carte* (*pièce*) *d'identité*. You will see (pp. 242 ff.), in the selection "Lettre à un otage," how important it is for a European not to go out without his identity papers. Is this an encroachment on or abrogation of civil rights? Should such a system be introduced into the United States?

5. The eleventh article of the *Déclaration des droits de l'homme* states that "la libre communication des pensées et des opinions est un des droits les plus précieux de l'homme." What, if any, are legitimate checks on this freedom of expression?

3

LE BON SENS AND PRACTICALITIES OF COMMUNITY LIVING

"C'EST BIEN beau l'amour, mais il faut qu'on mange... C'est bien beau, mais ici il y a un comptoir, du pain à peser, de la farine à mettre en compte, et puis, un homme." This reminder of the practical necessities of life from the mouth of the village philosopher summarizes the central theme of the following story by the gifted but diffuse Jean Giono[1] (born 1895), contemporary Alpine regionalist, pantheistic mystic, and apostle of the simple life. These words suggest the interest of a whole community in a love triangle, without approving it, but also without condemning it irrevocably on moral grounds, since the villagers understand the circumstances and the people involved. They epitomize *le bon sens*, that rational acceptance of the practicalities and realities of life with which the Frenchman faces both personal and communal problems. With this remark César states the dignity of useful work and the importance of fulfilling one's allotted task and marital obligations, since otherwise both the individuals concerned and the community as a whole will be seriously affected.

The motion-picture version of this story, which has been frequently shown in America, brings out even better than the printed version some of the typical contrasts of small-town life in villages such as Giono's Manosque, with their ancient antagonisms between families, or between priest and anticlerical schoolteacher, one representing faith and the other reason. Although Corbières, the scene of this story, has no organized civic groups such as abound in our country, the conflicts within the community disappear when spontaneously, through that collective will which Jules Romains has called *unanimisme*, every effort is bent toward the common good. Giono purposely builds the crisis of his tale around

[1]M. Giono has recently been elected to the renowned *Académie Goncourt*, to which belonged another of the authors represented in this text, Lucien Descaves.

the baker's misfortune and the consequent calamity of losing the local source of the "staff of life," so important as the prime necessity and luxury of every Frenchman. This is especially true in rather isolated regions such as the mountainous Basses-Alpes of this story, where wheat plays an important role in the local economy, and where regionalistic urges and practical necessities impel each area, even each village, to strive to be as independent as possible. Thus the local baker's bread completes the cycle of the local farmer's wheat, which is ground by the local miller for local consumption. These mountaineers look down on the people of the plains in more than one sense, and they are deeply concerned over the possibility of having to buy from those "outsiders" or "foreigners." Such bread is not quite real, since it is "imported." Thus the individualism of the earlier stories takes on a communal or subregional form. While this way of living is not possible in the larger centers of France, and is certainly not in tune with the global interdependence of the modern world, local self-reliance has frequently been of great value to the French. During recent wars, when many great industrial plants were destroyed by bombardment or taken over by the enemy, regional or local autonomy and small industries with abundant artisan skills proved valuable. They provided means not only for local survival, but for small-arms production, formation of underground resistance units, and aid for the country as a whole.

In the present story the community promptly plans and executes a complicated but effective system of strategy and tactics, designed first to lure the erring wife back to her marital obligations, then tactfully to make her feel that she again "belongs" in the community. In the process, we are offered a glimpse of the various occupations represented in a French village. These include farming and herding, since the former need of protection against marauders, together with the social instinct, has caused a majority of farmers to live in the towns and become acquainted with tradesmen, to the common profit of all. The shepherd's life in the mountains is reminiscent of that in Biblical times; the church is ever in the background as the center of life, and even children's games unite good fun with the memory of the Christ Child. Indeed, the chalked semicircle at the end of the hop-scotch squares which serves the children as goal is known in France as *paradis* or *ciel*, and a forbidden square is called *enfer*.

The watch-repairer, Maillefer, is an excellent example of the patience, ingenuity, and meticulous care in workmanship which has permitted France to excel, since the Middle Ages, in the field of inventions or in the production of precision instruments and luxury goods. These painstaking artisans are very far from the caricatural idea of many Americans that the Frenchman is exceptionally impatient and unsteady. Added to his artistic propensities, Maillefer also has a typical love of expert fishing, and his gastronomical and culinary finesse makes him a worthy representative of France's galaxy of gourmets, for whom the kitchen is an altar and the cook a high priest. Note the relative importance of the word *chef* (for *chef de cuisine*) as contrasted with the humble English word "cook."

Giono's style is worth studying, with its adaptation of regional and popular speech, its combination of frankness and subtlety, its very French fusion of style and subject matter, wherein language and flowers, metaphors and wheat grow abundantly out of the same local soil.

JEAN GIONO

La Femme du boulanger

La femme du boulanger s'en alla avec le berger des Conches.[1] Ce boulanger était venu d'une ville de la plaine pour remplacer le pendu. C'était un petit homme grêle et roux. Il avait trop longtemps gardé le feu du four devant lui à hauteur de poitrine et il
5 s'était tordu comme du bois vert. Il mettait toujours des maillots de marin, blancs à raies bleues. On ne devait jamais en trouver d'assez petits. Ils étaient tous faits pour des hommes, avec un bombu à la place de la poitrine. Lui, justement, il avait un creux là et son maillot pendait comme une peau flasque sous son cou. Ça
10 lui avait donné l'habitude de tirer sur le bas de son tricot et il s'allongeait devant lui jusqu'au-dessous de son ventre.

—Tu es pitoyable, lui disait sa femme.

Elle, elle était lisse et toujours bien frottée; avec des cheveux si noirs qu'ils faisaient un trou dans le ciel derrière sa tête. Elle les
15 lissait serrés à l'huile et au plat de la main et elle les attachait sur sa nuque en un chignon sans aiguilles. Elle avait beau secouer la tête, ça ne se défaisait pas. Quand le soleil le touchait, le chignon

le boulanger baker
le berger shepherd
le pendu man who was hanged (or who had hanged himself)
grêle thin
roux red-haired
le four oven
se tordre to become twisted
le maillot de marin sailor's jersey
la raie stripe
le bombu bulge
justement as it happened
flasque limp
le tricot jersey
s'allonger to stretch down
pitoyable pitiful
lisse sleek
frotté scrubbed
lisser to smooth down
serré tightly
une huile oil
le plat flat (palm)
la nuque nape of the neck
le chignon knot of hair
une aiguille hairpin
se défaire to come undone

[1]Conches, a picturesque village in the Alps.

avait des reflets violets comme une prune. Le matin, elle trempait ses doigts dans la farine et elle se frottait les joues. Elle se parfumait avec de la violette ou bien avec de la lavande. Assise devant la porte de la boutique elle baissait la tête sur son travail de dentelle et tout le temps elle se mordait les lèvres. Dès qu'elle entendait le pas d'un homme elle mouillait ses lèvres avec sa langue, elle les laissait un peu en repos pour qu'elles soient bien gonflées, rouges, luisantes et, dès que l'homme passait devant elle, elle levait les yeux.

C'était vite fait. Des yeux comme ça, on ne pouvait pas les laisser longtemps libres.

—Salut, César.

—Salut, Aurélie.

Sa voix touchait les hommes partout, depuis les cheveux jusqu'aux pieds.

Le berger, c'était un homme clair comme le jour.[2] Plus enfant que tout. Je le connaissais bien. Il savait faire des sifflets avec les noyaux de tous les fruits. Une fois, il avait fait un cerf-volant avec un journal, de la glu et deux cannes. Il était venu à notre petit campement.

—Montez avec moi, il avait dit, on va le lancer.

Lui, il avait ses moutons sur le devers nord, où l'herbe était noire.

—Quand le vent portera, je le lâcherai.

Il était resté longtemps, debout sur la crête d'un mur, le bras en l'air et il tenait entre ses deux doigts l'oiseau imité.

Le vent venait.

—Lâche-le, dit l'homme noir.

Le berger clignait de l'œil.

—Je le connais, moi, le vent.

le reflet glint
la prune plum
tremper to dip
la violette violet perfume
la lavande lavender perfume
la boutique shop
le travail de dentelle lacework
en repos relaxed
gonfler to swell
luisant glistening
salut hello
toucher to react on
le sifflet whistle
le noyau pit
le cerf-volant kite
la glu glue (birdlime)
la canne reed
lancer to fly
le devers slope
la crête ridge
imité imitation
lâcher let go
cligner de l'œil to wink

[2] *c'était . . . jour,* was a simple, forthright man.

Il lâcha le cerf-volant à un moment où tout semblait dormir; rien ne bougeait, même pas la plus fine pointe des feuilles.

Le cerf-volant quitta ses doigts et il se mit à glisser sur l'air plat, sans monter, sans descendre, tout droit devant lui.

5 Il s'en alla planer sur les aires; les poules se hérissaient sur leurs poussins et les coqs criaient au faucon.[3]

Il tomba là-bas derrière dans les peupliers.

—Tu vois, le vent, dit le berger.

Il se toucha le front avec les doigts et il se mit à rire.

10 Tous les dimanches matin il venait chercher le pain de la ferme. Il attachait son cheval à la porte de l'église. Il passait les guides dans la poignée de la porte et, d'un seul tour de main, il faisait un nœud qu'on ne pouvait plus défaire.

Il regardait sa selle. Il tapait sur le derrière du cheval.

15 —S'il vous gêne, poussez-le, disait-il aux femmes qui voulaient entrer à l'église.

Il se remontait les pantalons et il venait à la boulangerie.

Le pain, pour les Conches, c'était un sac de quarante kilos. Au début, il était toujours préparé d'avance, prêt à être chargé sur le 20 cheval. Mais, Aurélie avait du temps toute la semaine pour calculer, se mordre les lèvres, s'aiguiser l'envie.[4] Maintenant, quand le berger arrivait, il fallait emplir le sac.

—Tenez d'un côté, disait-elle.

Il soutenait les bords du sac d'un côté. Aurélie tenait de l'autre 25 côté d'une main, et de l'autre main elle plaçait les pains dans le sac. Elle ne les lançait pas; elle les posait au fond du sac; elle se baissait et elle se relevait à chaque pain, et comme ça, plus de cent fois elle faisait voir ses seins, plus de cent fois elle passait avec son

fin tiny
se mettre à to begin
plat dead
planer to soar
une aire (area of) field, in the wind
la poule hen
se hérisser to ruffle one's feathers
le poussin chick
le peuplier poplar tree
passer . . . dans to put . . . through
la guide rein
la selle saddle
le derrière buttocks
remonter to pull up
la boulangerie bakery
le kilo kilogram (2.2 pounds)
se baisser to bend over
faire voir to show
les seins breasts

[3] *criaient au faucon,* crowed a warning to look out for the falcon. [4] *s'aiguiser l'envie,* to sharpen her desire.

visage offert près du visage du berger, et lui il était là, tout ébloui de tout ça et de l'amère odeur de femme qui se balançait devant lui dans la pleine lumière du matin de dimanche.

—Je vais t'aider.

Elle lui disait « tu » brusquement, après ça. 5

—Je me le charge seul.

C'était à lui, alors, de se faire voir.[5] Pour venir à cheval, il mettait toujours un mince pantalon de coutil blanc bien serré[6] au ventre par sa ceinture de cuir; il avait une chemise de toile blanche un peu raide, en si gros fil qu'elle était comme empesée, autour de 10 lui. Il ne la boutonnait pas, ni du bas, ni du col, elle était ouverte comme une coque d'amande mûre et, dans elle, on voyait tout le torse du berger, mince de taille, large d'épaule, bombu, roux comme un pain et tout herbeux d'un beau poil noir frisé comme du plantain vierge. 15

Il se baissait vers le sac, de face. Il le saisissait de ses bonnes mains bien solides; ses bras durcissaient. D'un coup,[7] il enlevait le poids, sans se presser, avec la sûreté de ses épaules; il tournait doucement tout son buste d'huile, et voilà, le sac était chargé.

Pas plus pour lui. Ça disait.[8] 20

—Ce que je fais, je le fais lentement et bien.

Puis il allait à son cheval. Il serrait le sac par son milieu, avec ses deux mains pour lui faire comme une taille, il le plaçait en besace sur le garrot de sa bête, il défaisait son nœud de guides et, pendant que le cheval tournait, sans étrier, d'un petit saut toujours 25 précis, il se mettait en selle.

Et voilà!

ébloui dazzled
le pantalon de coutil ducks
la toile linen
raide stiff
empesé starched
la coque shell
une amande almond
bombu barrel-chested
roux reddish
herbeux (grassy), hairy
frisé curly
de face facing it
durcir to harden
se presser to hurry
d'huile shiny, oily
la taille waist
en besace like a double sack
le garrot withers (highest part of the back of a horse, between the shoulder blades)
un étrier stirrup
le saut jump
se mettre en selle to get into the saddle
voilà that was that

[5]*C'était . . . voir,* Then it was his turn to show himself off. [6]*bien serré,* held very tight. [7]*D'un coup,* In one continuous gesture. [8]*Ça disait, i.e.,* His gesture signified.

—Elle n'a rien porté, dit le boulanger, ni pour se couvrir ni rien.

C'était un grand malheur. On entrait dans la boulangerie toute ouverte. Il faisait tout voir. On allait jusque dans la chambre,
5 là-bas, derrière le four. L'armoire n'était pas défaite; la commode était bien fermée. Elle avait laissé sur le marbre son petit trousseau de clefs, propre, tout luisant, comme en argent.

—Tenez...

Il ouvrait les tiroirs.

10 —Elle n'a pas pris de linge; ni ses chemises en tricot.

Il fouillait dans le tiroir de sa femme avec ses mains pleines de son.

Il chercha même dans le linge sale. Il sortit un de ses tricots qui sentait comme une peau de putois.

15 —Qu'est-ce que vous voulez, disaient les femmes, ça se sentait venir.

—A quoi? dit-il.

Et il les regarda avec ses petits yeux gris aux paupières rouges.

On sut bien vite qu'Aurélie et le berger étaient partis pour les
20 marécages.

Il n'y avait qu'une route pour les collines, et nous gardions les moutons en plein au milieu, l'homme noir et moi.

On monta nous demander:

—Vous n'avez pas vu passer Aurélie?

25 —Non.

—Ni de jour ni de nuit?

—Ni de jour ni de nuit. De jour, nous ne bougeons pas de là. De nuit, nous allons justement nous coucher dans le sentier parce que c'est plus chaud, et, précisément cette nuit, nous avons lu à la
30 lanterne jusqu'au liseré du jour.

une armoire wardrobe
défait in disorder
la commode chest of drawers
le marbre marble top (of bureau)
le trousseau bunch
tenez look
le tiroir drawer
en tricot knitted
le son bran
sale dirty
le putois polecat (Eur.)
vouloir to expect
la paupière eyelid
le marécage marshland
en plein au milieu right in the middle
là here
précisément as a matter of fact
le liseré du jour daybreak

Ce devait être cette lumière qui avait fait rebrousser chemin aux amoureux.

Ils avaient dû monter tout de suite vers les collines et attendre que la lumière s'éteignît. On trouva même une sorte de bauge dans les lavandes[9] et d'où on pouvait nous guetter. 5

Le berger savait bien qu'on ne pouvait passer que là. D'un côté c'était l'apic de Crouilles, de l'autre côté les pentes traîtres vers Pierrevert.

Dans l'après-midi, quatre garçons montèrent à cheval. Un s'en alla sans grand espoir aux Conches pour qu'on regarde dans les 10 greniers. L'autre alla à la gare voir si on n'avait pas délivré de billets. Les deux autres galopèrent l'un au nord, l'autre au sud, le long de la voie jusqu'aux deux gares de côté. On n'avait donné de billet à personne dans les trois gares. Celui qui était parti pour les Conches rentra tard et saoul comme un soleil.[10] 15

Il avait raconté ça à M. d'Arboise, le maître des Conches, puis aux dames. On avait fouillé les granges en bandes. On avait ri. M. d'Arboise avait raconté des histoires du temps qu'il était capitaine aux dragons. Ça avait fait boire des bouteilles.

D'avoir galopé ainsi après une femme, de s'être frotté contre les 20 dames des Conches tout l'après-midi, le garçon en était plus rouge encore que de vin.

Il tapait sur l'épaule du boulanger.

—Je te la trouvais,[11] dit-il, je te la ramenais, mais je te la baisais en route. 25

Le boulanger était là, sous la lampe à pétrole. On ne voyait bien que son visage parce qu'il était plus petit que tout le monde et que le visage des autres était dans l'ombre. Lui, il était là avec ses

rebrousser chemin to turn back
la bauge den
guetter to watch for
un apic cliff
traître treacherous
monter à cheval to mount one's horse
le grenier loft
délivrer to issue
le long de along
la voie track
de côté neighboring
la grange barn
le dragon dragoon
baiser to seduce
le pétrole kerosene

[9]*les lavandes.* Lavender plants abound in this region, and from here to the Riviera is the center of the manufacture of France's famous perfumes and toilet waters. Note, above, Aurélie's lavish use of lavender perfume. [10]*saoul comme un soleil,* drunk as a lord. [11]*Je te la trouvais = Si je te l'avais trouvée.*

joues de terre et ses yeux rouges et il regardait au-delà de tout, et il tapotait du plat des doigts le froid du comptoir à pain.

—Oui, oui, disait-il.

—Avec tout ça, dit César en sortant, vous verrez qu'on va encore perdre le boulanger. C'est beau, oui, l'amour, mais il faut penser qu'on mange. Et alors? Il va falloir encore patrouiller à Sainte-Tulle pour aller chercher du pain. Je ne dis pas, mais, si elle avait eu un peu de tête, elle aurait dû penser à ça.

—Bonsoir, merci, disait le boulanger de dessus sa porte.

Le lendemain, César et Massot s'en allèrent dans le marais. Ils y restèrent tout le jour à patauger à la muette et à fouiller comme des rats. Vers le soir seulement, ils montèrent sur la digue et ils appelèrent de tous les côtés:

—Aurélie! Aurélie!

Un vol de canards monta vers l'est puis il tourna du côté du soleil couchant et il s'en alla dans la lumière.

Le souci de César, c'était le pain. Un village sans pain, qu'est-ce que c'est? Perdre son temps, fatiguer les bêtes pour aller chercher du pain à l'autre village. Il y avait plus que ça encore. On allait avoir la farine de cette moisson et chez qui porter la farine, chez qui avoir son compte de pain, sa taille de bois où l'on payait les kilos d'un simple cran au couteau? Si le boulanger ne prenait pas le dessus de son chagrin, il faudrait vendre la farine au courtier, et puis, aller chercher son pain, les sous à la main.

—Quand on a le cul un peu turbulent,[12] tu vois ce que ça peut faire; où ça nous mène?

De trois jours, le boulanger ne démarra pas du four. Les fournées se mûrissaient comme d'habitude. César avait prêté sa femme

de terre earthen
au-delà de beyond
tapoter to tap
patrouiller to patrol (travel)
chercher to get
un peu de tête a few brains
de dessus from
le marais marsh
patauger to wade
à la muette silently
la digue dike
le vol flight
le canard duck
l'est east
du côté de in the direction of
couchant setting
la moisson harvest
la taille de bois tally stick
le cran notch
prendre le dessus to overcome
le courtier middleman
démarrer to budge
la fournée ovenful, batch
se mûrir (to ripen), continue to bake
comme d'habitude as usual

[12]*Quand . . . turbulent,* When you're a bit stirred up.

pour servir. Elle était au comptoir. Et, celle-là, il ne fallait pas lui conter ni berger ni marécages: elle était là, sombre à mâcher ses grosses moustaches, et, le poids juste, c'était le poids juste. Le quatrième jour, il n'y eut plus l'odeur du pain chaud dans le village. 5

Massot entre-bâilla la porte:

—Alors, ça va la boulange?

—Ça va, dit le boulanger.

—Il chauffe, ce four?

—Non. 10

—A cause?

—Repos, dit le boulanger. Il reste encore du pain d'hier.

Puis, il sortit en savates, en pantalon tordu, en tricot flottant. Il alla au cercle. Il s'assit près de la table de zinc, derrière le fusain de la terrasse. Il tapa à la vitre: 15

—Une absinthe.

Sans cette odeur de pain chaud, et sous le gros du soleil, le village avait l'air tout mort. Le boulanger se mit à boire, puis il roula une cigarette. Il laissa le paquet de tabac là, à côté de lui, sur la table, près de la bouteille de pernod. 20

Le ciel avait un petit mouvement venant du sud. Au-dessus des toits passait de temps en temps cette laine légère que le vent emporte en soufflant dans les roseaux. Le clocher sonna l'heure. Sur la place, des petites filles jouaient à la marelle en chantant:

> Onze heures!
> Comme en toute heure,
> Le petit Jésus est dans mon cœur.
> Qu'il y fasse une demeure...

mâcher to chew
entre-bâiller to half open
la boulange bread-making
la savate worn-out shoe, old slipper
flottant loosely hanging
le fusain spindle-tree hedge
la terrasse terrace (area of sidewalk in front of a café)
une absinthe here *pernod* (absinthe is now prohibited)
le gros intense heat
le tabac tobacco
le pernod pernod (*apéritif*, milder than absinthe)
de temps en temps from time to time
la laine (wool), vegetal down
le roseau reed
le clocher bell tower
la marelle hopscotch
faire une demeure to dwell

Maillefer arrangeait les montres derrière sa fenêtre. Il avait mis sa pancarte: « Maillefer Horloger »; il aurait dû mettre aussi « pêcheur ». La grosse patience (et il en faut pour guetter au long-œil la maladie d'une petite roue) s'était entassée dans lui. On
5 l'appelait « Maillefer-patience ». Il attendait une heure, deux, un jour, deux, un mois, deux. Mais, ce qu'il attendait, il l'avait.

—J'attends, je l'ai, il disait.

On l'appelait aussi « Jattenjelai » pour le distinguer de son frère.

—Maillefer lequel?

10 —Maillefer-patience.

Ils étaient patients l'un et l'autre.

—Le jattenjelai.

Comme ça on savait.

Il pêchait de nature.[13] Souvent, en traversant les marais, on
15 voyait comme un tronc d'arbre debout. Ça ne bougeait pas. Même si c'était en mars et qu'un coup de grêle se mette à sonner sur les eaux, Maillefer ne bougeait pas. Il arrivait avec de pleins carniers de poissons. Il avait eu une longue lutte une fois contre un brochet. Quand on lui en parlait maintenant il se tapait sur le
20 ventre.

—Il est là, disait-il.

Il avait de grosses lèvres fiévreuses, rouges et gonflées comme des pommes d'amour et une langue toute en sang qui ne perdait jamais son temps à parler. Il ne l'employait que pour manger, mais alors,
25 il la faisait bien travailler, surtout s'il mangeait du poisson, et on la voyait parfois sortir de sa bouche pour lécher la rosée de sauce sur ses moustaches. Il avait des mains lentes, des pieds lents, un regard gluant qui pouvait rester collé contre les vitres, comme une mouche, et une grosse tête, dure, poilue, juste de la couleur du bois
30 de buis.

la montre watch
la pancarte sign
un horloger watchmaker
le pêcheur fisherman
le long-œil telescopic lens
s'entasser to pile up
le tronc trunk
le coup de grêle hailstorm
le carnier game bag
le brochet pike
fiévreux feverish
la pomme d'amour tomato
en sang blood-red
lécher to lick
la rosée dewlike drops
gluant sticky
la mouche fly
poilu hairy
le bois de buis boxwood

[13]*Il pêchait de nature*, He was a fisherman by nature.

Un soir, il arriva:

—Je les ai vus, il dit.

—Viens vite, dit César. Et il le tira chez le boulanger.

—Je les ai vus, dit encore Maillefer.

—Où? Qu'est-ce qu'elle fait? Comment elle est? Elle a maigri? Qu'est-ce qu'elle t'a dit? 5

—Patience, dit Maillefer.

Il sortit; il entra chez lui, il vida son carnier sur la table. Le boulanger, César, Massot, Benoît et le Taulaire, tout ça l'avait suivi. On ne demandait rien, on savait que ce n'était pas la peine. 10

Il vida son carnier sur la table. Il y avait de l'herbe d'eau et puis quatorze gros poissons. Il les compta, il les vira dessus-dessous; il les regarda. Il chercha dans l'herbe. Il fouilla son carnier. Il tira à la fin un tout petit poisson bleu de fer à mufle jaune et tout rouillé sur le dos. 15

—Une caprille, dit-il. Tu me la mettras sur le gril et, ne la vide pas, c'est une grive d'eau.

Il se tourna vers tout le monde.

—Alors? dit-il.

—Alors, à toi,[14] dit César. 20

Il raconta qu'étant planté dans le marais, à sa coutume, et juste comme il guettait cette caprille—un poisson rare, et ça fait des pertuis à travers les oseraies pour aller dans des biefs perdus, et ça saute sur l'herbe comme des sauterelles, et ça s'en va sur les chemins comme des hommes pour changer d'eau—bref, juste 25 comme il guettait cette caprille, il avait entendu, comme dans l'air, une pincée de petits bruits follets.

—Des canards? je me dis. Non, pas des canards. Des râles? je

maigrir to grow thin
être la peine to be worth the trouble
une herbe d'eau water plant
virer to turn over
dessus-dessous upside down
bleu de fer steel-blue
le mufle snout
rouillé rust-colored
la caprille caprille (fish)
vider to clean
c'est une grive it's like a thrush (a gastronomic delicacy)
alors? well?
le pertuis opening
une oseraie bed of water willows
le bief expanse of water
la sauterelle grasshopper
bref in short
la pincée quick succession
follet lively
le râle rail (wading bird frequenting marshes)

[14] *à toi*, it's your turn.

me dis. Ça pointait et ça roulait pas comme des râles.[15] Non, pas des râles. Des poissons-chiens?...

—Elle chantait? dit le boulanger.

—Patience, dit Maillefer, tu es bien pressé!

5 Oui, il avait entendu une chanson. A la longue, on pouvait dire que c'était une chanson. C'était le grand silence partout dans le marécage. Il ne pouvait y avoir dans les marais rien de vivant à cette heure que les poissons, le vent d'été et les petits frémissements de l'eau. Aurélie chantait. Maillefer pêcha la caprille par un coup 10 spécial du poignet: lancer, tourner, tirer. Il fit deux, trois fois le mouvement sous le pauvre œil du boulanger.

Après ça, Maillefer marcha. L'air frémissait sous la chanson d'Aurélie. Il se mit à guetter ça comme le frisson d'une truite qui sommeille, qui se fait caresser le ventre par les racines du cresson: 15 un pas, deux pas, ça ne clapote pas sous le pas de Maillefer, il a le coup pour tirer la jambe[16] et il sait enfoncer son pied l'orteil premier; l'eau s'écarte sans bruit comme de la graisse. C'est long, mais c'est sûr.

Il trouva d'abord un nid de pluviers. La mère était sur les œufs. 20 Elle ne se leva pas, elle ne bougea pas même une plume. Elle regarda Maillefer en cloussant doucement. Il trouva après un plonge de saurisson. Les poissons-femmes étaient là au plein noir du trou, avec des ventres blancs, gonflés d'œufs et qui éclairaient l'eau comme des croissants de lune.

25 Il fit le tour du trou sans réveiller un saurisson.

Il entendait maintenant bien chanter et, de temps en temps, le berger qui disait:

—Rélie!

le poisson-chien dogfish
pressé in a hurry
à la longue in the end
le frémissement quiver
le coup du poignet "twist of the wrist"
lancer to cast
le frisson shiver
la truite trout
la racine root
le cresson water cress
clapoter to splash
un orteil big toe
la graisse grease
le nid nest
le pluvier plover
clousser to cluck
le plonge hole
le saurisson fresh-water herring
le poisson-femme female (fish)
faire le tour de to go around

[15]*Ça pointait . . . râles,* (obscure) The notes rose and did not undulate on the same level, as does the rail's song. [16]*il . . . jambe,* he has the knack of pulling out his leg.

Et, après ça, il y avait un silence. Maillefer ne bougeait plus, puis, au bout d'un moment, la voix reprenait et Maillefer se remettait à marcher à travers le marais.

—C'est une île, dit-il.

—Une île? dit César. 5

—Oui, une île.

—Où? dit Massot.

—Dans le gras de l'eau, juste en face Vinon.

Le berger avait monté une cabane avec des fascines de roseau. Aurélie était couchée au soleil, toute nue sur l'aire d'herbe. 10

—Toute nue? dit le boulanger.

Maillefer se gratta la tête. Il regarda ses poissons morts sur la table. Il y avait une femelle de brochet. Elle devait s'être servie de tout son corps pour mourir. Sur l'arête de son ventre, entre son ventre et le golfe de sa queue, son petit trou s'était ouvert et la 15 lumière de la lampe éclairait la petite profondeur rouge.

—Elle faisait sécher sa lessive, dit Maillefer, pour excuser.

Le boulanger voulait partir tout de suite. C'est César, Massot et les autres qui l'empêchèrent. Rien n'y faisait:[17] ni les plonges, ni la nuit, ni les trous de boue. 20

—Si tu y vas, tu y restes.[18]

—Tant pis.

—A quoi ça servira?[19]

—Tant pis, j'y vais.

—C'est un miracle si tu t'en sors. 25

—Tant pis.

—Tu ne sais pas où c'est.

Enfin, César dit:

—Et puis, ça n'est pas ta place.

Ça, c'était une raison. Le boulanger commença à se faire mou 30

le gras wide part	*se servir de* to make use of	*la boue* mud
la cabane hut	*une arête* ridge	*tant pis* so much the worse
la fascine bundle	*le golfe* (anatomical) bulb	*se faire mou* to become putty (soft)
gratter to scratch	*la lessive* washing	

[17] *Rien n'y faisait,* Nothing availed. [18] *i.e.,* you will drown. [19] *A quoi ça servira?* What will be the use of that?

dans leurs mains et on arriva à l'arrangement. On enverrait le curé et l'instituteur, tous les deux. Le curé était vieux mais l'instituteur était jeune, et puis, il avait des bottes en toile cirée. Il n'aurait qu'à porter le curé sur ses épaules jusqu'à une petite plaque de terre
5 dure, un peu au delà de la digue. De là, la voix s'entendait, surtout la voix du curé.

—Il est habitué à parler, lui.

L'instituteur irait jusqu'à la cabane. Ça n'était pas pour brusquer.[20] Il fallait faire entendre à Aurélie que c'était bien beau...
10 —C'est bien beau l'amour, dit César, mais il faut qu'on mange ...que c'était bien beau mais qu'ici il y avait un comptoir, du pain à peser, de la farine à mettre en compte, et puis, un homme...

—Somme toute, ajouta César en regardant le boulanger, si l'instituteur ne pouvait pas faire seul, il sifflerait et, de là-bas de sa
15 terre ferme, le curé reprendrait l'histoire. En parlant un peu fort, il pourrait faire l'affaire sans se mouiller les pieds.

Le lendemain, le curé et l'instituteur partaient sur le même cheval.

A la nuit, l'instituteur arriva.
20 Tout le monde prenait le frais devant les portes.

—Entrez chez vous, dit-il, et fermez tout. D'abord, c'est dix heures et, un peu plus tôt un peu plus tard, vous avez assez pris de frais. Et puis, le curé est en bas près de la croix avec Aurélie. Elle ne veut pas rentrer tant qu'il y a du monde dans la rue. Le curé
25 n'a rien porté pour se couvrir. Il commence à faire froid en bas, d'autant qu'il est mouillé. Moi, je vais me changer. Allez, entrez chez vous et fermez les portes.

Vers les minuit, le boulanger vint frapper chez Mme Massot.

—Tu n'aurais pas un peu de tisane des quatre fleurs?
30 —Si, je descends.

le curé priest
l'instituteur schoolmaster
en toile cirée oilcloth
la plaque patch
mettre en compte to enter in the account
somme toute in short
prendre le frais to take the air
en bas below
faire froid to get cold
d'autant que all the more because
la tisane des quatre fleurs four-flower tea

[20] *Ça n'était pas pour brusquer*, He would need to be diplomatic (avoid precipitating matters).

Elle lui donna des quatre fleurs. Elle ajouta une poignée de tilleul.

—Mets ça aussi, dit-elle, ça la fera dormir.

Le reste fut préparé à volets fermés dans toutes les maisons.

Catherine vint la première, dès le matin. Elle frottait ses semelles 5 sur la terre parce que ses varices étaient lourdes. Il fallait surtout oublier qu'Aurélie n'en avait pas. De dessus le seuil, Barielle regardait sa femme Catherine; elle tourna la tête vers lui avant d'entrer à la boulangerie. Il avait ses mains derrière le dos, mais on voyait quand même qu'il tenait solidement au manche de pioche. 10

—Bonjour Aurélie.

—Bonjour Catherine.

—Donne-m'en six kilos.

Aurélie pesa sans parler.

—Je m'assieds, dit Catherine. Mes varices me font mal. Quelle 15 chance tu as de ne pas en avoir!

Après ça, Massotte:

—Tu as bien dormi?

—Oui.

—Ça se voit. Tu as l'œil comme du clairet.[21] 20

Puis, Alphonsine et Mariette:

—Fais voir comment tu fais pour nouer ton chignon?

—Seulement, il faut avoir des cheveux comme les tiens.

—Pèse, Alphonsine, si c'est lourd.

—Bien sûr, alors, avec des cheveux comme ça, pas besoin 25 d'épingles.

Vers les dix heures, Aurélie n'était pas encore venue sur le pas de sa porte. Elle restait toujours dans l'ombre de la boutique. Alors, César passa devant la boulangerie. Il croyait être prêt, il n'était pas prêt. Il ne s'arrêta pas. Il fit le tour de l'église, le tour 30 du lavoir et il passa encore une fois. Il s'arrêta.

la poignée handful
le tilleul linden
le volet shutter
dès le matin first thing in the morning
frotter to drag
la varice varicose vein
lourd swollen
quand même nevertheless
le manche handle
la pioche pick
faire mal to hurt
se voir to be obvious
nouer to put up
une épingle pin
le lavoir community wash basin, washhouse

[21] *Tu . . . clairet,* Your eyes are as clear as claret wine.

—Oh! Aurélie!

—Oh! César!

—Et qu'est-ce que tu fais là-bas dedans? Viens un peu prendre l'air.

5 Elle vint au seuil. Ses yeux étaient tout meurtris. Elle avait défait ses cheveux pour les faire soupeser à Alphonsine et Mariette. Les belles lèvres avaient un peu de dégoût,[22] comme si elles avaient trop mangé de confiture.

—Quel beau temps! dit César.

10 —Oui.

Ils regardèrent le ciel.

—Une petite pointe de vent marin. Tu devrais venir à la maison, dit César, la femme voudrait te donner un morceau de sanglier.

A midi, le boulanger chargea son four en plein avec des fagots 15 de chêne bien sec. Il n'y avait pas de vent; l'air était plat comme une pierre; la fumée noire retomba sur le village avec toute son odeur de terre, de paix et de victoire.[23]

QUESTIONNAIRE *La Femme du boulanger*

I

A. En quoi l'attitude de César envers l'amour illicite d'Aurélie démontre-t-elle une manière de penser bien française?

B. Qu'apprenons-nous de la vie villageoise en France en étudiant le stratagème que les habitants de Manosque ont employé pour résoudre le problème communal posé par le comportement d'Aurélie?

II

1. D'où était venu le boulanger, et pourquoi? 2. Quel commentaire sympathique lui faisait sa femme en le voyant enveloppé de son maillot? 3. La femme du boulanger était-elle une femme comme les autres? 4. Les hommes lui plaisaient-ils? 5. De quoi le berger avait-il fait un cerf-volant? 6. Quand venait-il chercher le

meurtri tired and drawn
soupeser to feel the weight of
la confiture jam
la pointe touch
le vent marin sea breeze
le sanglier boar meat
en plein completely

[22]*Les . . . dégoût,* Her beautiful lips showed a certain distaste. [23]From *Jean le Bleu.* Publication authorized by Éditions Bernard Grasset, Paris.

pain de la ferme? 7. Où attachait-il son cheval? 8. Aurélie aidait-elle à emplir le sac à pain du berger? 9. Quel costume le berger portait-il le dimanche? 10. D'après les évidences, quelle impression le berger a-t-il faite sur Aurélie? 11. Aurélie était-elle partie précipitamment avec le berger? 12. Les deux gardiens de moutons ont-ils vu passer Aurélie? 13. Où les quatre garçons allaient-ils à la recherche d'Aurélie et du berger? 14. Pour quelles raisons l'un des garçons est-il revenu tout rouge? 15. Avec tout ça, de quoi César avait-il peur? 16. Qui est allé dans le marais le lendemain? 17. Qui était maintenant au comptoir de la boulangerie? 18. L'absinthe est-elle plus forte que le vin? 19. A quoi jouaient les petites filles sur la place? 20. Quel était le métier de Maillefer? 21. Que signifie « Jattenjelai »? 22. Qui a fini par trouver Aurélie et son amant? 23. Maillefer a-t-il expliqué tout de suite où il avait vu les amoureux? 24. Dans quelle sorte de cabane demeuraient-ils? 25. Qui a-t-on envoyé chercher Aurélie? 26. Pourquoi l'instituteur devait-il porter le curé sur ses épaules à travers les marécages? 27. Qu'a dit l'instituteur à tous ceux qui prenaient le frais devant les portes? 28. Qu'est-ce que le boulanger est venu chercher chez Mme Massot quand sa femme est revenue? 29. Vers quelle heure le lendemain César a-t-il passé devant la boulangerie? 30. Croyez-vous que la femme du boulanger soit heureuse à l'avenir? 31. Situez sur la carte le pays de Giono (Manosque, Basses-Alpes).

DISCUSSION *Le Bon Sens and Practicalities of Community Living*

1. To the French the subject of the husband with the unfaithful wife has been, curiously enough, the frequent subject of humor from the medieval *fabliaux* (rimed stories) and the plays of Molière down to the present time. The film version of this story exploited the humor of the baker's situation. Do you feel that such humor must of necessity be in bad taste, or does this refusal to take tragically such a potentially tragic subject make reconciliation easier for both of the individuals concerned as well as the entire community?

2. The *curé* and the *instituteur* are the two molders of opinion in such small villages as this one. Each one felt that the baker's

wife should be returned home. What would be the chief motivation or motivations in the case of each?

3. This story shows the importance of bread in daily life; it also indicates that wine often adds cheer to the routine chore of existing. Do you believe that a law prohibiting the consumption of any alcoholic beverage in France would be morally profitable?

4. The fourth article of the *Déclaration des droits de l'homme* begins: "La liberté consiste à pouvoir faire tout ce qui ne nuit pas à (does not hurt) autrui (one's fellow man)." Is this a good definition of liberty? Are there other types of liberty?

4
MAN'S KINSHIP WITH THIS MYSTERIOUS UNIVERSE

"Je suis né avec tous les instincts et les sens de l'homme primitif, tempérés par des raisonnements et des émotions de civilisé." These words summarize in part the meaning of Maupassant's story, entitled "Amour," and suggest an important paradox in French character. France's civilization has always ranked high, and for centuries Paris has been the cultural center of the Western world. Yet, as we have already seen, a great majority of the French people remain close to nature in its various moods, from the violent to the exalting, without relinquishing their central preoccupation with the world of human values. Moreover, they are too realistic to deny the fact that mankind has never completely rid itself of brutal urges or its sensitivity to obscure inner promptings. It is no accident that the same country which has been known as the modern champion of a classicism representing the quintessence of refinement and good taste, of order and clarity, of logic and reason, is also a leader in the twentieth-century return to the exploration of shadowy realms of the subconscious—a country where the rigorous realist finds himself in the company of the impressionistic poet. This is the case in the following pages by the famous French *conteur*, whose ability to see life "in the raw" was combined with an exceptionally keen sense of life's hidden mysteries.

This quest for a fusion of the earthy and the ethereal, of instinct and intuition, of reason and feeling, of reality and surreality, characterizes many Frenchmen as they are represented in various degrees by such writers as Villon, Ronsard, Pascal, Rousseau, Chateaubriand, Hugo, Nerval, Baudelaire, Flaubert, Huysmans, Rimbaud, Alain Fournier, Claudel, Valéry, Proust, Giono, Romains, Apollinaire, Giraudoux, Saint-Exupéry, and many others. The same is true of a number of outstanding modern French musicians and artists, whose works are characterized by a similar inclusive complexity, based on the conviction that those seemingly antithetical terms are really the two poles of life turning on a common axis and inseparably interdependent.

In the following episode nature is not only a world of concrete things but also, in Baudelaire's words, a forest of symbols, with oceans, rivers, and above all swamps obscurely suggesting the unity of the universe from amoeba to man, as it is perceived by mystic or pantheist, philosopher or modern man of science. The marshes with their timeless "primal ooze" eternally renewing an innumerable living "people" of reeds and microcosms, their fogs and will-o'-the-wisps, frozen earth, agonizing moon, eerie lunar landscape, in a word their mystery, communicate to the discerning eye something of their secret language and its meanings. Maupassant thus joins a number of other French writers as spokesman for many of his countrymen, as do Emerson, Melville, Thoreau, Hawthorne, and Poe for many Americans. The theme of the oneness of all creation, suggested throughout, is pointed up in the lesson taught by the male teal and by the narrator's resultant acts.

In this story the love of hunting, developed into a veritable science, with the marshes maintained as though they were parks, joins the fondness for expert fishing in the previous story, and is another close bond between millions of Frenchmen and Americans.

In Karl de Rauville, who is somewhat like M. d'Arboise in Giono's story, we have a glimpse of the many noblemen who prefer, like their ancestors, to live the life of a "gentilhomme campagnard" in a "ferme-château" rather than a "château de plaisance," and who have frequently worked out their economic destinies by their own practical agricultural activities, as contrasted with the aristocrats of the Quartier Saint-Germain whose artificial life is so memorably chronicled by Marcel Proust. De Rauville's life may also be compared with that of the aristocrats of an earlier period, recorded in "La Croix de Saint Louis," the story which follows "Amour."

Amour

Trois pages du livre d'un chasseur

...JE VIENS de lire dans un fait divers de journal un drame de passion. Il l'a tuée, puis il s'est tué, donc il l'aimait. Qu'importe Il ou Elle? Leur amour seul m'importe; il ne m'intéresse point parce qu'il m'attendrit ou parce qu'il m'étonne, ou parce qu'il m'émeut ou parce qu'il me fait songer, mais parce qu'il me rappelle 5 un souvenir de ma jeunesse, un étrange souvenir de chasse où m'est apparu l'Amour comme apparaissaient aux premiers chrétiens des croix au milieu du ciel.

Je suis né avec tous les instincts et les sens de l'homme primitif, tempérés par des raisonnements et des émotions de civilisé. J'aime 10 la chasse avec passion; et la bête saignante, le sang sur les plumes, le sang sur mes mains, me crispent le cœur à le faire défaillir.[1]

Cette année-là, vers la fin de l'automne, les froids arrivèrent brusquement, et je fus appelé par un de mes cousins Karl de Rauville, pour venir avec lui tuer des canards dans les marais, au lever 15 du jour.

Mon cousin, gaillard de quarante ans, roux, très fort et très barbu, gentilhomme de campagne, demi-brute aimable, d'un caractère gai, doué de cet esprit gaulois[2] qui rend agréable la médiocrité, habitait une sorte de ferme-chateâu dans une vallée large où coulait une 20

le fait divers de journal news(paper) item
qu'importe what does it matter
le raisonnement reasoning
saignant bleeding
gaillard vigorous
barbu bearded
la demi-brute half-animal
doué endowed
la ferme-château combination of farm and château

[1] *me . . . défaillir*, affect (contract) my heart to the point of making it stop beating.
[2] *esprit gaulois*, term used to signify the merry, mocking, and often racy sense of humor which has always been an essential characteristic of the French temperament.

rivière. Des bois couvraient les collines de droite et de gauche, vieux bois seigneuriaux où restaient des arbres magnifiques et où l'on trouvait les plus rares gibiers à plume de toute cette partie de la France. On y tuait des aigles quelquefois; et les oiseaux de pas-
5 sage, ceux qui presque jamais ne viennent en nos pays trop peuplés, s'arrêtaient presque infailliblement dans ces branchages séculaires comme s'ils eussent connu ou reconnu un petit coin de forêt des anciens temps demeuré là pour leur servir d'abri en leur courte étape nocturne.

10 Dans la vallée, c'étaient de grands herbages arrosés par des rigoles et séparés par des haies; puis, plus loin, la rivière, canalisée jusque-là, s'épandait en un vaste marais. Ce marais, la plus admirable région de chasse que j'aie jamais vue, était tout le souci de[3] mon cousin qui l'entretenait comme un parc. A travers l'im-
15 mense peuple de roseaux qui le recouvrait, le faisait vivant, bruissant, houleux, on avait tracé d'étroites avenues où les barques plates, conduites et dirigées avec des perches, passaient, muettes, sur l'eau morte, frôlaient les joncs, faisaient fuir les poissons rapides à travers les herbes et plonger les poules sauvages dont la tête noire et poin-
20 tue disparaissait brusquement.

J'aime l'eau d'une passion désordonnée: la mer, bien que trop grande, trop remuante, impossible à posséder, les rivières si jolies mais qui passent, qui fuient, qui s'en vont, et les marais surtout où palpite toute l'existence inconnue des bêtes aquatiques. Le
25 marais c'est un monde entier sur la terre, monde différent, qui a sa vie propre, ses habitants sédentaires, et ses voyageurs de passage, ses voix, ses bruits et son mystère surtout. Rien n'est plus trou-

seigneurial baronial (owned by nobility)
le gibier à plume winged game
un aigle eagle
infailliblement without fail
séculaire century-old
une étape stay
un herbage meadow
arroser to irrigate
la rigole ditch
canalisé running in a channel
s'épandre to spread out
entretenir to maintain
le peuple multitude
bruissant rustling
houleux rolling (like the sea)
la barque boat
la perche pole
frôler to brush against
le jonc rush
plonger to dive
la poule d'eau moor hen
désordonné inordinate
remuant turbulent
sédentaire permanent

[3]*était tout le souci de*, was the constant preoccupation of.

blant, plus inquiétant, plus effrayant, parfois, qu'un marécage. Pourquoi cette peur qui plane sur ces plaines basses couvertes d'eau? Sont-ce les vagues rumeurs des roseaux, les étranges feux follets, le silence profond qui les enveloppe dans les nuits calmes, ou bien les brumes bizarres, qui traînent sur les joncs comme des 5 robes de mortes, ou bien encore l'imperceptible clapotement, si léger, si doux, et plus terrifiant parfois que le canon des hommes ou que le tonnerre du ciel, qui fait ressembler les marais à des pays de rêve, à des pays redoutables cachant un secret inconnaissable et dangereux. 10

Non. Autre chose s'en dégage, un autre mystère, plus profond, plus grave, flotte dans les brouillards épais, le mystère même de la création peut-être! Car n'est-ce pas dans l'eau stagnante et fangeuse, dans la lourde humidité des terres mouillées sous la chaleur du soleil, que remua, que vibra, que s'ouvrit au jour le 15 premier germe de vie?

J'arrivai le soir chez mon cousin. Il gelait à fendre les pierres.

Pendant le dîner, dans la grande salle dont les buffets, les murs, le plafond étaient couverts d'oiseaux empaillés, aux ailes étendues, ou perchés sur des branches accrochées par des clous, éperviers, 20 hérons, hiboux, engoulevents, buses, tiercelets, vautours, faucons, mon cousin pareil lui-même à un étrange animal des pays froids, vêtu d'une jaquette en peau de phoque, me racontait les dispositions qu'il avait prises pour cette nuit même.

Nous devions partir à trois heures et demie du matin, afin 25 d'arriver vers quatre heures et demie au point choisi pour notre affût. On avait construit à cet endroit une hutte avec des morceaux de glace pour nous abriter un peu contre le vent terrible qui

planer to hover
la rumeur murmur
le feu follet will-o'-the-wisp
la brume mist
traîner sur to trail over
la robe de morte shroud
le clapotement lapping (of the waves)
inconnaissable unknowable
se dégager to emanate
le brouillard fog
fangeux slimy
geler to freeze
fendre to split
le plafond ceiling
empaillé stuffed
accroché fastened
un épervier sparrowhawk
le hibou owl
un engoulevent goatsucker
la buse buzzard
le tiercelet tercel (male falcon)
le vautour vulture
le faucon falcon
le phoque seal
prendre les dispositions (f. pl.) to make the arrangements
un affût hiding-place
abriter to shelter

précède le jour, ce vent chargé de froid qui déchire la chair comme des scies, la coupe comme des lames, la pique comme des aiguillons empoisonnés, la tord comme des tenailles, et la brûle comme du feu.

Mon cousin se frottait les mains: «Je n'ai jamais vu une gelée
5 pareille, disait-il, nous avions déjà douze degrés sous zéro[4] à six heures du soir.»

J'allai me jeter sur mon lit aussitôt après le repas, et je m'endormis à la lueur d'une grande flamme flambant dans ma cheminée.

A trois heures sonnantes[5] on me réveilla. J'endossai, à mon tour,
10 une peau de mouton et je trouvai mon cousin Karl couvert d'une fourrure d'ours. Après avoir avalé chacun deux tasses de café brûlant suivies de deux verres de fine champagne, nous partîmes accompagnés d'un garde et de nos chiens: Plongeon et Pierrot.

Dès les premiers pas dehors, je me sentis glacé jusqu'aux os.
15 C'était une de ces nuits où la terre semble morte de froid. L'air gelé devient résistant, palpable[6] tant il fait mal; aucun souffle ne l'agite; il est figé, immobile; il mord, traverse, dessèche, tue les arbres, les plantes, les insectes, les petits oiseaux eux-mêmes qui tombent des branches sur le sol dur, et deviennent durs aussi, sous
20 l'étreinte du froid.

La lune, à son dernier quartier, toute penchée sur le côté, toute pâle, paraissait défaillante au milieu de l'espace, et si faible qu'elle ne pouvait plus s'en aller, qu'elle restait là-haut, saisie aussi, paralysée par la rigueur du ciel. Elle répandait une lumière sèche et
25 triste sur le monde, cette lueur mourante et blafarde qu'elle nous jette chaque mois, à la fin de sa résurrection.

Nous allions, côte à côte, Karl et moi, le dos courbé, les mains

la scie saw
la lame (knife) blade
un aiguillon thorn
tordre to twist
les tenailles (f. pl.) pincers
la lueur glow
flamber to blaze
endosser to put on
la fourrure skin
un ours bear
avaler to swallow
la fine champagne liqueur brandy
dès immediately on
un os bone
figé congealed
traverser to penetrate
dessécher to wither
sous l'étreinte de in the grip of
défaillant wasting away
saisi gripped
la rigueur severe cold
blafard pale
courbé bent

[4] *i.e.*, zero (centigrade) or freezing point (Fahrenheit). Thus the temperature is about 10 degrees (Fahrenheit). [5] *A trois heures sonnantes*, on the stroke of three. [6] *devient résistant, palpable*, seems to take solid, palpable form.

dans nos poches et le fusil sous le bras. Nos chaussures enveloppées de laine afin de pouvoir marcher sans glisser sur la rivière gelée ne faisaient aucun bruit; et je regardais la fumée blanche que faisait l'haleine de nos chiens.

Nous fûmes bientôt au bord du marais, et nous nous engageâmes dans une des allées de roseaux secs qui s'avançait à travers cette forêt basse. 5

Nos coudes, frôlant les longues feuilles en rubans, laissaient derrière nous un léger bruit, et je me sentis saisi, comme je ne l'avais jamais été, par l'émotion puissante et singulière que font naître en moi les marécages. Il était mort, celui-là, mort de froid, puisque nous marchions dessus, au milieu de son peuple de joncs desséchés. 10

Tout à coup, au détour d'une des allées, j'aperçus la hutte de glace qu'on avait construite pour nous mettre à l'abri. J'y entrai, et comme nous avions encore près d'une heure à attendre le réveil des oiseaux errants, je me roulai dans ma couverture pour essayer de me réchauffer. 15

Alors, couché sur le dos, je me mis à regarder la lune déformée, qui avait quatre cornes[7] à travers les parois vaguement transparentes de cette maison polaire. 20

Mais le froid du marais gelé, le froid de ces murailles, le froid tombé du firmament me pénétra bientôt d'une façon si terrible, que je me mis à tousser.

Mon cousin Karl fut pris d'inquiétude[8]: «Tant pis si nous ne tuons pas grand'chose aujourd'hui, dit-il, je ne veux pas que tu t'enrhumes; nous allons faire du feu.» Et il donna l'ordre au garde de couper des roseaux. 25

On en fit un tas au milieu de notre hutte défoncée au sommet pour laisser échapper la fumée; et lorsque la flamme rouge monta 30

la chaussure shoe
une haleine breath
s'engager dans to enter
le roseau reed
le ruban ribbon
mettre à l'abri to shelter
errant migratory
se réchauffer to get warm
la paroi wall
tousser to cough
tant pis so much the worse
grand'chose very much (used with negative)
s'enrhumer to catch cold
défoncé staved in

[7]*la corne*, horn, cusp (*i.e.*, one of the points of a crescent moon). [8]*fut pris d'inquiétude*, became uneasy.

le long des cloisons claires de cristal, elles se mirent à fondre, doucement, à peine, comme si ces pierres de glace avaient sué. Karl, resté dehors, me cria: «Viens donc voir!» Je sortis et je restai éperdu d'étonnement.[9] Notre cabane, en forme de cône,
5 avait l'air d'un monstrueux diamant au cœur de feu poussé soudain sur l'eau gelée du marais. Et dedans, on voyait deux formes fantastiques, celles de nos chiens qui se chauffaient.

Mais un cri bizarre, un cri éperdu, un cri errant, passa, sur nos têtes. La lueur de notre foyer réveillait les oiseaux sauvages.

10 Rien ne m'émeut comme cette première clameur de vie qu'on ne voit point et qui court dans l'air sombre, si vite, si loin, avant qu'apparaisse à l'horizon la première clarté des jours d'hiver. Il me semble à cette heure glaciale de l'aube, que ce cri fuyant emporté par les plumes d'une bête est un soupir de l'âme du monde!

15 Karl disait: «Éteignez le feu. Voici l'aurore.»

Le ciel en effet commençait à pâlir, et les bandes de canards traînaient de longues taches rapides, vite effacées, sur le firmament.

Une lueur éclata dans la nuit, Karl venait de tirer; et les deux chiens s'élancèrent.

20 Alors, de minute en minute, tantôt lui et tantôt moi, nous ajustions vivement dès qu'apparaissait au-dessus des roseaux l'ombre d'une tribu volante. Et Pierrot et Plongeon, essoufflés et joyeux, nous rapportaient des bêtes sanglantes dont l'œil quelquefois nous regardait encore.

25 Le jour s'était levé, un jour clair et bleu; le soleil apparaissait au fond de la vallée et nous songions à repartir, quand deux oiseaux, le col droit et les ailes tendues, glissèrent brusquement sur nos têtes. Je tirai. Un d'eux tomba presque à mes pieds. C'était une sarcelle au ventre d'argent. Alors, dans l'espace au-dessus de moi, une
30 voix d'oiseau cria. Ce fut une plainte courte, répétée, déchirante;

la cloison wall
suer to sweat
éperdu wild
le foyer hearth
une aube dawn
fuyant fleeting
pâlir to grow light
traîner to trace
la tache spot
tirer to fire
tantôt . . . tantôt first . . . then
ajuster to aim
la tribu tribe (flock)
essoufflé out of breath
sanglant bloody
la sarcelle teal (small river duck)

[9] *éperdu d'étonnement*, completely stunned.

et la bête, la petite bête épargnée se mit à tourner dans le bleu du ciel au-dessus de nous en regardant sa compagne morte que je tenais entre mes mains.

Karl, à genoux, le fusil à l'épaule, l'œil ardent, la guettait, attendant qu'elle fût assez proche. 5

—Tu as tué la femelle, dit-il, le mâle ne s'en ira pas.

Certes, il ne s'en allait point; il tournoyait toujours, et pleurait autour de nous. Jamais gémissement de souffrance ne me déchira le cœur comme l'appel désolé, comme le reproche lamentable de ce pauvre animal perdu dans l'espace. 10

Parfois, il s'enfuyait sous la menace du fusil qui suivait son vol; il semblait prêt à continuer sa route, tout seul à travers le ciel. Mais ne s'y pouvant décider il revenait bientôt pour chercher sa femelle.

—Laisse-la par terre, me dit Karl, il approchera tout à l'heure. 15

Il approchait, en effet, insouciant du danger, affolé par son amour de bête, pour l'autre bête que j'avais tuée.

Karl tira; ce fut comme si on avait coupé la corde qui tenait suspendu l'oiseau. Je vis une chose noire qui tombait; j'entendis dans les roseaux le bruit d'une chute. Et Pierrot me la rapporta. 20

Je les mis, froids déjà, dans le même carnier... et je repartis, ce jour-là, pour Paris.

QUESTIONNAIRE *Amour*

I

A. Quel est un des paradoxes fondamentaux du caractère français?
B. Comment le chasseur saisit-il le mystère de l'univers et son unité? Donnez des détails qui indiquent cette unité.

II

1. De quel drame de passion s'agit-il dans le fait divers de journal? 2. Avec quoi le chasseur est-il né? 3. Quelle invitation a-t-il reçue vers la fin de l'automne? 4. Décrivez le cousin du chasseur.

la compagne mate
tournoyer to wheel
le gémissement moan
désolé disconsolate
s'enfuir to flee
par terre on the ground
tout à l'heure in a little while
insouciant heedless
affolé frantic

5. Où trouvait-on les plus rares gibiers à plume de toute cette partie de la France? 6. Où la rivière s'épandait-elle? 7. Comment son cousin entretenait-il le marais? 8. Pourquoi le chasseur aime-t-il surtout le marais? 9. Pourquoi ces plaines basses couvertes d'eau font-elles peur? 10. Faisait-il froid lorsque le chasseur est arrivé chez son cousin? 11. A quoi son cousin ressemblait-il? 12. A quelle heure devait-on partir pour la chasse? 13. Quel genre d'abri avait-on construit? 14. Quelle avait été la température à six heures du soir? 15. Quelles boissons ont-ils pris le lendemain matin? 16. Quelle lumière la lune répandait-elle? 17. De quoi leurs chaussures étaient-elles enveloppées? 18. Qu'est-ce que le chasseur s'est mis à regarder, couché sur le dos dans la hutte? 19. Pourquoi s'est-il mis à tousser? 20. Avec quoi a-t-on fait du feu? 21. De quoi leur cabane avait-elle l'air? 22. Quel bruit a soudain passé sur leurs têtes? 23. A quel moment a-t-on éteint le feu? 24. Quelle ombre apparaissait au-dessus des roseaux? 25. Qu'est-ce qui est tombé à leurs pieds? 26. Qu'annonce Karl, à genoux? 27. Qu'a fait le mâle après la mort de la femelle? 28. Décrivez la mort du deuxième oiseau. 29. Qu'a-t-on mis dans le même carnier? 30. Pourquoi le chasseur est-il reparti le jour même pour Paris?

DISCUSSION

Man's Kinship with This Mysterious Universe

1. Rousseau felt that in a primitive society and background one's emotions and perceptions are keener and truer. In what ways does Maupassant's story support Rousseau's thesis?

2. The first paragraph of "Amour" deals with a crime in which a man kills a woman because he loves her. This exemplifies, though in a strictly nonspiritual way, Pascal's famous line, "Le cœur a ses raisons que la raison ne connaît point." How does this thought apply to the narrator's sudden departure at the end? Mention other illustrations of it drawn from literature or life.

3. Behaviorist psychologists say that man is born without instincts. Intuitive psychology is more common in France. Can you mention any innate instincts?

4. Surrealist art and literature explore the shadowy realms of the unconscious. What books or paintings do you know which penetrate these realms?

Museum of Fine Arts Boston

"D'où venons-nous? Que sommes-nous? Où allons-nous?" by Paul Gauguin (1848-1903)

With Cézanne and Van Gogh, Gauguin was one of the most powerful and original of the late nineteenth-century artists. This painting dates from the fruitful period of his long sojourn in Tahiti, in French Polynesia. It is representative of his decorative treatment, his handling of massive lines, and his frequent preoccupation with symbolic suggestion. It was executed during a period of brooding over human destiny. Charles Estienne makes the following comment on the painting: "As the eye sweeps from right to left and back again from foreground to background, the sense of man's mysterious origin steals over us, and we are aware that Gauguin—as André Breton recently put it—has 'reeled off the human predicament,' and pictured life in all its precarious balance between birth, love, and death. And in the background we find the idol . . . symbolizing the primitive tradition of 'nature's wholeness' to which Gauguin found his way back in Oceania." (From *Gauguin*, by Charles Estienne, published by Skira, Inc., New York.)

Part II · *Social Structure*

ANDRÉ LICHTENBERGER

MIGUEL ZAMACOÏS

LUCIEN DESCAVES

GUY DE MAUPASSANT

JULES ROMAINS

5

THE ARISTOCRACY

"La croix de saint-louis" represents the more worthy side of the titled aristocracy, which played for many centuries an important role in French history. This class, as a group, has ceased to be of great significance, and the Count of Paris, pretender to the throne, continues to lead a quiet life far from the political scene. He has been an inert symbol since an attempt was made by reactionary elements after World War I and during the reign of the Vichy government to exploit his name. However, a considerable number of Frenchmen of noble origin still occupy a prominent place in the country's cultural, military, ecclesiastical, and scientific life.

In the present story, told against the background of the French Revolution, Marie Antoinette's failure to understand the epoch-making and inevitable social transformation which was taking place is reflected in the attitude of some members of the De Lorgis family, just as today many fail to recognize the urgent necessity of adaptation to a rapidly evolving world. This incomprehension on the part of the unhappy Marie Antoinette has been immortalized in her supposed remark concerning the lack of bread in Paris, "Let them eat cake." There is, at the same time, in "La Croix de Saint-Louis," a hint of that eighteenth-century "Enlightenment" which prompted many a member of the nobility, "philosophe et sensible," to be, like Lafayette, "un homme de progrès et non de rancune." Another such enlightened nobleman, the vicomte de Noailles, had already, in August, 1789, obtained passage of a bill in the Constituent Assembly which abolished all the traditional rights of the nobility. The aristocrats of this story, like many others of the period, followed their principle of "noblesse oblige." Refusing to become *émigrés*,[1] they chose to risk starvation, mistreatment, and

[1]Although more home-loving than many other nationalities, the French have been explorers and colonizers for three centuries, establishing close-knit counterparts of the mother country, and retaining their native speech and customs (as in New Orleans, and parts of New England). Thirty per cent of Canada's population (eighty per cent of the inhabitants of Quebec province) are French-speaking. Virtually all courses at the Universities of Montreal and Laval, and many at McGill and Ottawa, are conducted in French.

death rather than desert their fatherland, which soon fell into the hands of the revolutionists. The De Lorgis are sustained by the unforgettable ghosts of France's former glories and by those of their revered ancestors. Despite their desperate situation, they greet little René's unexpected act of patriotism with deep emotion and approval. Turning to the future, "ils espéraient une nation nouvelle, glorieuse et fière, sortant rajeunie d'une fièvre passagère."

In certain ways this story might have dealt with the war of 1914 or that of 1940, so typical is it of the oft repeated reaction of the French nation to the presence of a deadly menace from without. Every time a cabinet falls in France—and it is far too often—some of us deplore French disunity. Her "stable" totalitarian critics brand her as spiritually exhausted and predict an early collapse.[2] Yet in time of peril, France, like our own country, has accomplished a remarkable closing of the ranks, as symbolized here by the acts of René and the plebeian patriots. Afterward she has each time demonstrated a social, economic, artistic, and literary vitality which has caused outsiders to marvel, from the time of Jeanne d'Arc and the Hundred Years' War to the present.

Since the Revolution, and especially after 1872, when the French nobility definitely lost its official status, it has undergone a considerable social and economic evolution. Its increasingly close relationships with the wealthy bourgeoisie and its frequent attempts to participate in politics, monarchist or liberal, have been chronicled by many writers, such as Marcel Proust and Jules Romains. Among the traits which have remained and which are shared by many of the upper bourgeoisie, one illustrated by the following story, is close family bonds, hidden from the casual observer under formal speech and social protocol. You will notice that the marquis follows the aristocratic practice of using *vous* when addressing the marchioness, his wife.

As for the faithful old servant, Picard, who occupies an affectionate place in the family circle, he is typical of many others who

[2]Cabinets in France fall because of the excessive number of political parties representing, in uneasy equilibrium, the various shades of French opinion. This is another manifestation of France's democratic individualism, previously noted, but it also creates political instability. However, this instability is lessened because each succeeding cabinet is usually little different in composition and policies from the one previously in power. It is also well to remember that the strongly centralized governmental agencies, functioning on a professional civil-service basis, continue to operate without interruption during political crises.

even today win the admiration and envy of foreign visitors in French homes. Portraits of such faithful servants abound in French literature, good examples being the Nanon of Balzac's *Eugénie Grandet*, Félicité of Flaubert's *Un Cœur simple*, and Proust's Françoise. The French servant is often an old retainer, more like a member of the family than is his or her American counterpart.

As in Anatole France's famous novel of the French Revolution, *Les Dieux ont soif*, and in French literature in general, this little story exemplifies the French insistence, born of long experience, on the complexity of human nature, with its mixture of bestiality and sublimity, of selfishness and abnegation. As the author says, the final effect of this complexity, in times of crisis, is heightened to one of nightmare and also of apotheosis.

André Lichtenberger (1870–1940), whose name reveals his Alsatian origin, is a writer of penetrating stories about children. Like that of Giono,[3] his name suggests the "racial" complexity of the French people who, as will be seen, spurn as naïve the idea that they form an ethnic unity. For them, "la patrie" symbolizes not a race but a way of life, a concept of man; and all classes share fervently, though often obscurely, the conviction, reflected in this story, that France has a civilizing mission, the essential nature of which will be clarified further on in this text.

[3]Giono's ancestors were Italian. Among the other authors represented in this collection, the name of Miguel Zamacoïs reveals his Spanish origins, that of Anatole Le Braz his Breton lineage; similarly, the name of Joseph Kessel indicates a cosmopolitan background (born in Argentina, raised in Russia). François Coppée was in part of Belgian ancestry. There is appropriately little physical similarity between Georges Duhamel, who comes from northern France, Maupassant, largely Norman, Jules Romains, whose real name is Louis Farigoule and who comes from the Cévennes, and Daudet, who is Provençal. Many names prominent in French art and music are likewise foreign, indicating the extent to which Paris has been for centuries an ethnic and cultural melting pot.

ANDRÉ LICHTENBERGER

La Croix de Saint-Louis[1]

GROSSE d'orages, une nuée sanglante pesait sur Paris. C'étaient des jours affreux et sublimes comme la terre peut-être n'en avait point vu. Il bouillonnait des fureurs, des rages, des amours, des héroïsmes. Depuis le 20 juin, la bête populaire rugissait; souffletée 5 par Brunswick, elle avait mordu le 10 août; affolée par le goût du sang, elle s'en était gorgée en septembre.[2] Maintenant, le monstre était ivre, et il oscillait entre on ne sait quelles atrocités encore inconnues et quelles abnégations surhumaines. Des bandes hideuses se ruaient par la ville, avides de sang et de meurtre, hurlant à la 10 mort, crachant *la Carmagnole*[3] et des blasphèmes. D'autres, héroïques, couraient aux bureaux de recrutement, et de là à la frontière. Et quelquefois ces hommes étaient les mêmes. On s'égorgeait, on s'embrassait, on s'insultait, on fraternisait. Un mal inconnu tordait la ville dans des spasmes déconcertants: anarchie 15 qui voulait éclater, ou liberté qui voulait naître? Les hommes

la nuée cloud
sanglant bloody
bouillonner to seethe
rugir to roar
souffleter to insult (slap)
osciller to waver
surhumain superhuman
se ruer to rush wildly
le meurtre murder
hurler to shriek
cracher to spit out
le recrutement recruiting
tordre to make . . . writhe
déconcertant bewildering

[1]The cross of the *Ordre royal et militaire de Saint-Louis*, organized by Louis XIV in 1693 to reward the valor of his military officers. Outlawed during the Revolution, although temporarily revived during the Restoration, the cross has not been conferred since 1830. [2]*le 20 juin* (1791) marks the date of the unsuccessful flight of the royal family from the Tuileries. The Duke of Brunswick threatened to take military action if the king were not given his freedom. Angered, the people besieged the Tuileries on *le 10 août* (1792). During the following month, the September massacres of suspected royalist sympathizers took place. [3]*la Carmagnole*, a popular song of the French Revolution. Neither the author nor the origin of the song is known. It was probably composed after the capture of the Tuileries on August 10.

avaient perdu le jugement et le raisonnement; ils étaient les jouets d'une fatalité qui les entraînait vers on ne savait quoi. Les consciences étaient bouleversées. On ne discernait plus ce qui était crime ou vertu, où était le devoir, où était l'ennemi ou le frère, où était la patrie, où était Dieu. Il y avait des bourreaux en qui s'exaltaient des âmes d'apôtre et des martyrs qui étaient des traîtres. Les hommes qui survécurent à ces jours se les rappelèrent comme un cauchemar ou comme une apothéose, ou n'osèrent pas se souvenir.

—Que voulez-vous, Picard? demanda la comtesse de Trévan, dissimulant par habitude le bas de soie qu'elle était en train de repriser avec du coton.

—Madame la comtesse, dit respectueusement l'ancien valet de pied qui maintenant formait toute la domesticité,[4] madame, les provisions sont épuisées...

—Hé bien, Picard, intervint la marquise de Lorgis, qu'on aille en querir d'autres.

—C'est que, madame la marquise, je... je n'ai plus d'argent.

—Ah! tressaillit le comte en se retournant vers sa femme.

Ils échangèrent un regard qui hésitait à interroger. Ils s'étaient compris.

—C'est bien, mon garçon, je t'en ferai tenir[5] bientôt.

Picard se retira.

Le silence régna entre les six personnes qui étaient dans la pièce; le marquis et la marquise de Lorgis; la comtesse de Trévan, leur fille; son mari et ses enfants: René qui avait dix ans et la petite Thérèse.

Il n'y avait plus de provisions...

Un jour, le château de Trévan avait été assailli par une bande féroce; il y avait bien quelques paysans ameutés, mais la plupart

le raisonnement faculty of reasoning
le jouet plaything
la fatalité fate
bouleversé completely upset
le bourreau executioner
le cauchemar nightmare
une apothéose divine exaltation
en train de in the act of
repriser to darn
le coton cotton
le valet de pied footman
aller querir to go for
tressaillir to shudder
se retourner to turn around
ameuté rioting

[4]*qui . . . domesticité,* who was the sole remaining servant. [5]*je t'en ferai tenir,* I'll see to it that you have some.

étaient des figures d'assassins qui sortaient on ne savait d'où. Le parc avait été saccagé, les fermes dévastées, puis on avait mis le feu au château. Il avait fallu s'enfuir avec les enfants, les vieux parents de la comtesse et le fidèle Picard. Que faire? La frontière était 5 trop loin: et puis le comte et le marquis blâmaient l'émigration;[6] philosophes et sensibles tous deux, ils espéraient une nation nouvelle, glorieuse et fière, sortant rajeunie d'une fièvre passagère. On était venu se réfugier à Paris dans un petit appartement de la rue de l'Arbre-Sec,[7] en attendant la fin des troubles. Quelque argent 10 emporté, quelques bijoux sauvés et vendus, ensuite un peu de travail avaient empêché de mourir de faim. Mais le délire populaire s'enflammait: il y avait eu le 20 juin, puis le 10 août, puis septembre. On vivait terré au logis, comme une bête traquée, ne sachant pas si demain les crosses des sectionnaires[8] ne frapperaient pas à la 15 porte. On n'avait rien fait, qu'importe![9] Le comte et le marquis étaient signalés comme suspects. On avait perdu la foi en une régénération. Il ne restait plus au fond des cœurs qu'un espoir vague: la victoire des alliés.[10] Mais on n'en parlait point, par fierté de gentilshommes qui étaient Français.

20 La marquise, la première, rompit le silence:

—Il faut aviser, dit-elle avec une moue d'enfant déçu. Ne pourriez-vous, monsieur, continua-t-elle en s'adressant à son gendre, faire savoir au Roi votre détresse? Certes, Sa Majesté, quelles que soient ses propres disgrâces, ne souffrirait pas...

saccager to plunder	*le bijou* jewel	*le gentilhomme* nobleman
dévasté ruined	*terré* holed up	*aviser* to take action
mettre le feu to set fire	*le logis* lodging	*la moue* pout
sensible sensitive	*traqué* hunted	*déçu* disappointed
rajeuni rejuvenated	*la crosse* butt (of a gun)	*le gendre* son-in-law
passager passing	*signaler* to brand	*quel que* whatever
se réfugier to take refuge	*la fierté* pride	*la disgrâce* misfortune

[6]*i.e.*, those noblemen who had left France for other countries when the revolutionists came into power. [7]The *rue de l'Arbre-Sec*, close to the Louvre and the Tuileries gardens, runs from the rue Saint-Honoré to the Seine river. [8]*i.e.*, an "active" citizen, one who was a member of the small Assemblies organized in each of the forty-eight sections of Paris, established in 1790 for purposes of voting. When equipped with weapons, these citizens formed an army of considerable power. [9]*qu'importe!* what difference did it make? [10]The *alliés* were the Austrians and Prussians, who hoped to invade France for the purpose of destroying the new government.

Le comte eut un geste d'impatience. Jamais la marquise n'avait pu s'accommoder à l'idée que le Roi était prisonnier:

—Les misérables! dit la comtesse, jusques à[11] quand serons-nous leurs jouets?

Le marquis la fit taire d'un regard. Il voulait que son petit-fils fût plus tard un homme de progrès, non de rancune. Et il avait défendu qu'on parlât devant lui des meurtres et des choses horribles...

Le comte songea tout haut:

—Je vais essayer de sortir et de trouver de l'ouvrage.

Les trois autres protestèrent.

—C'est vous jeter à la mort, et nous avec vous.

Il n'osa répondre, sachant que cela était vrai. Alors, que faire? Il y eut un maigre souper des miettes qui restaient... On laissa une part pour Picard. Quand on eut fini, il n'y avait plus rien à manger dans la maison. Le comte et la comtesse passèrent la nuit à chercher s'ils ne trouveraient point quelque harde à vendre: peine inutile; tout ce qui avait quelque prix était parti.

Le matin, il n'y eut pas de collation. Les enfants ne pleurèrent point, pressentant la gravité des choses. Le marquis prit son petit-fils sur ses genoux, et il lui raconta des histoires militaires: d'abord les grandes guerres de Louis XIV[12] et les victoires d'autrefois; on se couchait en priant: « Dieu protège les armes du Roi! » et, le lendemain, un courrier poudreux apportait des étendards à Versailles,[13] et il y avait des *Te Deum* à Notre-Dame.[14] Il conta ensuite les malheurs de la guerre de Sept ans[15]: il y avait commandé un

le petit-fils grandson
la rancune resentment
tout haut aloud
la miette crumb
les hardes (f. pl.) clothing
le prix value
la collation light meal
pressentir to foresee
poudreux dusty
un étendard flag

[11]*jusques à* = *jusqu'à*. [12]Louis XIV conducted numerous campaigns: the War of Devolution (1667–1668), the war with Holland (1672–1678), the War of the League of Augsburg (1688–1697), and the War of the Spanish Succession (1701–1714). Such military exploits definitely helped to satisfy the king's desire for personal glory, but they left France in financial chaos. [13]*Versailles*, approximately 14 miles west of Paris, where Louis XIV built the famous château and park for the pleasure of the royal court. [14]*Notre-Dame*, celebrated cathedral of Paris, the construction of which was begun in the 12th century. [15]The Seven Years' War (1756–1763) pitted Prussia and England against a coalition of France, Austria, Russia, Sweden, Saxony, and the German Empire. France lost colonies in North America and India as a result.

régiment; et il avait vu la honte de Rossbach.[16] Et l'enfant l'écoutait, son œil bleu ardent suspendu aux lèvres[17] du vieillard. Tout à coup, il pâlit et sa tête s'inclina. Il voulut sourire:

—Ce sont vos récits, monsieur.

5 —C'est la faim, gronda le comte.

Picard qui entrait ressortit en hâte: il rapporta le pain qu'on lui avait laissé la veille et qu'il avait conservé. La comtesse essuya une larme et la marquise déclara:

—Ce garçon se comporte bien; je saurai le reconnaître dans 10 mon testament.

Elle ajouta au bout d'un moment:

—Je me sens moi-même quelques vapeurs[18]... Faudra-t-il vraiment que nous mourions?

Le marquis se leva et fit plusieurs pas:

15 —Je vous donnerai à manger, dit-il.

On le regardait.

Alors, d'un papier, il tira quelque chose qui brillait. C'était la croix de Saint-Louis. Le roi Louis XV lui-même l'avait attachée sur sa poitrine quand il avait rapporté à Versailles les drapeaux 20 hanovriens conquis à Hastenbeck.[19] C'était l'honneur palpable[20] de sa vie. Des brillants y étaient enchâssés.

—Il faut vendre cela, dit-il, d'une voix qu'il affermit.[21]

—Mon père! protesta la comtesse.

—Il le faut, mon enfant; mais comment ferons-nous[22] pour ne pas 25 exciter les soupçons?

—Je sais un joaillier dans la rue Saint-Honoré.[23] Il me vendit,

s'incliner to bow	*reconnaître* to remember	*le brillant* diamond
gronder to grumble	*le testament* will	*enchâsser* to set
ressortir to go out again	*le drapeau* flag	*le soupçon* suspicion
comporter to behave	*hanovrien* of Hanover	*le joaillier* jeweler

[16]*Rossbach*, a Prussian village where Frederick II was victorious over the French forces in 1757. [17]*son œil . . . lèvres*, his eager blue eyes watching, with rapt attention, the lips. [18]*Je . . . vapeurs*, Even I feel dizzy. [19]*Hastenbeck*, a village in Hanover where an indecisive battle between the French and the Anglo-Hanoverian troops was fought in 1757. [20]*palpable*, use literal translation, amounting almost to a pun. [21]*d'une voix qu'il affermit*, in an increasingly steady voice. [22]*comment ferons-nous*, how shall we go about it. [23]*la rue Saint-Honoré*, a famous street of Paris, extending from the Palais Royal to the rue du Pont-Neuf, and only a short distance from the rue de l'Arbre-Sec.

jadis, à bon compte, mainte tabatière. C'est un homme de bien,[24] j'en répondrais. J'irai le trouver.

La comtesse se récria.

—Envoyez Picard, dit la marquise.

—Le malheureux défaillirait. Non, ce sera moi. 5

—Non, dit le marquis, voici celui qui ira.

Et il désignait le petit René.

—N'est-ce pas?

L'enfant rougit de fierté et vint se placer devant son aïeul.

—Aujourd'hui, dit le marquis, tu deviens un homme. Écoute- 10 moi. Il y a des gens fous et égarés qui nous poursuivent, ton père et moi. Nous serions en danger si nous sortions de la maison. Ce sera donc toi seul qui iras chez ce bijoutier. Tu demanderas à lui parler en particulier, et lui remettras cette croix avec le billet que ton père va écrire. Tu nous rapporteras ce qu'il te donnera... S'il 15 arrivait qu'on t'arrêtât dans la rue—la voix du vieillard fléchit—eh bien, tu feras ce que ton cœur t'inspirera. Que Dieu te protège!

L'enfant baisa la main du vieillard.

Il était parti depuis trois heures... Il en fallait une[25] au petit pas 20 pour aller et revenir. Le comte marchait de long en large fébrilement. La comtesse cousait, la tête baissée. La marquise, pour la distraire, lui faisait comparaison des prouesses de M. de Lauzun et du feu duc de Richelieu.[26] Le marquis demeurait immobile dans un fauteuil, la main sur les yeux. La petite Thérèse pleurait silen- 25 cieusement aux pieds de sa mère. Les minutes s'écoulaient longues,

à bon compte cheap
maint many a
la tabatière snuff box
répondre de to guarantee
se récrier to protest
le malheureux poor fellow
défaillir to fail
un aïeul grandfather
égaré misguided
le bijoutier jeweler
remettre to give
fléchir to grow weak
inspirer to suggest
au petit pas walking slowly
de long en large up and down
fébrilement feverishly
coudre to sew
distraire to divert
la prouesse exploit
feu late
s'écouler to go by

[24]*un homme de bien*, an honest man. [25]*i.e.*, one hour. [26]*M. de Lauzun* and *le duc de Richelieu*, both noted as military leaders of the eighteenth century and notorious as men of the world.

lentes, mortelles... Dans la rue, des bandes passaient avec des hurlements, des rires menaçants, des chants, des blasphèmes.

La comtesse leva la tête prêtant l'oreille.[27] Un pas léger montait l'escalier. Il y eut un cri de joie de Picard. L'enfant entrait. Il 5 passa de mains en mains, mangé de caresses. Puis on pensa à le regarder; il était pieds nus et portait un gros pain.

—Qu'est-ce à dire?[28] interrogea le comte.

—J'ai acheté le pain avec mes souliers, répondit l'enfant.

—Comment! ce faquin de bijoutier...

10 —Je n'ai pas été chez lui.

—Alors, qu'as-tu fait de la croix?

—Je ne l'ai plus.

—Malheureux,[29] dit le père, que veux-tu...

Le marquis intervint:

15 —Voyons,[30] René, explique-nous pourquoi tu n'as pas exécuté la tâche dont je t'avais chargé.

L'enfant leva les yeux sur son aïeul, et, le regardant en face, il raconta dans le silence.

...Quand il était sorti, il avait tout de suite gagné la rue Saint-20 Honoré et marché très vite. Il était arrivé à une place. Là, il n'avait plus pu avancer. Une foule s'agitait autour d'une estrade où il y avait des hommes en uniformes et d'autres qui écrivaient. On criait, on chantait, on pleurait, on s'embrassait. Des jeunes gens montaient sur l'estrade. On inscrivait leurs noms, au milieu 25 des applaudissements, et ils redescendaient avec des rubans bleus, blancs et rouges.[31] Des femmes, des hommes âgés apportaient de l'argent, des bijoux, des vivres. L'enfant était près d'une femme du peuple qui avait l'air bon; il lui avait demandé: « Que font-ils? » La femme avait répondu: « D'où sors-tu, petit! C'est le bureau 30 patriotique où se font inscrire les volontaires pour combattre les

mortel fatal
le hurlement howl
le blasphème curse
de mains en mains from hand to hand
mangé smothered
le faquin rascal
charger to entrust
en face straight in the face
s'agiter to move restlessly
une estrade platform
les vivres (m. pl.) provisions
patriotique patriot's

[27]*prêtant l'oreille*, listening attentively. [28]*Qu'est-ce à dire?* What is the meaning of all this? [29]*Malheureux*, You wretched child. [30]*Voyons*, Come now. [31]The tricolor of the French Revolution and of modern France.

Prussiens et les Autrichiens, et où tous les citoyens vont déposer leurs offrandes. » L'enfant avait insisté: « Les Prussiens attaquent la France? —Ils sont en Champagne[32] et marchent sur Paris. Comment ne le sais-tu pas? »

—Alors, continua l'enfant en s'adressant au marquis, je me suis rappelé, monsieur, ce que vous me contiez, et j'ai pensé à la honte de la France, si les Prussiens venaient à Paris. Et comme vous m'aviez dit que si j'étais arrêté dans la rue, je pourrais faire ce que mon cœur me dirait, j'ai... j'ai obéi...

—Qu'as-tu fait? demanda la comtesse haletante.

—J'ai vu une femme qui portait un paquet de linge; elle fendait la foule pour aller vers l'estrade. Je l'ai suivie. Je suis monté derrière elle. Un homme, avec de vilains mots (l'enfant rougit), m'a demandé ce que je voulais. Alors j'ai dit comme la femme: « Pour les volontaires patriotes, » et je lui ai remis votre croix, monsieur. J'ai cru que puisque la France vous l'avait donnée après une victoire, vous voudriez la lui rendre maintenant qu'elle est pauvre et en danger. Puis, j'ai acheté du pain en donnant mes souliers.

Un silence profond se prolongeait.[33] De la bouche enfantine, des paroles graves, remueuses[34] des consciences, étaient tombées. Et dans ces âmes héroïques se dressèrent les spectres inoubliables des vieilles gloires de la France. Et il leur sembla que l'honneur, que les ancêtres morts, que l'âme de la patrie parlaient comme cet enfant. Et le vaincu de Rossbach sentit ses yeux qui se mouillaient. Alors, il attira vers lui l'enfant pâle et immobile, et il lui dit:

—Sois béni. Tu as bien commencé ta vie d'homme![35]

un Autrichien Austrian
une offrande offering
haletant breathless
fendre to force one's way through
vilain nasty
enfantin child's
se dresser to arise
le spectre ghost (memory)
inoubliable unforgettable
se mouiller to become moist

[32]*Champagne*, a province of northeastern France, noted for its beautiful undulating landscape as well as its wine. Reims is the most famous city of the area, particularly because of its cathedral, damaged by war and restored with the help of American philanthropy. [33]*Un silence profond se prolongeait*, There was a long period of deep silence. [34]*remueuses*, which stirred [35]From *Contes héroïques*. Publication authorized by Librairie Fischbacher, Paris.

QUESTIONNAIRE *La Croix de Saint-Louis*

I

A. Pourquoi peut-on dire que les aristocrates de ce conte suivent leur principe de « noblesse oblige », malgré leur manque de compréhension des changements sociaux qui ont eu lieu pendant la Révolution?

B. En quoi ce conte est-il une manifestation, souvent répétée, de l'unité de la nation française?

II

1. Qu'est-ce qui pesait sur Paris? 2. Que se passait-il depuis le 20 juin? 3. Quels verbes et quels adjectifs l'auteur a-t-il choisis pour décrire la sauvagerie (*savagery*) du peuple de Paris? 4. Décrivez les bourreaux et les martyrs de ces jours terribles. 5. Pourquoi la comtesse a-t-elle dissimulé le bas de soie qu'elle était en train de repriser? 6. Pourquoi Picard n'est-il pas allé chercher d'autres provisions? 7. Qui étaient les six personnes réunies dans la pièce? 8. Qui avait assailli le château de Trévan? 9. Qu'espéraient le comte et le marquis? 10. Quel seul espoir vague leur restait-il au fond du cœur? 11. A quelle idée la marquise n'a-t-elle jamais pu s'accommoder? 12. Pourquoi le marquis ne parlait-il pas de meurtres et de choses horribles devant son petit-fils? 13. Comment le comte et la comtesse ont-ils passé la nuit? 14. Qu'est-ce que le marquis a raconté à son petit-fils le matin? 15. Qu'a rapporté Picard après être ressorti? 16. De quelle façon la marquise voulait-elle récompenser Picard? 17. Qu'est-ce que le marquis a tiré d'un papier? 18. Comment pouvait-on vendre la croix sans exciter les soupçons? 19. Quand l'enfant est venu se placer devant son aïeul, que lui a dit le marquis? 20. Pendant combien de temps l'enfant a-t-il été absent? 21. Avec quoi le petit René avait-il acheté le pain? 22. Qu'est-ce que le petit René a raconté dans le silence? 23. Qu'est-ce que René avait dit en remettant la croix à l'homme? 24. Que dit le marquis en attirant l'enfant vers lui? 25. Le petit René a-t-il bien fait d'offrir la croix à la patrie?

DISCUSSION *The Aristocracy*

1. France and America have ceased to recognize titles of nobility, but the British continue to give titles to subjects who have rendered

conspicuous service to their country. Discuss the merits of such a system. Do you prefer the French system of giving decorations, such as the ribbons and rosettes of the Legion of Honor?

2. You will notice that the names of both of the noble families in this story begin with the particle *de*. Some French even today like to place a *de* before their names, as did Balzac. In what comparable ways do Americans attempt to establish an ancient and honorable lineage?

3. The revolutionaries and Jacobins made noblemen and noblewomen get out of their carriages and kneel to the statue of King Henri IV. Even the liberal Voltaire wrote an epic poem to Henri IV. How can you explain that any particular king should be a hero to the people of Paris who wanted to get rid of royalty and the aristocracy?

6

THE YOUNGER GENERATION OF THE HAUTE BOURGEOISIE

Young people in urban France have much the same interests as those in America, from sports to love, and from light repartee to serious discussion. This latter tendency, popular among educated French people of both sexes, will be observed elsewhere in this volume. In "Le Journal de Martine" we shall learn how the heroine, typifying the affluent French girl, goes about the quest of permanent happiness in marriage.

American soldiers in the World Wars have shown a lively interest in the "mamselles," as attested by the thousands of "war-bride" marriages. Yet some French ways puzzled them. Especially among French people whose families have belonged to the educated bourgeoisie for several generations, there is a traditional reserve which helps to constitute the French idea of the "well-bred" girl. As observed elsewhere, the commanding place occupied by the family[1] in French life causes the home to be envisaged as a veritable castle whose drawbridge is raised before the approach of any unintroduced stranger until he proves his worth. In the latter event, no doors are opened more widely, nor with more heart-warming hospitality.

The much discussed *mariages de convenance* arranged by parents have become relatively rare, as the present story illustrates, and "love at first sight" is frequent in France, as it is in other countries. But the great importance given to a single lasting marriage, with the attendant stress on proper education of the children, is outstanding in that country, where both the Catholic Church and very strict laws make divorce difficult. Common sense, the desire

[1]The persistence of a strongly patriarchal and very often matriarchal organization of the family in France has not only been the subject of many French novels (notably those of Bordeaux and Mauriac), but has also impressed numerous American visitors. It is discreetly indicated in this story by the fact that Martine's engagement will be announced at a social gathering held in her grandmother's home rather than in that of her parents.

National Gallery of Art, Washington, D.C. Gift of Sam A. Lewisohn

"Canotiers à Chatou," by Auguste Renoir (1841-1919)

Like his precursors, Manet and Monet, and his contemporaries, Pizarro and Sisley, Renoir the impressionist excels in catching the play of sunlight and the effect of light and shadow on form and color, especially under the atmospheric conditions peculiar to the valley of the Seine near Paris. Here he has captured a pleasing bit of outdoor life. Chatou is a town of 12,000 on the Seine, not far from Versailles.

to avoid dowry-hunters, the search for security and real companionship, the belief that mutual respect, based on merit, as in Corneille's *Le Cid*, is absolutely essential in marriage, all tend to induce an attitude of caution and keen scrutiny of the suitor's qualities as well as his faults.

A certain amount of artificial parallelism within its plot does not prevent the present story from giving valuable glimpses into the world of a representative daughter of well-to-do and cultured parents belonging to the *haute bourgeoisie.* Conscious of the difficulty of penetrating the "moral personality" hidden in the "shadowy labyrinths" of the masculine soul, her heart hesitates between the numerous contenders. Her method, inspired, as is her vocabulary, by her intimate knowledge of sports[2] and approved by understanding parents, may seem rather calculating. However, we must remember, as suggested above, how heavy are the stakes, and how earnestly she is seeking that ideal goal, "la meilleure tête et le meilleur cœur." Her *épreuve prolongée et diversifiée* is a method amusingly similar in spirit to others, dear to her compatriots, which were developed by the great French philosopher-mathematician, Descartes (1596–1650), author of a "Treatise on Passions," and by the founder of experimental medicine, Claude Bernard (1813–1878), in their search for knowledge.

Since the Middle Ages a parallel to that search is to be found in the brilliant French social gatherings characterized by conversation and discussion between the sexes, the subjects ranging from the frivolous to the profound. Over these meetings traditionally presided intelligent French women, who set the tone and participated actively in the *ruelles* of the seventeenth century or the

[2]Americans often assume that the French are not particularly interested in sports because these occupy so small a place in the educational system of that country. The French *lycée* and university curricula are so pitilessly exacting that there is little time for organized sports. Nevertheless, educators are becoming increasingly aware of the necessity of emphasizing physical education for students at all levels, to counteract the debilitating effect of excessive study. Many students belong to athletic organizations outside the university, including those for men and women, for the amateur and the professional, both exclusive and popular. Well-organized leagues exist in the major sports. Participation in the forms practised by Martine, or in aviation, is surprisingly widespread among women and girls. Numerous publications are devoted primarily to sports. Rugby, soccer football, and basketball are very popular. The French excel in swimming (with several Olympic titles), skiing, tennis, bicycle-racing, horse-racing, fencing, boxing, hunting, fishing, mountain-climbing, and deep-sea and cave exploring. Today, as in the past, they continue to chart unknown areas of the world and to serve as leaders for many archaeological and geographical expeditions.

salons which followed. In this connection, the roster of talented French women writers is remarkably long, including Marie de France (12th century), Louise Labé and Marguerite de Navarre (16th century), Madame de Sévigné and Madame de Lafayette (17th century), Madame de Staël and George Sand (19th century), and those of the contemporary period, such as the prominent figures of the comtesse de Noailles and Simone de Beauvoir, and the inimitable Colette. Incidentally, in France, as in America, women occupy many important positions in almost all phases of life, and play an indispensable role in their country's economy and culture.

The art of conversation, limited as it was by social and linguistic conventions, has sometimes tended toward an artificial cleverness, a *bas-bleuisme* or *préciosité* based on puns and strained metaphors, which is mirrored in Rostand's play by Cyrano's cousin Roxane, indeed, by Cyrano de Bergerac himself. In the present story Martine and Jean, like others of their class and of the aristocracy with which it has increasingly been linked, are somewhat irritatingly faithful heirs of that tradition. However, their "badinage," like that of their ancestors, hides real and deep feeling, in keeping with the commonly accepted social belief that it is both insincere and in poor taste to make a show of one's emotions. Thus, whereas Martine protects the susceptibilities of the unsucessful suitor by saying No "avec beaucoup de fioritures autour," the future husband will receive a simple, whispered "Oui."

MIGUEL ZAMACOÏS

Le Journal de Martine

MAUD entra en coup de vent dans[1] la chambre de son amie Martine:

—Bonjour, Martine... J'ai reçu ton pneumatique[2] hier soir à neuf heures... Qu'est-ce qui arrive?

—Tu es ma meilleure amie, Maud, tu dois tout savoir la première: je vais me fiancer officiellement à Jean Mireuil... Cette cérémonie va se faire à Deauville,[3] chez grand'mère... Jean est à Cabourg[4] chez ses parents, c'est dans le quartier.[5]

Maud se précipita, joyeuse, vers son amie:

—Tu hésitais entre Jean Mireuil et René Lormois. Comment et pourquoi t'es-tu décidée? Raconte![6] Je brûle du désir de savoir!

—Eh bien, voilà... Tu sais qu'une demi-douzaine de prétendants s'agitaient autour de moi, et que leurs mérites et leurs défauts se balançant, se ressemblant ou s'équivalant, j'étais fort en peine de faire un choix... Alors l'idée m'est venue, un certain jour, de pratiquer avec la troupe des aspirants à ma main, et à ma dot, tous les sports les uns après les autres, seul moyen de procéder à une

se fiancer to become engaged
se faire to take place
se précipiter to rush
se décider to make up one's mind
le prétendant suitor
s'agiter to move (restlessly)
équivaloir to be equivalent
la dot dowry

[1]*entra . . . dans*, burst into. [2]*le pneumatique*, express letter. In Paris, notes may be transmitted, in a matter of minutes, from one post office to another by means of pneumatic tubes and are immediately delivered to the address indicated. The *pneumatique* system is considerably faster than our Special Delivery service. [3]*Deauville*, luxurious seaside resort near Le Havre, on the English Channel. [4]*Cabourg*, somewhat less elegant resort, also on the English Channel, about 12 miles south of Deauville. [5]*c'est dans le quartier* (district), *i.e.*, all the participants are from the same section. [6]*Raconte!* Tell me! (Start talking!).

élimination au premier degré. ...Il n'y a rien comme la pratique des sports en commun pour vous permettre de juger le caractère des gens... Au bout d'un mois j'étais fixée sur la valeur respective de ces prétendants... Cela m'a permis de semer le gros du peloton
5 avant le dernier tournant, conservant seulement pour le grand effort de la ligne droite[7] Jean Mireuil et René Lormois... Entre ces deux-là mon cœur balançait... Étaient-ils plus adroits que les autres à dissimuler leurs défauts graves; ou, réellement, étaient-ils mieux pourvus de qualités essentielles que leurs camarades défini-
10 tivement évincés? C'est ce que je me demandais encore après avoir, en leur compagnie, pratiqué successivement le cheval, le tennis, la natation et les sports d'hiver. Heureusement je disposais encore, réservée pour le choix final, si grave, de l'épreuve automobile!

—L'épreuve automobile? Qu'est-ce que cela?

15 —Pour l'élimination définitive, pour la décision suprême, il faut, dans les cas difficiles, faire intervenir l'épreuve automobile. C'est la pratique de l'auto qui offre les meilleures occasions de pénétrer la personnalité morale de quelqu'un, et c'est à elle que j'ai eu recours pour juger en dernier ressort le procès des deux prétendants arrivant
20 dead-heat au poteau des fiançailles.

—Je ne comprends pas encore tout à fait.

—Voici. Avec le consentement et la complicité de papa et de maman, j'ai invité successivement à venir passer cinq jours à notre manoir de Vaguerville,[8] Jean Mireuil et René Lormois, et avec
25 chacun d'eux j'ai exécuté en auto le même nombre de randonnées, afin de voir comment chacun d'eux réagissait dans des circonstances à peu près identiques, et de juger chez lequel les réactions impliquaient la meilleure tête et le meilleur cœur... Les postulants à

au premier degré preliminary
semer to get rid of
le gros bulk
le peloton field (of runners)
le tournant turn
évincé ousted
pratiquer le cheval to ride horseback
la natation swimming
disposer de to have at one's disposal
la pratique de l'auto driving
le procès trial
le poteau finish line
les fiançailles (f. pl.) engagement
le manoir country house
exécuter to take
la randonnée trip
réagir to react
impliquer to imply
le postulant candidate

[7] *pour . . . droite,* for the final spurt of the straightaway. [8] *Vaguerville,* village in northern Normandy.

notre main sont hypocrites par définition, comme continuent à l'être la plupart des fiancés; cherchant à plaire, ils se composent naturellement une âme et un visage artificiels en tout ou en partie... Qu'y a-t-il derrière le masque à la bouche en cœur?[9] Et comment le savoir? L'épreuve prolongée et diversifiée de l'auto constitue, à cause des réflexes inévitables, le moyen de soulever le masque au moins partiellement.

—Oh! que c'est amusant! Raconte!

—Chaque soir, en rentrant, j'ai noté mes impressions sur ce petit cahier bleu... J'ouvre... Le premier qui fut sur les routes mon cavalier-chauffeur, ce fut—désigné par un « pile ou face » impartial—René Lormois... Je lis:

Lundi 25 juin.—Nous partons seuls, René Lormois et moi, en auto. Naturellement je le mets au volant, ne pouvant le juger que dans l'action. A côté de moi il ne serait qu'un prétendant-colis,[10] n'ayant qu'à continuer le genre de cour habituel, sans heurts et sans risques, celui qui, pour peu que les interlocuteurs aient de la patience, pourrait durer dix ans sans rien révéler de la nature véritable de chacun... D'ailleurs il n'a pas protesté; il aime l'auto jusqu'à la frénésie, et la passivité lui serait odieuse... Donc René Lormois est au volant, et moi, l'air innocent, avec une petite indifférence hypocrite bien jouée, j'observe...

Je ne suis pas longue à remarquer que mon compagnon est un nerveux... Je n'avais pas eu l'occasion de m'en rendre compte au tennis ou au golf... Il fait ses changements de vitesse avec brusquerie,[11] ce qui est une faute pour un automobiliste aussi habile; mais son tempérament violent le mène... Il s'impatiente du moindre obstacle mis à son impétuosité imprudente... Car il est imprudent.

se composer to be composed of
le cahier notebook
pile ou face heads or tails
le volant (steering) wheel
la cour courtship
le heurt jolt
pour peu que if only
un interlocuteur one engaged in conversation
la frénésie frenzy
la passivité passivity (mental and physical)
se rendre compte notice
un automobiliste driver
mis à put in the way of

[9] *à la bouche en cœur,* with a simpering look. [10] *le prétendant-colis,* suitor not unlike a piece of luggage. [11] *Il . . . brusquerie,* He shifts the gears abruptly.

A toute allure, il double les voitures, il aborde les croisements; il prend les tournants avec une hardiesse folle. Je n'aime pas à flâner, mais je n'aime pas non plus me sentir dans un rapide sans rails, sans aiguilles, sans disques, et qui prend les passages à niveau par le
5 travers sans être tout à fait sûr que les barrières sont ouvertes.[12]

J'ai bien l'impression que René Lormois veut m'épater. Ce sentiment de la part d'un amoureux est admissible, mais l'instinct de la conservation m'empêche d'en goûter pleinement la saveur... Je préférerais que le souci de ma sécurité lui fût plus cher que
10 celui de m'étonner.

Mardi 26 juin.—Mon chauffeur semblant disposé à s'emballer de nouveau, je lui ai dit carrément que j'avais horreur de l'excessive vitesse qui change l'excursion touristique en « circuit », en match, et en course à la mort. Il m'a semblé que je le décevais. Il a
15 ralenti, et m'a dit, moitié figue, moitié raisin:[13] « Martine, vous n'êtes pas sport... » Je lui ai répondu: « Si, mais jusqu'à la civière, exclusivement[14]... » Il a paru vexé de ma riposte; j'avais l'air de douter de l'habileté dont il est si fier... « Amour propre exagéré, penchant à l'orgueil et à la violence» , dirait une tireuse
20 de cartes... Un mauvais point...

Mercredi 27 juin.—Aujourd'hui René Lormois a refréné son désir d'emballement, mais on sent qu'au fond il ronge son frein... C'est

à toute allure at full speed
doubler to pass
le croisement crossroads
la hardiesse daring
flâner to loiter
le rapide express train
une aiguille switch
le disque signal
le passage à niveau grade crossing
par le travers obliquely
épater (fam.) to bowl over
la conservation self-preservation
goûter to taste
s'emballer to step on the accelerator
carrément bluntly
le circuit long-distance competition
la course race
décevoir to disappoint
sport (fam.) a good sport
la riposte retort
douter de to have misgivings about
une habileté skill
un amour-propre egoism
le penchant tendency
la tireuse de cartes fortune-teller
refréner to restrain
un emballement speeding
au fond at heart
ronger le frein to champ the bit

[12] Almost all grade crossings in France have *barrières* and *garde-barrière(s)* (gatekeepers), the latter living in little houses near the track. This system is more expensive but safer than our practices. [13] *moitié figue, moitié raisin*, half in jest, half in earnest. [14] *jusqu'à la civière, exclusivement*, short of the stretcher.

vraiment le cas de le dire![15]... J'ai l'intuition que si nous nous épousions à faible allure entre la borne cent soixante-six et la borne cent soixante-sept, il aurait repris sa vitesse désordonnée de casse-cou (même le cou de sa femme) à la borne cent soixante-huit, arguant instantanément de son droit de mari... C'est inquiétant 5 pour l'avenir...

Rien à signaler de particulier ce jour-là.

Jeudi 28 juin.—En traversant le bourg de Folleville-en-Auge,[16] nous avons failli écraser[17] un brave gros toutou qui avait la prétention inconcevable de se promener tranquillement dans l'unique 10 rue de son village. Il s'en est fallu de bien peu que nous n'en fassions de la bouillie à collier...[18] J'ai poussé un grand cri... Heureusement, nous n'avons fait que l'effleurer de notre pare-choc avant... Bousculé légèrement, il a eu plus de peur que de mal et a jeté un glapissement angoissé en se sauvant la queue entre les jambes: 15

—Sale bête! a dit Lormois... Ça lui apprendra; une autre fois il se méfiera.

—Pauvre bête! ai-je corrigé, la route de son patelin est bien un peu à lui aussi, tout de même?

—Non, ma chère Martine, les routes sont d'abord partout aux 20 automobilistes qui ne peuvent, eux, ni monter sur les trottoirs, ni rentrer dans les maisons.

—Avec ça[19] qu'ils s'en privent.

—Vous n'allez tout de même pas prendre contre moi le parti d'un affreux cabot sans race, comme s'il s'agissait d'un sloughi ou 25 d'un pékinois de cent louis?[20]

à faible allure at low speed
la borne milestone
désordonné reckless
casse-cou breakneck
le bourg small town
le toutou (child's word) bow-wow
effleurer to graze
le pare-choc bumper
bousculer to jostle
le glapissement yelp
se sauver to run away
se méfier to watch out
corriger to correct
le patelin (fam.) village
le trottoir sidewalk
le parti side
le cabot (fam.) cur
la race pedigree
le sloughi Arabian hound

[15]*C'est . . . dire!* There is no doubt about it! (for her suitor often has to use the brakes (*freins*) of the car). [16]*Folleville-en-Auge*, another small town in northern Normandy. [17]*nous avons failli écraser*, we almost ran over. Martine's words, like Colette's writings, typify the Frenchman's attitude toward dogs. [18]*Il . . . collier*, We came very close to making of it dog-collar stew. [19]*Avec ça* (fam.), I doubt. [20]*le louis*, gold piece worth about 20 francs (or about $3.70) before World War I.

J'adore les bêtes, toutes les bêtes... Peut-être plus encore celles qui sont vilaines, et que nul ne cajole et ne soigne. J'ai dissimulé mon mécontentement, désirant conserver mon impassibilité de juge, mais cette brutalité vis-à-vis d'un bon chien, aggravée de 5 snobisme, m'a produit une mauvaise impression; tout cela n'émanait pas d'un bon cœur, ni d'un esprit dégagé des mesquineries et des conventions mondaines.

Vendredi 29 juin.—Aujourd'hui, ce n'est pas un chien que nous avons failli écraser, c'est une vieille bonne femme plus ou moins 10 sourde, qui s'est décidée tout à coup à traverser la route sans la moindre enquête préalable. Grâce à un coup de volant instantané (très adroitement donné, je le reconnais), nous l'avons évitée tout juste... Elle a sursauté, la pauvre, et puis elle a titubé sous l'influence de la peur:

15 —Vieille toupie![21] a crié rageusement mon automobiliste, cependant qu'une fureur disproportionnée se peignait sur ses traits et me faisait pénétrer par effraction dans le mystère d'une âme mise à nu l'espace d'un éclair...

Interrompant sa lecture, Martine remarqua:

20 —Ni le tennis, ni la luge, ni la bicyclette ou la natation ne m'auraient fourni de pareilles occasions d'enquêtes psychologiques; seul, par la nature des incidents, par la multiplicité des complications sérieuses, l'automobilisme oblige les caractères à dévoiler leurs faiblesses... René Lormois nous quitta le lendemain, sans se 25 douter, bien entendu, qu'il laissait une fiche psychologique de

vilain ugly
cajoler to pet
le mécontentement displeasure
une impassibilité objective attitude
vis-à-vis de towards
émaner to come forth
dégagé free
la mesquinerie pettiness
mondain of society
préalable preliminary
le coup de volant jerk of the wheel
donné executed
tout juste just barely
sursauter to start
tituber to stagger
cependant que while
pénétrer par effraction to break into (as a burglar)
mettre à nu to expose
un espace for the duration
la luge tobogganing
la bicyclette bicycling
un automobilisme driving
dévoiler to reveal
se douter to suspect
bien entendu of course
la fiche record card

[21] *Vieille toupie!* Crazy old nitwit!

prétendant dont je devais faire mon profit, et sans se douter non plus que son rival allait lui succéder sur la sellette de mon journal.

Jeudi 5 juillet.—Jean Mireuil, au moment de démarrer, veut que je me mette au volant. Je décline bien entendu l'invitation... Me mettre au volant, ce serait comme si l'examinateur se mettait au tableau noir pendant que le candidat se carrerait sans responsabilités dans le fauteuil du maître. 5

—Ce n'est pas de jeu,[22] m'a dit, tendrement boudeur, mon nouveau compagnon... Il va falloir que je détourne au profit de la route une partie de l'attention que je voulais vous donner tout entière... Et puis, je ne vais pas pouvoir vous regarder exclusivement, ni vous communiquer toutes les douces choses que m'inspirent votre vue et votre voisinage. 10

—Dites-vous que si je conduisais je ne pourrais prêter à vos propos qu'une oreille distraite, occupée que je serais à justifier votre confiance. 15

—Soit, je prends le volant aujourd'hui... Vous prendrez (soyons dix-huitième siècle)[23] le volant de mon cœur quand nous serons mariés...

—Volant et cœur, cela fait cœur-volant.[24] ...Prenez garde! 20

J'ai assez aimé ce démarrage à la Florian,[25] et cet engagement spontané de me laisser plus tard la « direction. »[26] Et puis j'ai aimé que Mireuil, qui est aussi un as du volant,[27] ait préféré la séduction à l' « épatage. »[28]

Nous sommes en route. Je consulte le compteur de vitesse; il marque soixante-dix[29] a l'heure. C'est bien... Le chauffeur a vu 25

faire son profit de to profit by
sur la sellette under the cross-examination
démarrer to drive off
se carrer (fam.) to loll
boudeur sulking
détourner to divert
votre vue the sight of you
le voisinage proximity
distrait inattentive
soit so be it
un engagement promise
la séduction charm
le compteur de vitesse speedometer

[22]*Ce . . . jeu,* That's not fair. [23]*soyons dix-huitième siècle,* refers to the following words in which Jean Mireuil imitates the often affected, artificial, metaphorical, and flowery style used particularly by neoclassicists of the eighteenth century. [24]*cœur-volant,* a *jeu de mots* in which *volant* may be translated literally as flying, hence, flighty, fickle. [25]*à la Florian,* in the manner of Florian (1755–1794), one of the better neoclassical poets using the style noted above (note 23). [26]*me . . . "direction,"* to let me drive. [27]*un as du volant,* an expert driver (an ace at the wheel). [28]*l'épatage,* a coined word meaning "showing off." [29]*soixante-dix,* seventy kilometers (approximately 43 miles).

mon regard; il sourit avec une gentille résignation de champion amoureux, et je lui sais gré de ne pas me faire entendre que s'il le voulait il ferait éclater le compteur!

Vendredi 6 juillet.—Ce pauvre Mireuil n'a pas de chance! Nous avons crevé à dix kilomètres de la maison, et nous n'avions pas de roue de secours... J'aurais préféré que cette mésaventure fût arrivée à Lormois; Mireuil a conservé sa bonne humeur: « Au dancing, a-t-il dit, il arrive que l'on parle les tangos et les fox-trots au lieu de les danser; cette réparation de chambre à air—quel bonheur!—nous allons la « causer »[30]... Vous allez vous asseoir à l'ombre d'un de ces arbres dont on ne sait le nom qu'à la saison des fruits, et moi je travaillerai à l'ombre d'une jeune fille en fleur! »[31]

Il a réparé, un peu longuement:

—A un automobiliste solitaire pressé d'aller rejoindre sa bien-aimée, il faut vingt minutes pour réparer un pneu, mais on doit compter au moins une heure et demie quand la bien-aimée est présente et que la halte favorise l'échange des tendres propos... La dissolution se fait complice et ne sèche pas...

Il m'a dit ainsi mille folies.[32] Finalement, prenant de la hardiesse à cause de la solitude, de la beauté du site et du ciel:

—Je vous aime, Martine, et vous? m'aimez-vous?

—Nous sommes en Normandie, ai-je riposté; c'est le pays des réponses ambiguës et provisoires: « P't'être ben qu'oui[33]... P't'être ben que non... »

—Rien que pour la première moitié de la phrase, je bénis l'oasis où nous nous sommes arrêtés; béni soit aussi ce clou de fer à

savoir gré de to be grateful for
crever (fam.) to have a flat tire
la roue de secours spare wheel
la mésaventure misfortune
le dancing dance hall
la chambre à air tube
en fleur in bloom
le pneu tire
la dissolution rubber cement
prendre de la hardiesse to become bold
le site spot
riposter to retort
provisoire provisional
le clou nail

[30]*la "causer,"* to chat while doing it. [31]Jean recalls the title *A l'Ombre des jeunes filles en fleurs*, which is that of one section of Marcel Proust's important multi-volume novel *A la Recherche du temps perdu.* [32]*mille folies,* a thousand affectionately extravagant things. [33]*P't'être ben qu'oui* (Norman dialect) = *Peut-être bien que oui.*

cheval qui a crevé ce pneu, et qui, promu breloque, ne quittera plus jamais ma chaîne de platine!

Samedi 7 juillet.—Chose curieuse, en traversant Folleville-en-Auge nous avons rencontré le bon chien-chien rescapé de l'autre jour, obstiné à traverser la rue nonchalamment. Nous avons presque dû stopper tant il témoignait d'indifférence. J'ai attendu curieusement—ayant encore dans l'esprit la manifestation hostile de Lormois—la réaction de Mireuil. Il a ralenti sans impatience.

—Non, mais alors quoi, mon vieux? a-t-il dit drôlement, on ne s'en fait pas plus que ça?[34] Allons, presse-toi! Les routes ne sont pas faites pour les chiens sans moutons!... Tu n'as même pas l'excuse de conduire un aveugle... Allons, à la maison! Car, comme a dit l'autre, ce qu'il y a de meilleur dans le home,[35] c'est le chien!

Dimanche 8 juillet.—Promenade dominicale paisible... Si paisible même que mon amoureux, distrait et tendrement bavard, laisse tout à coup tomber le train à quinze kilomètres à l'heure, comme pour obéir à quelque injonction municipale... Je lui fais observer que nous avons l'air de suivre la file, à la fin de la journée, boulevard Haussman[36]... Incontinent nous passons à quarante, ce qui est, selon mon chauffeur amoureux, l'allure du flirt sur route.

Lundi 9 juillet.—Ce n'est pas une vieille femme, mais un vieux bonhomme que nous avons failli mettre à mal sur la route de Trouville à Honfleur.[37] Cette fois Jean Mireuil s'est arrêté net. Il n'a pas traité le pauvre vieux de vieille toupie mâle; il l'a

le fer à cheval horseshoe
promu promoted (*i.e.*, given a more dignified position)
la breloque (watch) charm
le platine platinum
le chien-chien (fam.) doggie
témoigner to display
l'autre someone
dominical Sunday
le train speed
une injonction regulation
la file line (of cars)
incontinent at once
une allure speed
le flirt flirtation
mettre à mal to injure
arrêter net to stop short

[34] *on . . . ça?* (fam.), you won't trouble yourself more than that? [35] A play on the English word "home" and *homme*. [36] *boulevard Haussman*, one of the principal boulevards of Paris (named after their creator) where heavy traffic reduces speed to a minimum. [37] *Trouville*, a resort almost as elegant as Deauville, which adjoins it. *Honfleur*, town about 10 miles east of Trouville, located on the west side of the mouth of the Seine. Le Havre lies on the opposite side.

raisonné et sermonné doucement, assaisonnant sa semonce filiale d'un rien d'accent normand:[38]

—Voyons, papa, lui a-t-il dit presque affectueusement, c'est-y[39] raisonnable de vous balader sur une route où il passe une auto
5 déchaînée toutes les cinq secondes, comme si vous étiez dans votre clos?... Vous ne pouvez t'y[40] pas longer la haie et zyeuter, avant de traverser, s'il n'arrive pas sur leurs sales mécaniques à ennuyer le monde un de ces Parisiens maudits qui vous louent vos bicoques les yeux de la tête,[41] et vous achètent vos poissons et vos légumes leur
10 pesant de francs-or?[42]

Et accélérant brusquement, il laissa le bonhomme ahuri à la fois par tant de politesse et tant de franchise.

Ici Martine ferma le livre bleu:

—Quel contraste, n'est-ce pas, Maud, entre la façon d'être,
15 d'agir, de penser, dans les mêmes circonstances, de mes deux prétendants? Ces petits incidents de la route, à peu près identiques, avaient donné à l'un l'occasion de révéler son caractère de « soupe au lait, »[43] irritable, intransigeant, brusque; son manque de douceur vis-à-vis des bêtes, des vieux et des simples, ce qui est une preuve de
20 sécheresse du cœur... A l'autre les mêmes incidents avaient permis de faire apprécier sa bonté, sa patience, sa charité envers les petits et les humbles, et de donner la mesure de sa sensibilité... La bonté, la sensibilité, la patience, c'est le fond des bonnes natures; au seuil de ce ténébreux dédale qu'est l'âme d'un être auquel on
25 va se lier pour la vie, ces qualités sont comme des phares sur la

raisonner to reason with
sermonner to reprimand
la semonce scolding
voyons! come, now!
balader (fam.) to go strolling
déchaîné running wild
le clos yard
longer to go (walk) along
zyeuter (fam.) to look
la mécanique machine
maudit cursed
louer to rent
la bicoque shanty
le légume vegetable
brusquement suddenly
ahuri bewildered
intransigeant uncompromising
le simple simple-minded person
la sécheresse aridity
donner la mesure to show the extent
la sensibilité sensitiveness
ténébreux shadowy
le dédale labyrinth
le phare lighthouse

[38] *d'un rien d'accent normand*, with a very slight Norman accent. [39] *c'est-y*, Norman dialect for *est-il*. [40] *t'y*, Norman dialect, omit. [41] *les yeux de la tête*, for an exorbitant sum. [42] *leur pesant de francs-or*, for their weight in gold. [43] *de "soupe au lait,"* of being ready to "boil over" (soup made with milk boils over rapidly).

mer inconnue, et il faut les considérer comme les gages les plus plausibles du bonheur escompté...

—Tu as évidemment raison... Alors?

Martine rouvrit le petit registre en maroquin bleu:

—Alors?... Alors je lis: *Mardi 10 juillet.*—Jean Mireuil est parti 5 ce matin. Au moment où il est monté dans son auto, retournant à Cabourg, je lui ai dit tout bas « Oui » sans commentaires... Et puis quand il a été parti, je suis montée dans ma chambre et à René Lormois j'ai écrit « Non, » mais avec beaucoup de fioritures autour ![44]

QUESTIONNAIRE *Le Journal de Martine*

I

A. Expliquez la manière dont cette jeune Française cultivée choisit son mari. Pourquoi est-elle typique de beaucoup de ses compatriotes en employant une telle méthode?

B. Quel principe important de la vie sociale française le badinage de Martine et de Jean cache-t-il?

II

1. Comment Maud est-elle entrée dans la chambre de Martine? 2. Qu'avait-elle reçu? 3. Entre quels deux prétendants Martine avait-elle hésité? 4. Quels sports Martine avait-elle pratiqués avec Jean et René? 5. Qu'avait-elle réservé pour l'épreuve finale? 6. Combien de jours Jean et René devaient-ils passer successivement à Vaguerville? 7. Dans quoi Martine avait-elle noté ses impressions chaque soir en rentrant? 8. René aimait-il beaucoup l'auto? 9. René était-il prudent et patient? 10. Pourquoi René a-t-il accusé Martine de ne pas être bon sport? 11. Qu'est-ce qui était inquiétant pour l'avenir selon Martine? 12. Qu'avait-on failli écraser en traversant Folleville-en-Auge? 13. Si l'on en croit René, à qui sont les routes? 14. Quelle impression l'automobilisme de René a-t-il produit sur Martine? 15. A qui avait-il crié, « Vieille toupie? » 16. René Lormois se doutait-il, en partant le lendemain, de l'impression qu'il laissait derrière lui? 17. Pourquoi Jean

le gage pledge
escompté anticipated
le maroquin morocco (leather)
la fioriture flourish

[44]From *Un Singulier Roman d'amour*. Authorized by Librairie Ernest Flammarion, Paris

voulait-il que Martine conduise? 18. A quelle vitesse Jean a-t-il commencé à conduire? 19. Pourquoi Martine dit-elle que Jean n'avait pas de chance? 20. Combien de temps faut-il pour réparer un pneu? 21. Martine a-t-elle répondu qu'elle aimait Jean? 22. Que fera-t-il du clou de fer à cheval qui a crevé le pneu? 23. Quelle a été la réaction de Jean lorsqu'ils ont rencontré le bon chien-chien de Folleville-en-Auge? 24. Avec quel accent Jean a-t-il parlé au vieux bonhomme sur la route de Trouville? 25. Quel caractère ces petits incidents révélaient-ils chez René? 26. Quelles qualités révélaient-ils chez Jean? 27. Qu'est-ce que Martine avait écrit dans son journal sous la date du mardi, 10 juillet? 28. Croyez-vous que Martine ait bien choisi?

DISCUSSION

The Younger Generation of the Haute Bourgeoisie

1. Martine bases her estimate of a future husband on scrutinizing his qualities or weaknesses, as well as listening to the promptings of her heart. Is it better to rely on a logical conviction that a suitor may possess characteristics indicating mutual compatibility, or to trust in love at first sight, which is fundamentally irrational?

2. Political extremists, of both left and right, have made the words "bourgeois" and "bourgeoisie" terms of opprobrium. Which qualities associated with the word "bourgeois" are desirable and which are undesirable?

3. Do you believe that one's method of driving a car may aid your evaluation of the individual as a future husband or wife?

4. Although couples must undergo a civil marriage in France, many consider that a church ceremony is likewise essential. Is marriage the business of the state or the church? Do you believe that both ceremonies should be required?

7

BOURGEOIS AND RENTIER

SECURITY is an important principle in the modern Frenchman's practical philosophy of life. His desire to obtain a semblance of stability in his own precarious existence originated partly in the bitter lessons of his country's history. No one who ignores this fact can understand France's international policies since the Revolution.

"La Flèche dorée,"[1] the unpretentious story which follows, does not represent the larger aspects of this preoccupation. Yet the episode illustrates the emphasis placed on individual security, "la douceur du toit et sa sécurité," particularly among bourgeois and skilled workers, who hope to obtain a modicum of happiness as the result of a lifetime of hard work and frugal living. As *rentiers* they will be able, in their later years, to live very economically on their income. While it is true that numerous *rentiers*, possessors of hereditary private wealth, have often been lifelong parasites, the great majority of them serve a useful economic purpose. Since many Frenchmen retire before reaching an advanced age, they make room for young people in a country where the supply of manpower, especially highly skilled or educated manpower, sharply exceeds the demand.

In recent decades, as a result of wars, enemy occupation and destruction, the devaluation of the franc, the greatly increased cost of living without a corresponding increase in return on investments, the higher rates of taxation, and the freezing of rentals at unprofitable levels, many *rentiers* are faced with a critical financial situation. Thus in the present story, which deals with elderly retired businessmen and their wives, the well-to-do M. Beauchamps and his wife can live comfortably, though simply, but M. and Mme Ledoux find that "leurs rentes fondent comme neige." Mme Ledoux, now without domestic help, brings mending instead of fancywork to her friend's home. Their insecurity worries them.

[1]The author of "La Flèche dorée," Lucien Descaves (1861–1949), was a keen observer of contemporary life and manners, a well-known writer of realistic literature, and a prominent member of the famous Académie Goncourt.

Numerous contemporary French writers, irritated by the excessive conservatism of many bourgeois, have freely predicted that the postwar years would see the rapid disappearance of this middle class as a force in French society. So far this prediction shows no sign of being fulfilled. Indeed, in a limited sense, all Frenchmen and French women who have worked gainfully for thirty-five years or more become bourgeois *rentiers*, whereas, for reasons indicated above, the idle rich are decidedly less numerous than formerly. This wider leisure is due of course to the rigorous application since the 1920's of an effective system of retirement and old-age pensions, along with other forms of social security guaranteed by the government.

This system provides only a very modest sum; so the French continue their traditional efforts to accumulate savings during their active years. In one respect this story is not entirely representative. Millions of Frenchmen wish to retire, not in order to do nothing but on the contrary to busy themselves with the things they have always wanted to do, thus assuring for themselves the means for expressing that *joie de vivre* so close to the French heart.

"La Flèche dorée" also illustrates a widespread French desire to escape from the complications of modern urban living. A pleasant Sunday afternoon in summer finds the streets of a city relatively deserted by its inhabitants, who have gone to the nearest woods or to the seashore or back to the home folk on the farm. Indeed, many Parisians, residing in the very center of the city, live, like those in Maupassant's "Mademoiselle Perle," as though they were in a small provincial community. In our present story the two couples have retired to such a community. They have reduced life to a typically protected, well-regulated, self-sufficing pattern. The interminable card games of an earlier day at the café and even the newspaper and the movies have now been replaced by radio and television,[2] which furnish a fascinating illusion of participation in

[2]Television sets are still too costly for many French families to afford, but millions watch them daily and especially nightly, not so much in cafés or restaurants as in schoolhouses and other public buildings, where they gather, for a very small fee, to enjoy interesting and varied programs. On both radio and television there are almost no "commercials." Programs emphasize a combination of the useful and the entertaining: fine music, drama, variety shows, popular science, discussions, and commentaries. Although the government operates the radio stations (as it does the railroads and the postal, telegraph, and telephone services), there is actually little bias in the handling of the news. The radio staffs do not change when cabinets fall.

the world of finance, adventure, and travel, or of cultural and political activity, without requiring the "participants" to leave their armchairs. The Frenchman's desire to do his own thinking leads Beauchamps to prefer the bald presentation of news on the radio to the editorial commentaries of the newspapers, which, even more than our own, are "journaux d'opinion" with a political slant.

The story also portrays, less prominently, other characteristics of the French: their concern for sound marriages, since children and the family are the basis of human happiness; the seclusion in which they prefer to live, with only a limited number of friends, usually belonging to their own class and professional background; above all, their lack of external emotionalism, contrary to American belief. The Beauchamps receive the tragic news at the end of the story with deep feeling, but also with the characteristic restraint and stoicism which derive from the ancient French cult of common sense and good taste. The pragmatic reaction of their friends is also typical.

La Flèche dorée

M. ET MME BEAUCHAMPS, qui avaient lentement amassé dans le commerce, avant la guerre, une honnête aisance,[1] menaient en province une vie quiète et retirée. Ils jouissaient dans leur arrière-saison d'une bonne santé et, grâce à des placements bien inspirés, 5 n'avaient laissé que peu de laine aux buissons du change et de la spéculation.[2] Leur fils et leur fille étaient mariés, et mariés à souhait. Un espiègle et gentil gamin de six ans ravissait, aux vacances, les grands-parents, à qui on le confiait. Ils recueillaient ses moindres mots, les montaient en épingle[3] et les faisaient encore 10 admirer quand il n'était plus là.

Et ils se trouvaient d'autant plus heureux qu'ils tiraient d'eux-mêmes et de leur famille joies et distractions.

Ils n'admettaient dans leur intimité, en effet, que d'anciens commerçants à leur image,[4] les Ledoux, qui vivaient chichement, leurs 15 rentes fondant comme neige au soleil, et n'avaient pas d'enfants.

La maison des Beauchamps leur était ouverte; ils y venaient chaque jour passer la soirée, de huit heures à dix heures, empressés et ponctuels. Les horloges des deux maisons étaient réglées l'une sur l'autre. Tout était réglé dans la réception, qui ne variait pas.

la flèche arrow
doré gilded
jouir de to enjoy
une arrière-saison declining years
un placement investment
à souhait well
espiègle mischievous
aux vacances at vacation time
la distraction amusement
le commerçant tradesman
chichement parsimoniously
empressé eager
la réception manner of greeting

[1]*amassé . . . aisance,* amassed an honest but comfortable fortune. [2]*n'avaient . . . spéculation,* had lost very little in exchange and speculation. [3]*les montaient en épingle,* showed them off. [4]*à leur image,* like themselves.

—Ça va toujours[5] comme vous voulez? disait en entrant, la main tendue, le père Ledoux, petit vieillard triste et sec.

—Pas mal, et vous? répondait Beauchamps, un peu plus jeune, replet et affable.

Mme Beauchamps, vive, souriante, et méticuleuse, Mme Ledoux, longue, osseuse et compassée, s'abordaient de la même façon. Mme Beauchamps « faisait le ménage » du matin au soir, comme Mme Ledoux se faisait de la bile en voyant ses ressources de plus en plus réduites. Elle ne pensait qu'à cela. Toute une existence d'économies et de privations pour en arriver là!

—Voyons, est-ce juste?[6]

C'est le mot de tous les prévoyants de l'avenir dont les calculs se trouvent déjoués.[7] Il impliquait de la part des Ledoux un peu de jalousie et de dépit à l'égard de leurs amis en meilleure posture; mais rien ne transpirait de cette comparaison dont les Beauchamps éprouvaient de leur côté, sans le laisser paraître, une certaine satisfaction. Tant le malheur des uns ajoute toujours quelque chose au bonheur des autres.

Les Beauchamps ne prenaient aucun plaisir hors de chez eux. Ils lisaient les pièces de théâtre imprimées et n'allaient jamais au cinéma voisin. L'événement de ces dernières années avait été pour eux l'installation de la T. S. F. dans leur appartement. Les Ledoux en profitaient.

L'inauguration avait eu la solennité d'un baptême, les Ledoux tenant l'enfant sur les fonts.[8] On en parlait encore.

—Vous rappelez-vous le jour où?...

C'était une date et comme le début d'une ère nouvelle.

—Attendez donc! Quand telle chose advint, nous avions la T. S. F. depuis trois mois. Donc, pas d'erreur possible.

sec wizened
replet stout
méticuleux finicky
osseux bony
compassé formal
s'aborder to greet
faire le ménage to do housework
se faire de la bile to fret
le dépit resentment
à l'égard de in regard to
la posture position
la pièce de théâtre play
le cinéma movie theatre
la T. S. F. (*télégraphie sans fil*) radio
une ère era
attendez donc! now wait!
advenir to happen

[5] *Ça va toujours*, Everything is still going. [6] *Voyons, est-ce juste?* Is it really fair?
[7] *tous . . . déjoués*, all those who try to provide for the future but whose plans miscarry.
[8] *tenant . . . fonts*, acting as "godparents" at the baptismal font.

Dans le désœuvrement de Beauchamps et de Ledoux, l'attente des auditions quotidiennes de la T. S. F. avait remplacé la perspective du jacquet ou de la manille à quatre au Café de l'Industrie, rayon d'espérance des petits rentiers[9] dans les brumes de la province.

5 —C'est étonnant, disait Beauchamps, comme la lecture des journaux offre à présent peu d'intérêt. Toutes les nouvelles qu'ils nous donnent, le matin, même dans les régionaux, nous les avons reçues la veille, et sans détails, sans amplifications inutiles. Le fait brutal. A nous de l'orner et de le commenter si nous en avons 10 envie. On accorde généralement beaucoup trop d'importance à ce qui en est dénué. N'est-ce pas votre avis, Ledoux?

—Absolument, opinait Ledoux. Le cours des changes est suffisant pour nous faire passer une bonne ou une mauvaise nuit.

—D'autant plus, reprenait l'autre, qu'une impression fâcheuse 15 est effacée par la partie du concert qui suit les informations. On commence à s'endormir en musique, bercé.[10]

—C'est préférable à la camomille, ajoutait Mme Beauchamps.

Mme Ledoux apportait toujours « son ouvrage »; mais ce n'était plus le même. Les raccommodages remplaçaient les travaux d'agré-20 ment, depuis que la compression des dépenses du ménage en excluait une domestique.

Mme Beauchamps, qui avait conservé la sienne, faisait des réussites aux dominos, tout en prêtant l'oreille à la conversation ou aux émissions de la T. S. F. Elle était très fière du jeu que lui 25 avaient offert ses enfants. Les dominos, au lieu de présenter un revers attristant la vue, se revêtaient d'une carapace verte![11]

le désœuvrement idle lives
une attente waiting
une audition broadcast
la perspective anticipation
un jacquet backgammon
la manille manille (French card game)
à quatre for four players
régional local (paper)
à nous it's up to us
orner to embellish
commenter to comment upon
dénué devoid
opiner to say with conviction
le cours des changes rate of exchange, stock quotations
les informations (f. pl.) news
la camomille camomile tea
le raccommodage mending
les travaux (m. pl.) *d'agrément* fancywork
la compression reduction
exclure to exclude
faire des réussites (f. pl.) to play solitaire
une émission broadcast
la carapace surface

[9] *petits rentiers*, people with small incomes. [10] *s'endormir en musique, bercé*, to be lulled to sleep by the music. [11] *Les dominos . . . verte*. Dominoes are usually black.

—C'est reposant, disait Mme Beauchamps, et plus flatteur que le domino noir.

—Ne médisons pas du *Domino noir*,[12] observait spirituellement son mari en souvenir de la musique d'Auber.

Une fois par semaine, pas plus, les Ledoux s'informaient des en- 5 fants et des petits-enfants de leurs hôtes.

—Ils se portent toujours bien?

—Bien. Merci. Léon et Jenny font en ce moment un voyage dans les Pyrénées,[13] en auto. Ils nous ont écrit de Tarbes.[14] Ils sont enchantés. 10

—Ils ont emmené leur fils?

—Oui. Il va sur ses sept ans. C'est son premier voyage. Jugez de son bonheur![15] C'est la moitié de celui des parents.

—M. Dupont conduit lui-même?

—Oui. Et prudemment. Avec lui, on peut être tranquille. Il 15 n'a jamais eu d'accident. Notre mignon, à leur retour, en aura-t-il[16] à nous raconter!

—Mais voilà: nous le laisseront-ils?[17] douta M. Beauchamps qui s'apprêtait à lever l'invisible rideau sur les dernières nouvelles transmises par la T. S. F. 20

—Je vais le savoir, reprit la grand'mère en disposant en pyramide, pour sa réussite, les dominos verts qu'elle avait remués de ses mains potelées et caressantes.

Elle en retourna sept et ouvrit le jeu.

La bouche d'ombre,[18] cependant, dévidait les faits divers du 25 jour; et les quatre personnes, assises confortablement, jouissaient

flatteur pleasing
médire de to slander
spirituellement wittily
le (la) petit-enfant grandchild
un hôte guest
se porter to be (of health)
la moitié de half
le mignon darling
transmis broadcast
en pyramide in the shape of a pyramid
remuer to mix up
potelé plump
retourner to turn up
dévider to reel off

[12]*Domino noir* (1837), a comic opera by Auber and Scribe. [13]*les Pyrénées*, mountains which serve as a frontier between France and Spain. [14]*Tarbes* (population, about 31,000), birthplace of Marshal Foch, located near Pau, Lourdes, and the Spanish frontier. [15]*Jugez de son bonheur!* You can imagine how happy he is! [16]*en aura-t-il*, will certainly have something. [17]*Mais voilà, nous le laisseront-ils?* But that's the point, will they leave him with us? [18]*la bouche d'ombre*, in this case, the loudspeaker (presumably refers to a noted poem by Hugo).

du progrès qui leur prodiguait, dans des battements d'ailes,[19] les échos de la vie universelle. Était-ce commode, et quel miracle! Le monde entier convergeait vers eux! Tous les bruits de la terre se répercutaient dans le plus modeste foyer... Plus de distances et
5 plus de frontières! Un facteur merveilleux attrapait au vol les nouvelles et les distribuait sans retard... toutes... en même temps! On était dispensé de courir après: elles vous sautaient à la gorge dans le moment où vous vous y attendiez le moins! Émotion passagère... A la nouvelle d'une catastrophe lointaine, ceux qui l'ap-
10 prennent dans un fauteuil n'en ressentent que plus vivement la douceur du toit et sa sécurité.

La terre a tremblé, des mineurs sont ensevelis, un train a déraillé, des bateaux de pêche ont coulé avec leur équipage, un incendie a fait des victimes, un raz de marée a dévasté des cités... Tout cela
15 est affligeant sans doute; mais la voix insensible qui annonce ces malheurs ne peut faire partager que l'indifférence qu'elle exprime. C'est curieux... L'imprimé, du noir sur du blanc, a parfois un visage bouleversé que n'évoque pas cette voix pourtant humaine à laquelle il ne manque, pour être fade et vitreuse, que d'apparte-
20 nir à un tambour de village...[20]

L'appareil de liaison, à cet instant, profère:

« *Une automobile pilotée par son propriétaire, M. Léon Dupont, de Paris, a capoté à deux kilomètres d'Orthez,*[21] *par suite de l'éclatement d'un pneu,*[22] *et s'est renversée sur ses occupants. M. Dupont et son enfant ont été tués sur*
25 *le coup. Mme Dupont, grièvement blessée, a été transportée à l'hôpital d'Orthez. On espère la sauver.* »

prodiguer to lavish
se répercuter to echo
le facteur postman
attraper to catch
au vol on the fly
dispensé relieved (of the task)
s'attendre à to expect
passager fleeting
le toit home (roof)
enseveli buried
le bateau de pêche fishing boat
couler to sink
un équipage crew
un incendie fire
le raz de marée tidal wave
affligeant distressing
insensible impersonal
bouleversé distressed
fade flat
vitreux colorless (glassy)
un appareil de liaison loudspeaker
proférer to state
piloté driven
capoter to turn turtle
se renverser to overturn
sur le coup instantly
grièvement seriously

[19]*dans des battements d'ailes,* in the twinkling of an eye. [20]*à laquelle il ne manque . . . que d'appartenir à un tambour de village,* which needs . . . only to belong to a town crier. [21]*Orthez,* a town of approximately 4200 inhabitants, located about 45 miles west of Tarbes. [22]*par suite de l'éclatement d'un pneu,* as the result of a blowout.

Faire répéter?[23] Impossible. Déjà l'informateur pressé poursuit:

« *Le roi et la reine de Danemark ont visité Versailles...* »

« *Vol d'un million*[24] *de bijoux...* »

M. et Mme Beauchamps n'ont pas fait un geste, n'ont pas jeté un cri. Ils demeurent pétrifiés, lui dans son fauteuil, elle sur sa chaise. Entre les doigts encore étendus sur eux, les petits points des dominos retournés sont pareils à du grain sous les doigts d'une fermière interdite.

La flèche a traversé l'espace et atteint son but.

C'est M. Ledoux qui, le premier, se lève, d'abord pour arrêter le moulin à paroles,[25] ensuite pour appliquer aux patients le pauvre remède des mots. Sa femme se joint à lui. En vain. Ils y renoncent, prennent congé...

« Laissons-les à leur douleur... »

La grand'mère a fait un effort, s'est traînée jusqu'à son vieux mari et sanglote à ses pieds.

Les Ledoux s'en vont. La nuit est douce et claire. Elle frémit une minute lorsque du clocher tombe l'heure goutte à goutte[26]; puis le silence se rendort.

Appuyée au bras de son compagnon, Mme Ledoux murmure:

—On a tort de se plaindre, vois-tu... Il n'y a pour personne de bonheur complet et définitif.[27]

un informateur announcer
poursuivre to continue
le Danemark Denmark
jeter to utter
le point dot
la fermière farmer's wife
interdit stunned
renoncer à to give up
prendre congé to take one's leave
sangloter to sob
le clocher steeple
se rendormir to drop off to sleep again
définitif final

[23]*Faire répéter?* Have it repeated? [24]*un million,* a million francs' worth. [25]*moulin à paroles,* word mill, *i.e.,* radio. [26]*i.e.,* when the bells slowly ring the hour (*la goutte,* drop). [27]From *Regarde autour de toi.* Publication authorized by Éditions Spes, Paris.

QUESTIONNAIRE *La Flèche dorée*

I

A. Beaucoup de Français réussissent, après avoir fort travaillé, à se faire rentiers. En quoi ce désir améliore-t-il le régime économique de la France?

B. Comment se fait-il que le Français puisse préférer les actualités qu'il écoute à la radio aux commentaires des journaux?

II

1. Qu'est-ce que les Beauchamps avaient lentement amassé dans le commerce? 2. Quand leur confiait-on leur gentil petit-fils? 3. Comment vivaient les Ledoux? 4. Quand ceux-ci venaient-ils chez les Beauchamps? 5. M. Beauchamps était-il plus âgé que M. Ledoux? 6. A quoi Mme Ledoux pensait-elle tout le temps? 7. Que disent toujours les prévoyants de l'avenir dont les calculs se trouvent déjoués? 8. Les Beauchamps fréquentaient-ils souvent le cinéma? 9. Est-ce qu'ils regardaient la télévision? 10. L'installation de leur poste de T. S. F. a-t-elle été solennelle? 11. Qu'est-ce qui avait remplacé chez ces gens la perspective d'une partie de jacquet? 12. Présente-t-on les nouvelles à la radio avec d'inutiles amplifications? 13. Qu'est-ce qui suffisait pour donner à Ledoux une bonne ou une mauvaise nuit? 14. Qu'est-ce qui efface l'impression fâcheuse du cours des changes? 15. Les Ledoux avaient-ils encore une domestique? 16. Quelle est la couleur des dominos de Mme Beauchamps? 17. D'où Léon et Jenny avaient-ils écrit aux Beauchamps? 18. Quel âge avait leur petit-fils? 19. Est-ce que Léon conduisait comme Jean Mireuil ou comme René Lormois (du « Journal de Martine »)? 20. Qui dispose les dominos en pyramide? 21. Quand ressent-on plus vivement la douceur du toit et sa sécurité? 22. Quels accidents rapportés à la radio sont affligeants? 23. Quelle mauvaise nouvelle concernant les Beauchamps entendent-ils à la T. S. F.? 24. Le roi et la reine de Belgique ont-ils visité Versailles? 25. Que dit Mme Ledoux pour consoler son mari?

DISCUSSION *Bourgeois and Rentier*

1. From "La Flèche dorée" we learn that the Beauchamps derive a great deal of pleasure from their radio. The news, they ob-

serve, is more objectively presented than in the newspapers. This is partly because the state, operating impersonally with staffs whose personnel is generally permanent despite changing ministries, operates all radio and television stations, as well as the railroads and the postal, telegraph, and telephone services. Do you approve of such government ownership? If a case may be made for these, do you approve of the French government monopolies on tobacco, salt, and matches?

2. Social security and old-age pensions have long been demanded as part of the program of the Socialists in Europe. Do you consider them to be socialistic? Where should one draw the line between a "welfare state" and a government solicitous of its aged and infirm?

3. When we read that the Beauchamps' son-in-law and grandson were killed in an accident two kilometers from Orthez, our mind sets to work translating kilometers into miles. In "Le Journal de Martine" we also had to translate speeds from kilometers to miles. In our effort to support a more unified world, should we not adopt the metric system of weights and measures? How widely is the French system already in use among scientists? Incidentally, how many miles are two kilometers?

4. One of the two pleasures of the Beauchamps was to read printed editions of plays. What names of French playwrights can you mention?

5. The poet Baudelaire, so highly praised below in the selection "Jeunesse, travail, poésie," was always happy to "épater (shock) le bourgeois." Explain why so many writers have this attitude.

8

THE PEASANT

PREVIOUS stories have provided glimpses of Provence, Savoy, and the Lower Alps, as portrayed by native sons of those regions. We shall now go to the other extremity of France to witness a typical Norman village on market day, under the careful guidance of Maupassant, a native Norman whose intimate knowledge of his region and its inhabitants is demonstrated in many stories such as "La Ficelle." We thus become better acquainted with the French peasant, or rather farmer, since the word "paysan" literally means countryman, a designation proudly carried by millions of self-respecting tillers of the soil, most of whom own their own land.

The unflattering picture of peasants and villagers depicted here by our ironically detached author is true but not complete. It needs correction by being juxtaposed with the equally true characterizations given elsewhere in this collection by Giono and Le Braz. Here, as in Bordeaux's story dealing with small-town craftsmen, we see cunning, suspicion, hard bargaining in business matters, sustained animosity over trifles, a tendency to make fun of the other fellow, but also a robust joy of living, a readiness for laughter, an innate love of conversation and conviviality, of good food and drink. If the story emphasizes an excessive form of economy and frugality as proverbially practiced by the Normans, it must be remembered that, in moderation, these "faults" are considered virtues by Frenchmen, living as they do in a densely populated country with only moderate resources. Such qualities have permitted them, in normal times, to attain a considerable degree of economic security and contentment in spite of low incomes and high prices. France's surprising stability, despite the ravages of war and social change, is due in part to the fact that her people do not disdain saving for future use such simple things as "une 'tite ficelle," and, if necessary, operating "on a shoestring."

The contemporary emphasis on speed, mass production, and a

rapidly expanding economy is far from absent in the rural areas of France today. Numerous large farms in certain regions practice strictly modern, mechanized agricultural methods. On the other hand, many of the great feudal estates have been divided since the Revolution into small holdings; much of the land is too hilly for mechanical methods; the larger farms have tended to be divided among the descendants from generation to generation, and there is a strong urge to retain or acquire small bits of property, as witnessed in "Les Amateurs de spectacle." Hence countless tiny, irregular-shaped parcels of land exist in France,[1] with their picturesque hedges and stone fences. Even today many farmers continue by necessity to plow and sow and reap, to barter and bargain, much as in the time of Maupassant. However, they are quite generally prosperous, and are well organized to protect their interests.[2]

With their "longues jambes torses, déformées par les rudes travaux" which they impose upon themselves, and with their tireless, fanatical, almost pagan attachment to the soil, they belie the idea that the French are easygoing or lazy. Yet, like most of the other citizens of that country which the great Catholic poet Claudel called "le pays de l'effort..., le pays de la joie," these hard-working peasants know how to relax. Maître Hauchecorne's sense of thrift does not prevent him, along with his affluent fellow members of the "aristocratie de la charrue," from dining plentifully at the best inn of the town. Indeed, many of us Americans have experienced the generous hospitality of these Normans, peasants or townspeople, who completely forget economy when they receive guests in their homes.

This story gravitates around the description of a typical French market day, which, like our county fairs, serves an important dual purpose, economic and social. It abounds in Norman local color of all kinds. We are shown customs and costumes, Norman peasant

[1]To overcome the serious handicap of such small holdings, there are numerous co-operative farm groups today which share mechanized equipment. The harvest season is characterized by group activities where neighbors share in a combination of hard work and periods of festivity. The French government in recent years has been sending a number of students from its agricultural colleges to those in the United States, so that they may study our methods and view them in practice on model farms.

[2]The agricultural laborers are less fortunate. They have attempted to follow the example of city workers by organizing unions to protect their interests, but with less success. A study of France's complicated and serious agricultural problems is included in the United Nations report mentioned in note 1, p. 112.

speech, and the legalistic jargon of the town crier. We meet the citizenry of the village and country folk, with a variety of trades and social levels represented, from the mayor to the horse-trader. Again we see how complex these "simple" folk can be. The townspeople refuse to believe the wily old farmer's story, and tease him unmercifully for presumably lying. But they do not condemn him in the least for a supposed act which would be in conformity with human nature. Hauchecorne proves himself to be a true Norman in a province where everyone, including Corneille, Flaubert, and Maupassant himself, is a born lawyer and debater. He multiplies and lengthens his arguments to prove his innocence, to himself as well as to others, but, in so doing, becomes increasingly confused and humiliated. This results in monomania, which leads to the death of the proud descendant of a follower of Rollo and possibly of William the Conqueror, who cannot endure the idea that he has lost face with his fellow Normans.

GUY DE MAUPASSANT

La Ficelle

Sur toutes les routes autour de Goderville,[1] les paysans et leurs femmes s'en venaient vers le bourg, car c'était jour de marché. Les mâles allaient, à pas tranquilles, tout le corps en avant à chaque mouvement de leurs longues jambes torses, déformées par les rudes travaux, par la pesée sur la charrue qui fait en même temps monter 5 l'épaule gauche et dévier la taille, par le fauchage des blés qui fait écarter les genoux pour prendre un aplomb solide, par toutes les besognes lentes et pénibles de la campagne. Leur blouse bleue, empesée, brillante, comme vernie, ornée au col et aux poignets d'un petit dessin de fil blanc, gonflée autour de leur torse osseux, sem- 10 blait un ballon prêt à s'envoler, d'où sortaient une tête, deux bras et deux pieds.

Les uns tiraient au bout d'une corde une vache, un veau. Et leurs femmes, derrière l'animal, lui fouettaient les reins d'une branche encore garnie de feuilles, pour hâter sa marche. Elles 15 portaient au bras de larges paniers d'où sortaient des têtes de poulets par-ci, des têtes de canards par-là. Et elles marchaient d'un

s'en venir to come
en avant thrust forward
tors crooked
la pesée pressing down
la charrue plow
dévier to twist
le fauchage mowing
le blé wheat
écarter to spread
un aplomb footing
la blouse smock
empesé starched
verni varnished
le col collar
le poignet cuff
gonflé puffed out
s'envoler to take flight
la vache cow
le veau calf
fouetter to whip
les reins (m. pl.) back
garni de bearing its
le panier basket
le poulet chicken
par-ci . . . par-là here . . . there
le canard duck

[1]*Goderville*, a town in Normandy near the port of Le Havre. Other place names in this story (Bréauté, Beuzeville, Manneville, Ymauville, Criquetot, Montivilliers) are all towns or villages within approximately 20 miles of Le Havre.

pas plus court et plus vif que leurs hommes, la taille sèche, droite et drapée dans un petit châle étriqué, épinglé sur leur poitrine plate, la tête enveloppée d'un linge blanc collé sur les cheveux et surmontée d'un bonnet.[2]

5 Puis, un char à bancs passait, au trot saccadé d'un bidet, secouant étrangement deux hommes assis côte à côte et une femme dans le fond du véhicule, dont elle tenait le bord pour atténuer les durs cahots.

Sur la place de Goderville, c'était une foule, une cohue d'humains 10 et de bêtes mélangés. Les cornes des bœufs, les hauts chapeaux à longs poils des paysans riches et les coiffes des paysannes émergeaient à la surface de l'assemblée. Et les voix criardes, aiguës, glapissantes, formaient une clameur continue et sauvage que dominait parfois un grand éclat poussé par la robuste poitrine d'un 15 campagnard en gaieté, ou le long meuglement d'une vache attachée au mur d'une maison.

Tout cela sentait l'étable, le lait et le fumier, le foin et la sueur, dégageait cette saveur aigre, affreuse, humaine et bestiale, particulière aux gens des champs.

20 Maître Hauchecorne, de Bréauté, venait d'arriver à Goderville, et il se dirigeait vers la place, quand il aperçut par terre un petit bout de ficelle. Maître Hauchecorne, économe en vrai Normand, pensa que tout était bon à ramasser qui peut servir; et il se baissa péniblement, car il souffrait de rhumatismes. Il prit, par terre, le

sec stiff
drapé wrapped
le châle shawl
étriqué skimpy
épinglé pinned
plat flat
le linge kerchief
collé pulled tightly
le char à bancs small wagon with benches
saccadé jerky
le bidet nag
côte à côte side by side
atténuer to soften
le cahot bump
la cohue swarm
mélangé intermingled
la corne horn
le bœuf ox
à longs poils of long-haired nap
la coiffe headdress
criard piercing
aigu shrill
glapissant screeching
la clameur uproar
continu incessant
un éclat roar of laughter
le campagnard man of the country
en gaieté having a gay time
le meuglement mooing
une étable cowshed
le lait milk
le fumier manure
le foin hay
la sueur perspiration
dégager to give forth
la saveur odor
aigre pungent
se diriger to make one's way
la ficelle string
le Normand Norman

[2]*et surmontée d'un bonnet*, with a bonnet on top.

morceau de corde mince, et il se disposait à le rouler avec soin, quand il remarqua, sur le seuil de sa porte, maître Malandain, le bourrelier, qui le regardait. Ils avaient eu des affaires ensemble au sujet d'un licol, autrefois, et ils étaient restés fâchés, étant rancuniers tous deux. Maître Hauchecorne fut pris d'une sorte de honte 5 d'être vu ainsi, par son ennemi, cherchant dans la crotte un bout de ficelle. Il cacha brusquement sa trouvaille sous sa blouse, puis dans la poche de sa culotte; puis il fit semblant de chercher encore par terre quelque chose qu'il ne trouvait point, et il s'en alla vers le marché, la tête en avant, courbé en deux par ses douleurs. 10

Il se perdit aussitôt dans la foule criarde et lente, agitée par les interminables marchandages. Les paysans tâtaient les vaches, s'en allaient, revenaient, perplexes, toujours dans la crainte d'être mis dedans, n'osant jamais se décider, épiant l'œil du vendeur, cherchant sans fin à découvrir la ruse de l'homme et le défaut de la 15 bête.

Les femmes, ayant posé à leurs pieds leurs grands paniers, en avaient tiré leurs volailles qui gisaient par terre, liées par les pattes, l'œil effaré, la crête écarlate.

Elles écoutaient les propositions, maintenaient leurs prix, l'air 20 sec, le visage impassible, ou bien tout à coup, se décidant au rabais proposé, criaient au client qui s'éloignait lentement:

—C'est dit, maît' Anthime. J' vous l' donne.[3]

Puis, peu à peu, la place se dépeupla, et l'angélus sonnant midi, ceux qui demeuraient trop loin se répandirent dans les auberges. 25

se disposer à to prepare
le bourrelier harness-maker
avoir des affaires to have trouble
au sujet de concerning
le licol halter
fâché angry
rancunier vindictive
la honte shame
la crotte dung
brusquement quickly
la trouvaille find
la culotte breeches
faire semblant to pretend
criard noisy
agité excited
le marchandage bargaining
être mis dedans to be taken in
épier to watch
le vendeur seller
la ruse trickery
la volaille poultry
gésir to lie
la patte foot (of animal)
effaré frightened
la crête comb
écarlate scarlet
impassible impassive
le rabais reduction
se dépeupler to become empty
angélus angelus
se répandre to disperse
une auberge inn

[3]*C'est dit* (All right), *maître Anthime. Je vous le donne.*

Chez Jourdain, la grande salle était pleine de mangeurs, comme la vaste cour était pleine de véhicules de toute race, charrettes, cabriolets, chars à bancs, tilburys, carrioles innommables, jaunes de crotte, déformées, rapiécées, levant au ciel, comme deux bras, 5 leurs brancards, ou bien le nez par terre et le derrière en l'air.

Tout contre les dîneurs attablés, l'immense cheminée, pleine de flamme claire, jetait une chaleur vive dans le dos de la rangée de droite. Trois broches tournaient, chargées de poulets, de pigeons et de gigots; et une délectable odeur de viande rôtie et de jus ruisse- 10 lant sur la peau rissolée, s'envolait de l'âtre, allumait les gaietés, mouillait les bouches.[4]

Toute l'aristocratie de la charrue mangeait là, chez maît' Jourdain, aubergiste et maquignon, un malin qui avait des écus.

Les plats passaient, se vidaient comme les brocs de cidre jaune. 15 Chacun racontait ses affaires, ses achats et ses ventes. On prenait des nouvelles des récoltes. Le temps était bon pour les verts, mais un peu mucre pour les blés.

Tout à coup, le tambour roula, dans la cour, devant la maison. Tout le monde aussitôt fut debout, sauf quelques indifférents, et 20 on courut à la porte, aux fenêtres, la bouche encore pleine et la serviette à la main.

Après qu'il eut terminé son roulement, le crieur public lança d'une voix saccadée, scandant ses phrases à contretemps:

le mangeur diner
de toute race of all kinds
la charrette cart
le tilbury gig
la carriole carriage
innommable nondescript
déformé misshapen
rapiécé mended
le brancard shaft
le derrière tail
tout contre right against
attablé seated at the table
vif penetrating
la rangée row
de droite on the right
la broche spit
le gigot leg of lamb
la viande meat
rôti roast
le jus juice
ruisselant dripping
rissolé browned
s'envoler to come forth
un âtre hearth
allumer to stir up
un aubergiste innkeeper
le maquignon horse-dealer
le malin shrewd fellow
un écu crown (coin)
le plat dish
vider to empty
le cidre cider
prendre des nouvelles to inquire
la récolte harvest
le vert green crop
mucre damp
le blé wheat
le tambour drum
debout on one's feet
la serviette napkin
le roulement roll
le crieur public town crier
lancer to proclaim
scander to scan
à contretemps by stressing the wrong syllable

[4]*mouillait les bouches*, made mouths water.

Le Louvre, Paris

"L'Angélus," by Jean-François Millet (1815-1875)

In general, Millet's works reflect realistically yet feelingly the life of peasants working in the fields of his native Normandy, especially the region around Gréville, south of Cherbourg. This famous canvas represents an important aspect of French peasant life.

—Il est fait assavoir aux habitants de Goderville, et en général à toutes—les personnes présentes au marché, qu'il a été perdu ce matin, sur la route de Beuzeville, entre—neuf heures et dix heures, un portefeuille en cuir noir, contenant cinq cents francs et des papiers d'affaires. On est prié de le rapporter—à la mairie, in- 5 continent, ou chez maître Fortuné Houlbrèque, de Manneville. Il y aura vingt francs de récompense.

Puis l'homme s'en alla. On entendit encore une fois au loin des battements sourds de l'instrument et la voix affaiblie du crieur.

Alors on se mit à parler de cet événement, en énumérant les 10 chances qu'avait maître Houlbrèque de retrouver ou de ne pas retrouver son portefeuille.

Et le repas s'acheva.

On finissait le café, quand le brigadier de gendarmerie parut sur le seuil: 15

Il demanda:

—Maître Hauchecorne, de Bréauté, est-il ici?

Maître Hauchecorne, assis à l'autre bout de la table, répondit:

—Me v'là.[5]

Et le brigadier reprit: 20

—Maître Hauchecorne, voulez-vous avoir la complaisance de m'accompagner à la mairie. M. le maire voudrait vous parler.

Le paysan, surpris, inquiet, avala d'un coup son petit verre, se leva et, plus courbé encore que le matin, car les premiers pas après chaque repos étaient particulièrement difficiles, il se mit en route 25 en répétant:

—Me v'là, me v'là.

Et il suivit le brigadier.

Le maire l'attendait, assis dans un fauteuil. C'était le notaire de l'endroit, homme gros, grave, à phrases pompeuses. 30

il est fait assavoir be it known
le portefeuille pocketbook
le cuir leather
la mairie town hall
la récompense reward
au loin in the distance
le battement beating
sourd muffled
affaibli faint
énumérant reckoning
le brigadier de gendarmerie state police sergeant
la complaisance kindness
avaler to gulp down
le coup draught
se mettre en route to set out
le maire mayor

[5] *v'là = voilà.*

—Maître Hauchecorne, dit-il, on vous a vu ce matin ramasser, sur la route de Beuzeville, le portefeuille perdu par maître Houlbrèque, de Manneville.

Le campagnard, interdit, regardait le maire, apeuré déjà par ce
5 soupçon qui pesait sur lui, sans qu'il comprît pourquoi.

—Mé, mé, j'ai ramassé çu portafeuille?[6]

—Oui, vous-même.

—Parole d'honneur, je n'en ai seulement point eu connaissance.

—On vous a vu.

10 —On m'a vu, mé? Qui ça[7] qui m'a vu?

—M. Malandain, le bourrelier.

Alors le vieux se rappela, comprit et, rougissant de colère:

—Ah! i m'a vu, çu[8] manant! I m'a vu ramasser ct'e[9] ficelle-là, tenez, m'sieu le maire.

15 Et, fouillant au fond de sa poche, il en retira le petit bout de corde.

Mais le maire, incrédule, remuait la tête.

—Vous ne me ferez pas accroire, maître Hauchecorne, que M. Malandain, qui est un homme digne de foi, a pris ce fil pour un portefeuille.

20 Le paysan, furieux, leva la main, cracha de côté pour attester son honneur, répétant:

—C'est pourtant la vérité du bon Dieu, la sainte vérité, m'sieu le maire. Là, sur mon âme et mon salut, je l' répète.

Le maire reprit:

25 —Après avoir ramassé l'objet, vous avez même encore cherché longtemps dans la boue, si quelque pièce de monnaie ne s'en était pas échappée.

Le bonhomme suffoquait d'indignation et de peur.

—Si on peut dire!...[10] si on peut dire... des menteries comme ça
30 pour dénaturer un honnête homme! Si on peut dire!...

interdit stunned	*incrédule* unbelieving	*la monnaie* change (money)
apeuré frightened	*remuer* to shake	*suffoquer* to choke
peser to weigh down	*cracher* to spit	*la menterie* lie
le manant lout	*de côté* sideways	*dénaturer* to slander
tenez look	*le salut* salvation	

[6]Norman dialect for *Moi, moi, j'ai ramassé ce portefeuille?* [7]*Qui ça,* Who is it.
[8]*i = il; çu = ce.* [9]*ct'e = cette.* [10]*Si on peut dire,* How can one say.

Il eut beau protester, on ne le crut pas.

Il fut confronté avec M. Malandain, qui répéta et soutint son affirmation. Ils s'injurièrent une heure durant. On fouilla, sur sa demande, maître Hauchecorne. On ne trouva rien sur lui.

Enfin, le maire, fort perplexe, le renvoya, en le prévenant qu'il allait aviser le parquet et demander des ordres. 5

La nouvelle s'était répandue. A sa sortie de la mairie, le vieux fut entouré, interrogé avec une curiosité sérieuse ou goguenarde, mais où n'entrait aucune indignation. Et il se mit à raconter l'histoire de la ficelle. On ne le crut pas. On riait. 10

Il allait, arrêté par tous, arrêtant ses connaissances, recommençant sans fin son récit et ses protestations, montrant ses poches retournées, pour prouver qu'il n'avait rien.

On lui disait:

—Vieux malin, va![11] 15

Et il se fâchait, s'exaspérant, enfiévré, désolé de n'être pas cru, ne sachant que faire, et contant toujours son histoire.

La nuit vint. Il fallait partir. Il se mit en route avec trois voisins à qui il montra la place où il avait ramassé le bout de corde; et tout le long du chemin il parla de son aventure. 20

Le soir, il fit une tournée dans le village de Bréauté, afin de la dire à tout le monde. Il ne rencontra que des incrédules.

Il en fut malade toute la nuit.

Le lendemain, vers une heure de l'après-midi, Marius Paumelle, valet de ferme de maître Breton, cultivateur à Ymauville, rendait 25 le portefeuille et son contenu à maître Houlbrèque, de Manneville.

Cet homme prétendait avoir, en effet, trouvé l'objet sur la route; mais, ne sachant pas lire, il l'avait rapporté à la maison et donné à son patron.

La nouvelle se répandit aux environs. Maître Hauchecorne en 30 fut informé. Il se mit aussitôt en tournée et commença à narrer son histoire complétée du dénouement. Il triomphait.

une heure durant for an hour
aviser le parquet to inform the prosecutor
goguenard mocking
retourné turned inside out
enfiévré feverish
une tournée the round
le valet de ferme farm hand
le cultivateur farmer

[11] *Vieux malin, va!* You're a shrewd old fellow, believe me!

—C' qui m' faisait deuil, disait-il, c'est point[12] tant la chose, comprenez-vous; mais c'est la menterie. Y a rien[13] qui vous nuit comme d'être en réprobation pour une menterie.

Tout le jour il parlait de son aventure, il la contait sur les routes 5 aux gens qui passaient, au cabaret aux gens qui buvaient, à la sortie de l'église le dimanche suivant. Il arrêtait des inconnus pour la leur dire. Maintenant, il était tranquille, et pourtant quelque chose le gênait sans qu'il sût au juste ce que c'était. On avait l'air de plaisanter en l'écoutant. On ne paraissait pas convaincu. 10 Il lui semblait sentir des propos derrière son dos.

Le mardi de l'autre semaine, il se rendit au marché de Goderville, uniquement poussé par le besoin de conter son cas.

Malandain, debout sur sa porte, se mit à rire en le voyant passer. Pourquoi?

15 Il aborda un fermier de Criquetot, qui ne le laissa pas achever et, lui jetant une tape[14] dans le creux de son ventre, lui cria par la figure: « Gros malin, va! » Puis lui tourna les talons.

Maître Hauchecorne demeura interdit et de plus en plus inquiet. Pourquoi l'avait-on appelé « gros malin »?

20 Quand il fut assis à table, dans l'auberge de Jourdain, il se remit à expliquer l'affaire.

Un maquignon de Montivilliers lui cria:

—Allons, allons, vieille pratique,[15] je la connais, ta ficelle!

Hauchecorne balbutia:

25 —Puisqu'on l'a retrouvé çu portafeuille?

Mais l'autre reprit:

—Tais-té, mon pé, y en a[16] un qui trouve, et y en a un qui r'porte.[17] Ni vu ni connu, je t'embrouille.[18]

faire deuil (fam.) to grieve
nuire to hurt
être en réprobation to be blamed
au juste exactly
avoir l'air de to seem
plaisanter to joke
le propos remark
autre next
se rendre to go
le fermier farmer
le creux pit
le ventre stomach
par la figure in one's face
tourner les talons to turn one's back
se remettre to begin again
ficelle here means both string and (fam.) trick
balbutier to stammer

[12]*c'est point = ce n'est point.* [13]*Il n'y a rien.* [14]*lui jetant une tape,* giving him a poke. [15]*vieille pratique,* you sly old rogue. [16]*Tais-toi, mon père* (old man), *il y en a.* [17]*r'porte, reporter,* to take back. [18]*je t'embrouille,* no one is the wiser for it.

Le paysan resta suffoqué. Il comprenait enfin. On l'accusait d'avoir fait reporter le portefeuille par un compère, par un complice.

Il voulut protester. Toute la table se mit à rire.

Il ne put achever son dîner et s'en alla, au milieu des moqueries.

Il rentra chez lui, honteux et indigné, étranglé par la colère, par la confusion, d'autant plus atterré qu'il était capable, avec sa finauderie de Normand, de faire ce dont on l'accusait, et même de s'en vanter comme d'un bon tour. Son innocence lui apparaissait confusément comme impossible à prouver, sa malice étant connue. Et il se sentait frappé au cœur par l'injustice du soupçon.

Alors il recommença à conter l'aventure, en allongeant chaque jour son récit, ajoutant chaque fois des raisons nouvelles, des protestations plus énergiques, des serments plus solennels qu'il imaginait, qu'il préparait dans ses heures de solitude, l'esprit uniquement occupé de l'histoire de la ficelle. On le croyait d'autant moins que sa défense était plus compliquée et son argumentation plus subtile.

—Ça, c'est des raisons d' menteux,[19] disait-on derrière son dos.

Il le sentait, se rongeait les sangs,[20] s'épuisait en efforts inutiles. Il dépérissait à vue d'œil.

Les plaisants maintenant lui faisaient conter « la Ficelle » pour s'amuser, comme on fait conter sa bataille au soldat qui a fait campagne.[21] Son esprit, atteint à fond, s'affaiblissait.

Vers la fin de décembre, il s'alita.

Il mourut dans les premiers jours de janvier, et, dans le délire de l'agonie, il attestait son innocence, répétant:

—Une 'tite[22] ficelle... une 'tite ficelle... t'nez, la voilà, m'sieu le maire.

le compère confederate
la moquerie jeering
honteux ashamed
étranglé choked
la confusion embarrassment
atterré dismayed
la finauderie slyness
se vanter to boast
confusément vaguely
la malice craftiness
allonger to lengthen
la raison argument
le serment oath
d'autant moins que all the less because
s'épuiser to wear oneself out
dépérir to waste away
à vue d'œil visibly
le plaisant joker
atteint affected
à fond thoroughly
s'affaiblir to grow weak
s'aliter to take to one's bed
une agonie death agony

[19] *menteux* = *menteur* (liar). [20] *se rongeait les sangs*, fretted over it. [21] *qui a fait campagne*, who has fought a campaign. [22] *petite*.

QUESTIONNAIRE

La Ficelle

I

A. Quelle « faute » du paysan normand, pratiquée avec mesure, représente une qualité réelle de la nation française?

B. Pourquoi les concitoyens de Maître Hauchecorne se moquent-ils de lui quoiqu'ils ne veuillent pas le condamner?

II

1. Qui voyait-on sur toutes les routes autour de Goderville les jours de marché? 2. Quels animaux y voyait-on? 3. Que portaient les paysans riches sur la place de Goderville? 4. Que se dégageait-il de tout cela? 5. Qu'est-ce que Maître Hauchecorne a vu par terre? 6. Qui le regardait au moment où il a ramassé le bout de ficelle? 7. De quoi Maître Hauchecorne avait-il honte? 8. Où s'est-il perdu aussitôt? 9. Qu'est-ce que les femmes tiraient de leurs paniers? 10. Qu'est-ce qui a sonné à midi? 11. Quelle odeur s'envolait de l'âtre chez Jourdain? 12. Jourdain était-il un aubergiste riche ou pauvre? 13. Quelle boisson y avait-il dans les brocs? 14. Quelle annonce le crieur public a-t-il faite? 15. A la recherche de quel paysan le brigadier est-il venu? 16. Pourquoi le maire attendait-il Maître Hauchecorne? 17. De quoi accuse-t-on le pauvre Maître Hauchecorne? 18. Le maire a-t-il accepté la parole du paysan? 19. De quoi le pauvre bonhomme suffoquait-il? 20. M. Malandain a-t-il soutenu son accusation? 21. Qu'est-ce qui s'est passé quand le vieux est sorti de la mairie? 22. Le lendemain, qu'a fait Marius Paumelle, le valet de ferme? 23. A-t-on informé Maître Hauchecorne que le portefeuille avait été rendu? 24. Maître Hauchecorne a-t-il continué à parler de l'affaire? 25. Pourquoi s'est-il rendu au marché de Goderville le mardi de l'autre semaine? 26. Que lui a crié un maquignon de Montivilliers? 27. A la fin, de quoi l'accusait-on? 28. De quoi se sentait-il frappé au cœur? 29. Pourquoi les plaisants lui faisaient-ils maintenant conter « La Ficelle » ? 30. Que disait, en mourant, le pauvre Maître Hauchecorne?

DISCUSSION

The Peasant

1. Maupassant's mention of the peasants' hearing the pealing of the Angelus bell reminds one of Jean François Millet's painting, *The Angelus*. What is this institution of the Angelus?

2. In "La Ficelle," as in "Les Amateurs de spectacle," we see the inn serving all those functions which in the city are served by the hotel, the restaurant, the café, and the *bistro*. In England these last two institutions are known as the coffee houses and "pubs." What activities go on in the cafés and *bistros*? Do we have anything fully equivalent to either of these in the United States?

3. Do you think that the hedgerows and stone fences which cover the landscape of Normandy were a factor in the Allies' choosing a Normandy beach for the great landings which preceded the liberation of France?

4. As the name *Normandie* implies, the valley of the Seine was settled by roving Norsemen in the ninth century. Which characteristics apparently won out, those of the Norsemen or those of the "conquered" population?

5. The smaller provincial towns, especially those without a local newspaper, still have a *crieur public* (also called *le tambour*), as did the colonial towns in the United States. What types of information does he circulate? Is his role a useful one?

9

THE ARTISAN AND THE WORKER

TRADITION looks forward as well as backward for a people as rich in experience as the French. Jules Romains's two skilled workers in the following selection proudly remember what an important role the artisan has played ever since the mediæval period and how heavily national prestige and economy have depended upon him. The two craftsmen do their best to maintain that role in an era when the machine and quantity tend to replace man and quality. Roquin, the expert cabinetmaker, is a proletarian art connoisseur who regretfully remembers how close the artist and the artisan were to each other in the past. A true citizen of a country whose art has been ranked exceptionally high since the Middle Ages, Roquin frequents the great museums in order to study past traditions and present trends. He is thus able to appease his own thirst for art and to adapt its beauties to his humbler craft. His old friend, Miraud, the house painter, shares this nostalgic attitude and, like Roquin, is a real artist in his own way. He spends many happy hours embellishing his apartment with symbolic paintings of his own design and with rare antique woodwork acquired by the sweat of his brow. Likewise, he readily sacrifices modern comforts in order to preserve his precious ceiling from smoke and grime.

Miraud, it will be noted, is a great reader, with well-developed literary tastes and with a Gallic awareness of the social relevance of literature. His familiarity with outstanding French authors, such as Hugo and Michelet, is evidence of the emphasis given to French masterpieces in the elementary schools. The tradition of the availability of cheap, paperbound books (*brochés*), recently introduced in the United States, and of second-hand books (*livres d'occasion*), makes it all the more possible for modestly paid workers and artisans to possess extensive personal libraries.

All French workers are not like Miraud and Roquin. Some are content to be cogs in a machine, to earn and spend quickly in a period when the franc tends to be worth less tomorrow than it is today. Nevertheless, France continues to be a country where the artisan, like Maillefer of Giono's story, is highly esteemed. French products such as those made by Roquin, or by Parisian dress-makers and jewelers, are prized throughout the world for their solidity, accuracy, finish, and beauty.

Politically Miraud is faithful to the traditions stemming from the revolutions of 1789 and 1848, with their promise of a better life for everyone. As the noted political economist, André Siegfried, has stated, "s'agit-il d'une doctrine à défendre, non pas d'un programme d'intérêts mais d'une politique de principes impliquant la liberté, l'égalité, la République, vous trouverez par centaines de mille les apôtres et les militants." For millions of French workers such as these two, this belief takes the form of an ardent "New Dealism" and Trade Unionism grouped loosely around the Socialist party. There are also some 800,000 Catholic workers who have their own well-organized union which, in general, supports the same ideals. Roquin's description of himself as a "syndicaliste révolutionnaire" actually means the very French nonviolent and strongly antitotalitarian tradition, which, in some respects, resembles our American labor movement. In general the French Socialist, like many English Laborites, is not opposed to private enterprise, though he does believe in government ownership of public utilities and heavy industry. His numerous political representatives (presently about one sixth of the members of the National Assembly) have played an important part in postwar coalition governments whose programs, like those of Miraud, have been "middle of the road" by European standards, although they are considerably more "leftist" than ours as the result of the acute economic and social situation.

Devoted as the French workers are to their party or union, discipline, except for the Communists, stops where the fundamental rights of the individual begin. Our two convinced radicals represent fellow workers in resistance to pressures from within their own movement, just as they keep critical faculties alert when exposed to the campaign oratory of such revered labor leaders as Jaurès.

The average Frenchman's desire for freedom and independence explains his repugnance for the Communist emphasis on totalitarian discipline. The relative strength of French Communism, particularly since World War II, has other causes. The French worker's lot has been hard. Whenever it has materially improved, as during the years of the "Front populaire," when France was in the vanguard of social reforms, it was primarily due to the workers' own efforts, powerfully aided by Communist pressure. The official Communist party line has always been cleverly built up around its alleged adherence to the great principles of the French Revolution, so dear to the worker's heart. Meanwhile, the Socialist party has lost much of its vitality and effectiveness. It should also be noted that during the years of Nazi occupation the Communists, with their secret cell organization and their desperate situation as official outlaws, were highly effective participants in the Resistance movement, whereas many in the conservative groups supported the Vichy regime. Both world wars, especially the last, with its ruthless occupation and vast destruction, seriously disrupted the national economy. Heavy direct sales taxes hurt the poor more than other classes. Acute housing shortages due in part to the devastation of war, the straining of government finances for reconstruction and defense purposes (augmented by the Indo-Chinese war), the lack of modern tools and machinery, incomprehension of contemporary economic problems by both capital and labor[1] (in part the result of resistance by the worker to the depersonalizing assembly line), living costs completely out of proportion to wages or modest salaries, have all favored the growth of Communism, with its effective propaganda techniques, its careful organization, and its hard core of fanatical devotees and unscrupulous leaders, who constitute a real menace. Nevertheless, in recent years Communism has slowly receded, and, while a certain percentage of the National Assembly are Communists, it is estimated that nine tenths of the votes cast for Communists are, in typical French fashion, little more than a means of registering strong dissatisfaction with the ineffectiveness of the various unstable, semiconservative governments of recent years.

The passage used in this text to represent the working classes is taken from *Le 6 octobre*, the first volume of Jules Romains's twenty-seven-volume novel on contemporary France, *Les Hommes de bonne*

[1]The serious economic situation in France and its causes and possible cures are the subject of a report made on March 10, 1955, by the Secretariat of the United Nations Economic Commission for Europe. In general, its findings closely parallel those of Mendès-France, Edgar Faure, and other French economists. Extensive plans are under way to remedy the situation.

volonté. A native of the Cévennes mountains of south-central France, the author[2] went to Paris in early childhood, living the life of the poor in the very quarter where Miraud resides. Romains was thus well equipped to portray the conversation of the two patient, hardheaded workmen, "vieux civilisés," having an alert intelligence and wisdom in the ways of the world. We glimpse the modern version of the old guild system of apprentice, journeyman, and master, with its rigorous standards and close comradeship. The worker's life, character, and diversions are described against the background of a young adopted nephew's haste to make his fortune without scruples concerning the method of so doing. This fact shocks the uncle, as does the idea that the boy is abandoning the career of his ancestors. An artisan's son, believes Miraud, should improve himself by going to one of the many government or municipal trade or technological schools, including, if possible, the advanced and difficult engineering colleges. Thus one raises himself to a higher economic and social level without abandoning the general field which his humble forefathers have rendered illustrious. He should be proud to belong to "la classe laborieuse," which, in the opinion of these old artisans, is distinctly superior to that of the "white-collar worker" or the bourgeois.

[2]M. Romains (born in 1885) is a noted writer whose background includes intensive training in biology and philosophy, and whose works range over the fields of poetry, drama, the novel, and sociological, psychological, and political discussion. He is a member of the *Académie française*.

Ouvriers parisiens[1]

. . . MIRAUD traversa la petite salle à manger, en contournant la table ronde. Avant de passer dans la pièce à côté, il regarda, avec le même plaisir que chaque fois, les deux beaux battants de chêne, sculptés et ajourés, qu'il avait mis à la place de l'ancienne porte de communication. La lumière de la lampe avivait les reliefs des ornements et des figures. On voyait jaillir, au cœur de ce logement d'ouvrier parisien, comme une source continue de magnificence, le songe d'un château ou d'une cathédrale. Le vieux Miraud s'en exaltait, la gorge doucement serrée.[2] Il avait quelques idées fermes qui le préservaient d'envier le luxe des riches. Mais il aimait tendrement les belles choses. Certains jours, même, il avait le sentiment que les deux ou trois belles choses qu'il possédait lui faisaient dans la vie une part très honorable. Il se disait: « J'ai de la chance. Combien y en a-t-il, ce soir, qui vont avoir le plaisir de prendre leur café dans une pièce comme celle qui est là, de l'autre côté de la porte? (La porte est peut-être encore plus belle, vue de l'autre côté.) »

Il poussa les battants et entra dans sa pièce. Que tout y était beau et amical! Comme ce lieu, plein d'intentions précieuses, vous attendait avec fidélité!

contourner to go around
à côté adjoining
le battant leaf (of a double door)
sculpté carved
ajouré adorned with openwork
aviver to brighten
jaillir to burst forth
le songe dream
s'exalter to become elated
avoir de la chance to be lucky
prendre to drink
amical friendly

[1]This passage comprises the major portion of chapter XXIV of Romains' *Le 6 octobre*. Parts extraneous to the subject have been omitted in order to reduce the length to that of the other selections in the present collection. [2]*la gorge . . . serrée*, with a slight lump in his throat.

Miraud posa la lampe sur la cheminée, et s'assit dans une grande chaise de chêne. La lampe, bien qu'aidée par les reflets de la glace, ne répandait pas une lumière bien vive, et la couleur sombre des meubles et des murs en absorbait la plus grande partie. Miraud n'avait pas pu songer à faire arriver jusqu'ici l'installation de gaz[3] 5 qui éclairait la salle à manger et la cuisine; car l'un des principaux ornements de la pièce était le plafond, que Miraud avait décoré lui-même, et qui lui avait demandé peut-être cent cinquante heures du plus ardent travail. Le gaz aurait eu vite fait d'en souiller[4] les teintes, qui, après plus de cinq ans, restaient fraîches. . . . 10

Le vieil ouvrier sourit avec un peu d'amertume. Il renversa légèrement la tête.[5] Il apercevait au plafond le bel ovale qu'il avait dessiné, et rempli de riantes figures. Il se rappelait la peine que lui avait donnée les plis d'une tunique, ou ce visage de femme vu de trois-quarts. Que de dimanches! Que de réveils avant 15 l'aube! Et la nuit il lui était arrivé de ne pas dormir, tourmenté par la crainte de s'être trompé gravement, et d'avoir gâché tout.

Aristophane.[6] Il avait trouvé son sujet en relisant dans *la Légende des Siècles* le *Groupe des Idylles.*[7] Tout Hugo était là, sur le troisième rayon de la bibliothèque principale, celle qui avait des colonnes 20 torses. Tous les volumes du père Hugo, en grand format, reliés.

Il avait repris vingt fois le poème, vers par vers:

la cheminée mantelpiece
la teinte tint
une amertume bitterness
riant smiling
que de how many
se tromper to be mistaken
gravement badly
gâcher to spoil
relire to read again
la bibliothèque bookcase
tors twisted
le format size and shape
relié bound
reprendre to reread

[3]*Miraud n'avait pas pu . . . gaz,* Miraud had not been able to accept the idea of having the gas line extended to this room. (In 1908, date of the action, gas was still the general means of lighting, especially in the poorer quarters.) [4]*Le gaz aurait . . . souiller,* The gas would have quickly soiled. [5]*Il renversa . . . tête,* He tilted his head slightly backward. [6]*Aristophane,* Aristophanes, most famous of the comic dramatists of ancient Greece (5th century B.C.). [7]*la Légende des Siècles,* vast series of poems of epic dimensions, written by Hugo between 1859 and 1883. *Le Groupe des Idylles* (1877) appeared in the second of the three volumes comprising the series. Hugo has always been a favorite of the French workers, whose cause he vigorously supported for many years, not only in numerous writings, such as *Les Misérables,* but also as an active participant in politics. In exile during the Second Empire, he returned triumphantly in 1870 to defend the interests of the Third Republic until his death (1885). His burial in the *Panthéon* was the occasion for a grandiose demonstration by the common people for their beloved champion.

Les jeunes filles vont et viennent sous les saules.
. . . .
L'amphore sur leur front ne les empêche pas,
Quand Ménalque apparaît, de ralentir leur pas,
Et de dire: Salut, Ménalque! . . .

5 Quand il doutait du sens d'un mot, il le cherchait dans son dictionnaire de Lachâtre en deux volumes. Le peintre en bâtiment tremblait un peu devant le grand poète. Mais Hugo, si arrogant avec les Empereurs, lui mettait la main sur l'épaule, le regardait de ses yeux qui étaient plissés eux aussi, et semblait lui 10 dire d'une voix dorée par les longs soleils de la mort: « Courage, camarade. »

Miraud rabaissa la tête. . . .

A ce moment, la sonnette retentit.

—Bon. Voilà M. Roquin.

15 —Tu vas bien?

—Oui; mon neveu m'énerve un peu. Il ne fiche rien à l'atelier, comme déjà il ne fichait rien à l'école. Et voilà qu'il veut changer de place. Un monsieur, qui est dans les affaires, lui a soi-disant proposé une situation d'avenir... Peuh!... Mais ce sont les raisonne-20 ments de ces gaillards-là qu'il faut entendre. Il m'a dit qu'il ne voulait pas arriver à l'âge de Péclet—tu connais Péclet?—en gagnant ce qu'il gagne.

—D'ici à ce que ton neveu ait l'âge de Péclet, la condition des travailleurs peut s'être améliorée.

25 —Il s'en moque bien. Ce qu'il veut, c'est ne pas moisir dans la condition de travailleur. Il ne sait pas encore ce que c'est que les classes sociales; mais il a déjà l'idée de changer de classe. A croire que chez certains types, c'est un instinct. Dès qu'ils se rendent compte de ce que c'est que le vrai travail, eh bien! ça les dégoûte.

le saule willow tree
une amphore vase
le peintre en bâtiment house painter
plissé wrinkled
doré rendered persuasive and august
rabaisser to lower
la sonnette bell
énerver to get on one's nerves
ficher (fam.) to do
un atelier workshop
soi-disant supposedly
d'avenir promising
peuh! hum!
se moquer de to be indifferent to
moisir to vegetate (to go moldy)
à croire it looks as though

Ils se disent: « Il doit y avoir un autre truc. » C'est entendu que beaucoup restent en route. Mais enfin, veinards ou non, ils ont la vocation d'exploiteurs. Tu vois que ce n'est même pas une question d'éducation. Je n'ai pas ce gosse-là depuis longtemps. Mais ses pauvres parents avaient nos idées.[8] Si c'était mon fils, ça me vexe- 5
rait encore bien plus. Ah! il serait resté[9] à Colbert,[10] il serait entré dans une grande école, et sorti disons ingénieur,[11] bien. Tu me diras[12] que c'est aussi une façon de changer de classe. Mais tant qu'il y a des classes, c'est la seule façon d'en changer qui soit propre. Sans oublier que les ingénieurs, on les fait rudement 10
turbiner, et qu'au début, on ne les paye pas lourd. Je ne sais pas si tu connais Beausire, le contrôleur du gaz de la rue Myrrha.[13] Son fils, qui sort de Centrale, n'a trouvé de place que dans une fabrique de casseroles. On lui donne cent quarante francs par mois. Je n'aurais pas cru ça. 15

—Tant mieux.

—Moi, je ne dis pas tant mieux... Je vois que ton café n'est pas chaud. Je l'avais recommandé à Félix. Mais il se moque de ça comme du reste. On va te le remettre sur le feu.

—Non, non! Il est bien assez chaud pour moi. 20

—Ou alors, verse-toi dedans tout de suite une goutte de kirsch.[14] Ça ne t'empêchera pas de goûter le kirsch à part. C'est l'Alsacien de la rue des Poissonniers qui le fait venir directement... Oui, moi je ne dis pas tant mieux, parce que les parents ont fait des sacrifices; et après des études pareilles, ce n'est pas en rapport. 25

—Je dis tant mieux, parce que c'est la moitié du problème de la révolution.

le truc (fam.) trick
le veinard (fam.) lucky person
le gosse (fam.) kid
rudement turbiner (fam.) to grind away like the deuce
lourd much
le contrôleur du gaz gas-meter man
la fabrique factory
la casserole pan
en rapport right

[8]*avaient nos idées*, shared our views. [9]*il serait resté*, if he had remained. [10]*Colbert*, one of the numerous trade or technical schools, which are terminal points, educationally, for some, while others prepare for the advanced technological institutes, such as the École centrale des arts et manufactures (see line 13). [11]*disons ingénieur*, as a graduate in engineering, for instance. [12]*Tu me diras*, You may reply. [13]*la rue Myrrha* and *la rue des Poissonniers* (see line 23), streets in the populous region north of the Gare du Nord. Miraud lives between these streets and the railway station. [14]*le kirsch*, cherry brandy, a specialty of Alsace, as the text implies.

—Je ne vois pas.[15]

—Mais si. Tu as des camarades qui ne se rendent pas compte de l'importance des cadres. Ils croient que les syndicats pourraient se substituer d'emblée aux organisations capitalistes, et que tout 5 marcherait... Non. Rien à faire[16] sans cadres techniques. Mais plus tu auras d'ingénieurs, et d'autres, mal payés, mécontents, plus ils se rapprocheront de nous. Si le capitalisme les rejette dans le prolétariat, au moins un certain nombre, nous n'avons plus besoin de personne. La puissance de la bourgeoisie, ce n'est même pas 10 tant ses capitaux, c'est que les gens les plus instruits et les plus calés en tout deviennent par force des bourgeois, quand bien même ils sortent du peuple.

—Possible. Mais tu ne penses pas que ceux qui sortent du peuple restent plus ou moins de notre côté?

15 —Ça, c'est une autre histoire...

—Regarde tout ce qu'il y a d'écrivains et de savants qui ont lutté pour le peuple.[17]

Miraud, secouant un peu la tête, invoquait les livres autour de lui, les appelait en témoignage. Les tomes des œuvres complètes. 20 Les éditions populaires illustrées. Les poètes. Les romanciers. Les penseurs.

—Ça, c'est une autre histoire, répétait Roquin. On n'en finirait plus de compter[18] ceux qui ont trahi. Et puis les écrivains et les ingénieurs, ça fait deux.[19] Bref, les intellectuels resteront ou 25 reviendront de notre côté, si de l'autre côté on les refoule.

le cadre ensemble of leaders or executives
le syndicat worker's union
d'emblée right away
marcher to go all right
mécontent discontented
les capitaux (m. pl.) capital wealth
instruit educated
calé proficient
quand bien même even though
en témoignage as witnesses
le tome volume
le romancier novelist
trahir to play false
refouler to rebuff

[15] *Je ne vois pas,* I don't understand. [16] *Rien à faire,* Nothing can be done.
[17] Besides the great names of Hugo and Michelet, many other men of letters have espoused the cause of the workers. They include Emile Zola, Anatole France, Charles Péguy, Romain Rolland, Charles-Louis Philippe, and the populists, headed by Henri Poulaille and Eugène Dabit. Some, like Malraux and Rolland, were close to the Communists until they became disillusioned. Still others, notably the poet-novelist Louis Aragon and the scientist Joliot-Curie, have continued to be militant Communists.
[18] *On n'en finirait . . . compter,* You could never finish counting. [19] *ça fait deux,* they're quite different from one another.

—Tu ne devais pas aller au Congrès de Marseille?[20]

—Il en avait été question... Mais il y en a à qui ça fait tant de plaisir. Nous avons trop de sauteurs. Je ne vais pas jusqu'à dire,[21] comme d'aucuns, que ceux qui crient le plus fort sont subventionnés par les patrons, ou même par la police. Oh! Ça a bien commencé 5 par les anarchistes.[22] Ça pourrait continuer par chez nous. . . .

« Je connais Sembat, Jaurès,[23] d'autres. Sembat est un homme tout ce qu'il y a de plus[24] honnête et gentil, pas très révolutionnaire, un peu dépaysé dans le peuple, quoi![25] un bourgeois qui fait vraiment tout ce qu'il peut. Moi, je l'aime bien, tu sais. Jaurès... 10 c'est entendu, il pense un peu trop à la phrase suivante, il a l'air un peu trop « travailleur de la parole »[26]; le costaud qu'on a dérangé pour un grand match. Mais enfin, on est forcé d'avoir du respect... Hervé... il est déjà content si tu le regardes. Mais il est ravi si tu le regardes en ouvrant le bec.[27] Quand j'étais chez Gaucher, au 15 faubourg, il y avait un compagnon[28] que nous faisions régulièrement marcher. Tu n'avais qu'à insinuer: « Il n'y a personne qui ait le courage d'aller dire au patron qu'il achète de la colle forte où il y a des produits nocifs, destinés à l'empoisonnement de la classe ouvrière... Celui qui oserait dire ça serait culotté. » Alors il se 20

le sauteur unreliable opportunist
d'aucuns some
subventionné subsidized
le patron employer
le costaud big strong fellow
enfin just the same
le faubourg suburb
faire marcher to play a joke on
insinuer to hint
la colle forte glue
nocif noxious
destiné à meant for
un empoisonnement poisoning
être culotté (fam.) to have guts

[20]The annual convention of the C.G.T. (Confédération générale du travail), formerly France's only important trade union, which, in recent years, has come under Communist domination. Many of its followers have now joined important new federations, one for Catholics, and another for workers with Socialist or Liberal leanings. [21]*jusqu'à dire*, to the point of saying. [22]The anarchists were precursors of the Communists and first developed many of the techniques and methods later employed by them. [23]Sembat, Jaurès, and Hervé (see line 14) were leaders in the C.G.T. and the Socialist party. The first was one of many intellectuals who united with the workers to improve their standard of living. Hervé was an antimilitaristic journalist. Jaurès, considered the greatest of all Socialists, was assassinated in Paris in 1914. [24]*tout ce . . . plus*, exceptionally. [25]*dépaysé . . . quoi*, out of his element among the working classes, don't you see. [26]*travailleur . . . parole*, "speechifier." [27]*en ouvrant le bec*, with mouth agape. [28]*compagnon*, presumably means "journeyman," the middle status in the craft system which has existed since the Middle Ages. The master is at the top, the apprentice at the bottom.

dévouait, le gars. Et puis, tu sais, en secouant la tête. Il n'aurait pas fallu l'empêcher.[29]

—Et le patron?

—Le patron avait fini par piger le truc. Et quand l'autre venait 5 lui annoncer, soi-disant de notre part, que nous avions décidé de chômer le jour de l'exécution de Ravachol,[30] et que nous nous cotisions pour offrir une couronne, le patron se faisait inscrire pour quarante sous.

—Vous chômiez réellement?

10 —Penses-tu![31]

—Et lui?

—On lui donnait rendez-vous à l'aube devant la guillotine, en lui disant que s'il ne nous trouvait pas, c'est que nous nous serions fait coffrer par la police pour cris séditieux; et qu'alors, il devait 15 rentrer chez lui et ne plus bouger jusqu'au lendemain matin.

—Ce n'était pas un peu vache? Vous lui faisiez perdre sa journée?

—Bien sûr. Et même une fois, on l'a arrêté pour de bon. Sans le patron qui est venu expliquer le cas, il passait en correctionnelle.[32] C'était d'autant plus vache, que pendant ce temps-là, nous faisions 20 venir du vouvray de chez le bistrot, et que nous buvions l'argent de la couronne. Et ce qui n'était pas très chic non plus, c'était de choisir pour ça le jour où, malgré tout, on guillotinait un homme. Oh! on n'y mettait pas cette intention-là. Bien que les anarchos nous aient toujours dégoûtés.

25 —Quand on est jeune...

—Oui... Et puis le milieu ébéniste est très spécial, surtout au

se dévouer to rise to the challenge
le gars (good) fellow
piger le truc (fam.) to catch on
de notre part for us
chômer to lay off work
cotiser to get up a subscription
la couronne funeral wreath
se faire inscrire to contribute
donner rendez-vous to arrange to meet
se faire coffrer (fam.) to get pinched
vache (fam.) a dirty trick
pour de bon and no fooling
faire venir to send for
le vouvray wine (of the Loire district)
le bistrot saloon
chic (fam.) nice
un anarcho (fam.) anarchist
le milieu circles
un ébéniste cabinetmaker

[29]*Il n'aurait . . . l'empêcher,* It would have been unwise to stop him. [30]*Ravachol,* anarchist of the period, condemned to death. [31]*Penses-tu!* Of course not! [32]*Sans le patron . . . correctionnelle,* If it hadn't been for the boss . . . he'd have come up before the police court.

faubourg. Tu as là des gens souvent convaincus, mais rosses au possible.[33] Et un peu jouisseurs.[34]

Roquin, en disant cela, sirotait son kirsch, avec une mine plissée de vieux civilisé. Il avait le visage maigre, pâle, les yeux d'un marron très clair, une fine moustache grisonnante. 5

—Il est très bon, ce kirsch-là. Autrefois, place d'Aligre,[35] il y en avait un fameux. Je ne sais pas si ça existe toujours. Un coin que j'aimais bien, la place d'Aligre. Aux heures de marché, tu te serais cru dans un gros chef-lieu du centre, à cent lieues de Paris... Tu avais cette assiette-là? 10

—Oui, mais pas accrochée.

—C'est du Montereau.[36] C'est dommage qu'elle soit un peu seule au milieu des autres. Si elle est bien de l'époque, elle est très jolie.

—Oh! elle en est sûrement. Elle vient d'une tante, qui était de Seine-et-Marne, et qui a dû mourir en 78, vers le temps de 15 l'Exposition...[37]

Roquin tournait la tête et suivait maintenant de l'œil le chambranle de la porte.

—Qu'est-ce que tu regardes? lui dit Miraud.

—Qu'on a eu tort de laisser l'ancienne moulure. 20

—Tu trouves?[38]

—Je pouvais[39] te la faire sauter... et te la remplacer par une autre, que je t'aurais sculptée par exemple d'après le dessin de cet ornement-ci... en le renversant, peut-être.

Miraud écoutait, fort ennuyé. Il s'apercevait pour la première 25 fois que l'encadrement banal de la baie jurait avec les précieux battants de chêne.

convaincu with strong convictions
siroter to sip
marron chestnut-brown
grisonnant turning gray
c'est dommage it's a pity
la tante aunt
le chambranle casing
la moulure molding
faire sauter to pry off
renverser to invert
fort ennuyé upset
un encadrement frame
la baie bay
jurer avec to match badly

[33] *rosses au possible*, extraordinarily given to irony and jibes. [34] *un peu jouisseurs*, somewhat inclined toward material and sensual pleasures. [35] *place d'Aligre*, a square some distance east of the Place de la Bastille. [36] *du Montereau*, earthenware made at Montereau, southeast of Paris on the Seine (Seine-et-Oise). [37] *l'Exposition*, one of the various World Expositions held in Paris approximately every ten years and remarkable for their ingenuity, variety, and beauty. [38] *Tu trouves?* Do you think so? [39] *Je pouvais*, fam. for *j'aurais pu*.

—Ne te tourmente pas. Il sera toujours temps de réparer ça. Fais-m'y penser cet hiver.

C'est que Roquin était mêlé intimement, fraternellement, à l'histoire de la porte. Leur amitié trouvait là un mémorial.

5 Un jour, il y avait sept ou huit ans, Roquin travaillait dans son atelier, quand Miraud était venu lui dire, avec une excitation anxieuse:

—Monte jusque chez moi. Je veux savoir si j'ai fait une bêtise.

En chemin, il lui avait conté son aventure. Il arrivait de la 10 région de Meaux,[40] où il avait accepté de travailler deux semaines dans un château dont on changeait toute la décoration intérieure. Passant dans un couloir, il avait remarqué, posés contre un mur, deux panneaux de chêne, sculptés et ajourés par endroits, qu'on avait dû retirer d'une des parties du château qu'on transformait. 15 Il avait eu un vrai coup au cœur.[41] Ces panneaux, chargés de figures savantes, creusés de reliefs onctueux et polis par l'âge, dans un bois parfait, lui avaient semblé la chose la plus belle et la plus désirable au monde. Et quand, en les mesurant, il s'était aperçu qu'ils se logeraient tout juste dans la baie de sa bibliothèque, il 20 sentit que, d'une façon ou de l'autre, il viendrait à bout de les posséder. Il avait abordé l'entrepreneur général: « Vous ne savez pas si ces panneaux sont à vendre?—C'est moi qui les ai rachetés avec les autres choses que j'enlève. » On avait démoli des cheminées, démonté des boiseries, mis à bas des rampes d'escalier... 25 « Mais je n'ai pas l'intention de m'en débarrasser pour le moment. Il faudra d'abord que j'aie fait mes comptes. » Bref, Miraud obtint d'emporter les panneaux, à condition d'abandonner le salaire de sa semaine en cours, et de faire gratis quatre jour-

mêlé à involved in
faire une bêtise to do something stupid
en chemin on the way
le panneau panel
chargé covered
savant skillfully designed and executed
onctueux smooth (oily)
se loger to fit
tout juste approximately
venir à bout to succeed
aborder to speak to
démolir to demolish
démonter to take down
la boiserie wainscot
mettre à bas to pull down
la rampe banister
se débarrasser de to get rid of
faire ses comptes to make up one's accounts
obtenir to obtain permission
en cours current
gratis without pay

[40]*Meaux*, town of about 15,000, rich in history, 45 kilometers east of Paris. [41]*Il avait eu . . . cœur*, It hit him right between the eyes.

nées de travail supplémentaires, que, dans son désir de rentrer à Paris, il eût refusées même au tarif normal, mais dont l'entrepreneur, serré par les délais, avait le plus urgent besoin.

Ainsi Miraud avait payé ses panneaux directement avec du travail, pour ainsi dire avec de la vie même. Leur valeur n'était pas constatée, refroidie, contenue par un chiffre. Elle se dilatait comme un sentiment.

Donc, ce jour-là, Roquin avait monté les étages de Miraud, s'était planté devant les panneaux de chêne, les avait contemplés en silence cinq bonnes minutes. Miraud qui avait envie de parler, de faire valoir la matière, le sujet, l'exécution, tel détail, mais qui se retenait, qui se tripotait les mains derrière le dos, ne vivait plus. Roquin s'était penché; il avait inspecté la tranche du bois, les chevilles, l'entrée des mortaises. Avec la lame de son canif, il avait fait sauter un copeau très mince, et si habilement que la blessure du bois ne se remarquait ensuite que par un faible éclaircissement de la couleur. Avec la pointe, il avait sondé deux ou trois endroits choisis. Enfin il avait ouvert la bouche:

—Ils sont très bons, évidemment, et anciens. Il n'y a que ce montant-ci qui ait peut-être été refait. Et encore ce n'est pas d'hier.[42] Le bois est très beau de qualité, pas trop piqué. Le travail de sculpture, de premier ordre. Pour la valeur marchande, c'est quelqu'un de l'Hôtel,[43] ou qui aurait l'habitude des occasions,[44] qui te renseignerait mieux que moi. Ce que je peux te dire, c'est que si on me demandait de les copier, j'y mettrais au moins trois semaines, et pour les figures, je ne crois pas que j'arriverais à cette finesse-là.

Car, à ses heures, Roquin était modeste.

le tarif rate (of pay)
constaté established
refroidi chilled
contenu represented
se dilater to expand
faire valoir to show the qualities of
tel such and such a
tripoter to play with
la tranche edge
la cheville peg
la mortaise mortise
le canif penknife
le copeau sliver
habilement cleverly
la blessure mark (wound)
faible slight
un éclaircissement lightening
le montant post
piqué worm-eaten
la valeur marchande market value
à ses heures at times

[42]*Et encore . . . d'hier*, And, in any event, it was done quite a long time ago. [43]*l'Hôtel des Ventes*, famous auctioneering center for rare furniture, art objects, manuscripts, and the like, located on the rue La Fayette in central Paris. [44]*qui aurait . . . occasions*, who would recognize bargains.

Ce fut lui, ensuite, qui se chargea d'adapter les panneaux aux dimensions de la baie. Heureusement, l'écart était petit. (Quatre centimètres en largeur, et six en hauteur.) Mais il fallait obtenir des raccords invisibles, même si plus tard le bois des alèses venait
5 à jouer. Roquin s'était procuré du vieux chêne, l'avait amené à la nuance voulue, et par surcroît de précaution avait posé un couvre-joint, après y avoir reproduit en creux un motif pris à l'ornementation latérale des panneaux.

Depuis il avait gardé de l'amitié pour ce bel ouvrage; et lui
10 donnait toujours, à un moment ou à l'autre de ses visites, quelque signe d'attention. Il y accrochait en particulier des réflexions qui lui étaient chères sur l'habileté des artisans d'autrefois comparée à celle des ouvriers d'aujourd'hui. Réflexions qu'il ressassait quotidiennement, même dans le silence du travail, mais qui ne tournaient
15 pas au radotage, parce qu'il les nourrissait de nouvelles raisons, et ne craignait pas de se contredire.

Un jour, par exemple, il arrivait en déclarant:

—Ce que les clients peuvent être idiots![45] Celui-là m'avait fait venir pour une réparation à un secrétaire dix-huitième. Il me dit:
20 « Hein? Ce ne sont pas les ouvriers de maintenant qui exécuteraient un meuble pareil. —Quand vous voudrez. Et vous n'y connaîtrez rien.[46] —Avec cette marqueterie? —Parfaitement. Et même le gondolage du plaqué, le fendillé du vernis, et la patine.[47] C'est-à-dire que je ferai à moi tout seul ce que le copain du XVIIIe
25 n'a pu faire qu'en se mettant à deux avec le temps. »[48]

se charger to undertake
un écart difference
le centimètre centimeter (.394 inch)
la largeur width
le raccord joining
une alèse wood added on
jouer to have a little play
par surcroît de as an added
le couvre-joint strip of wood to cover the joints
en creux in concave form
accrocher to associate (hang)
ressasser to keep on repeating
quotidiennement daily
le radotage meaningless repetition
nourrir to support
contredire to contradict
le secrétaire writing desk
dix-huitième made in the 18th century
la marqueterie inlaid work
parfaitement certainly

[45]*Ce que . . . idiots!* How idiotic customers can be! [46]*Quand vous . . . rien,* I'll match it whenever you say the word. And you won't know the difference. [47]*le gondolage . . . patine,* the warping of the veneer, the cracking of the varnish, and the patina. [48]*en se mettant . . . temps,* with the help of the passing of time.

Mais un autre jour, il observait:

—Il ne suffit pas de copier quelqu'un pour le valoir.

Ou bien:

—A notre époque, quand par hasard il y a de l'invention, il n'y a plus de fini. 5

Il ajoutait:

—Et pour l'invention, je demande qu'on en reparle.[49]

En présence d'une chaise ou d'une table « art nouveau », il haussait les épaules. Il déclarait:

—Je suis tout prêt à voir. Naturellement qu'il faut que chaque 10 époque ait son style.

Mais à vrai dire, il était, dans son métier, conservateur, et presque réactionnaire. Comme il faisait des visites assez régulières au Louvre, à Carnavalet, à Cluny,[50] il joignait à son habileté manuelle et à sa connaissance des procédés, qui étaient grandes, une érudition 15 étendue; et dans la discussion il disposait d'un mélange d'arguments techniques et d'arguments historiques qui lui laissait le plus souvent le dernier mot.

Il était loin, d'ailleurs, de se représenter clairement les raisons les plus profondes de son état d'esprit. Ce qui le décevait sans doute 20 le plus dans les tentatives d'art nouveau, c'était de n'y rien sentir qui vînt de lui-même. Quelque chose en lui protestait: « Je n'ai pas trouvé ça. Je n'ai pas essayé de le trouver. Je n'ai jamais eu besoin qu'un autre le trouve. Et personne ne m'a rien demandé. » Il souffrait, sans le savoir, de vivre dans un monde où l'homme qui 25 produit les objets n'est à aucun degré le maître de leur forme. Il

valoir to be equal to
le fini perfection in execution
"*art nouveau*" modernistic
le procédé technical operation
étendu extensive
décevoir to disappoint

[49]*je demande . . . reparle,* there is no comparison. [50]*Louvre, Carnavalet, Cluny,* three of the most famous museums of Paris. The first, too universally known to need identification, is located on the Seine, not far from the Ile de la Cité and Notre Dame cathedral. The second, built in the 15th century, is devoted to the history of Paris and the French Revolution. It was the home of the famous letter writer Mme de Sévigné, and is located on the street named for her (not far from the Ile Saint-Louis). The Musée de Cluny, just off the famous boulevard Saint-Michel in the Latin Quarter and opposite the Sorbonne, has a rich and varied collection of art objects, including furniture, especially of the 14th, 15th, and 16th centuries. The building is a beautiful example of Gothic-Renaissance architecture (15th century). In its gardens are the well-preserved ruins of Roman baths, probably built by the Emperor Hadrian.

sentait bien qu'il faisait partie d'un peuple d'exécutants. Son amertume revenait à dire[51]: « La civilisation ne peut pas se passer de[52] nous. Mais elle se passe au-dessus de nous. » Il pensait aux machines, dont son métier se servait encore peu, mais dont il n'y
5 avait aucune raison de croire qu'elles n'imposeraient pas bientôt, là aussi, leurs services. Déjà l'on disait: l'industrie du meuble. Il comprenait bien que l'effet du machinisme n'est pas seulement de concentrer les capitaux; mais qu'il concentre[53] aussi le pouvoir créateur, la force de l'esprit.

10 Syndicaliste révolutionnaire, il se défendait de regretter aucune période du passé, que d'ailleurs il connaissait mal, hormis l'histoire du meuble, étant beaucoup moins grand lecteur que Miraud. Mais il avait vaguement l'impression que bien avant le droit de vote, le peuple artisan avait eu, jadis, le droit de créer. Et c'est à cette nos-
15 talgie tout implicite d'un moyen âge, dont il ne cherchait même pas à se former une vision, et dont le nom seul lui était suspect, que sa foi syndicaliste devait pourtant ce qu'elle avait de chaleureux et de réel.

Tandis que Miraud, qui était tout près de lui par la formule de
20 ses convictions, restait beaucoup plus attaché, par le sentiment qu'il y mettait, à la récente tradition démocratique. Les penseurs qui l'avaient fondée demeuraient à ses yeux les prophètes du meilleur avenir. Sans être satisfait de l'époque, c'est sur l'accentuation de quelques-unes de ses tendances principales qu'il comptait; et
25 l'image qu'il se formait de la société de demain n'était pas tellement éloignée de l'idéal que l'époque elle-même se plaisait à proclamer, quand elle s'abandonnait, par la bouche de ses politiciens, à des effusions à peine menteuses. Une répartition plus juste de la richesse et du pouvoir; des méthodes plus sûres pour recruter les dirigeants

faire partie de to belong to
un exécutant one who carries out the designs of others
le machinisme mechanization
se défendre de not to allow oneself to
hormis outside of
le moyen âge Middle Ages
se plaire à to take pleasure in
s'abandonner à to give way to
menteur false
la répartition distribution
le dirigeant leader

[51]*revenait à dire*, amounted to saying. [52]Note difference between *se passer de*, to get along without, and *se passer*, meaning, here, to unfold. [53]*concentre*, in this case, limits to a few.

de toute catégorie; la suppression des parasites; des précautions contre l'avidité et la ruse des individus, et pour que les fruits du travail ne soient pas détournés par quelques-uns; Victor Miraud n'en aurait pas demandé beaucoup plus à la République pour lui rendre la confiance que lui avait donnée son père, Augustin Miraud, 5 émeutier de 48.[54]

QUESTIONNAIRE *Ouvriers parisiens*

I

A. En quoi les divertissements de Roquin et Miraud illustrent-ils les intérêts culturels de l'artisan français?

B. Comment se fait-il que le communisme exerce une influence politique en France puisque l'artisan et l'ouvrier sont jaloux de leur liberté personnelle?

II

1. Qu'est-ce qu'il y avait dans le cœur de ce logement parisien qui faisait penser à un château ou à une cathédrale? 2. Que se disait Miraud certains jours? 3. Pourquoi avait-il refusé jusqu'ici d'installer le gaz? 4. Qu'avait-il dessiné au plafond? 5. Combien d'œuvres de Victor Hugo possédait-il? 6. Quelle était l'attitude de Victor Hugo envers les empereurs et envers Miraud? 7. Pourquoi le neveu de Miraud ne voulait-il pas rester à l'atelier? 8. Que se disent certains types dès qu'ils comprennent ce que c'est que le vrai travail? 9. Quel est, selon Miraud, le seul moyen de changer de classe qui soit justifiable? 10. Qu'est-ce que Miraud a offert à boire à son ami Roquin? 11. En quoi consiste la puissance de la bourgeoisie? 12. Pourquoi Roquin ne va-t-il pas au Congrès de Marseille? 13. Quelle est l'opinion de Roquin sur Jaurès? 14. Comment faisait-on perdre la journée au jeune compagnon de chez

détourner to misappropriate

[54]*émeutier de 48,* a rioter of 1848, year of the abortive Worker's Revolution, designed to bring about universal suffrage, as well as sweeping social and industrial reforms. Many writers and intellectuals, like Lamartine and Hugo, participated in the attempt, which was thwarted by Louis-Napoléon, who betrayed the cause he had pretended to espouse by seizing power in his *coup d'état* of 1851. These last pages need careful study for appreciation of the perplexities and problems which today, as in 1908, confront the intelligent French artisan.

From *Le 6 octobre,* Vol. I of *Les Hommes de bonne volonté.* Publication authorized by Librairie Ernest Flammarion.

Gaucher? 15. Quelle opinion les ébénistes avaient-ils des anarchistes? 16. D'où l'assiette de Montereau était-elle venue? 17. Qu'est-ce que Miraud avait trouvé d'intéressant dans un château de la région de Meaux? 18. A quelles conditions Miraud a-t-il obtenu d'emporter les panneaux? 19. Quel jugement Roquin a-t-il prononcé sur les panneaux? 20. Roquin se croyait-il aussi expert que son collègue du XVIIIe siècle? 21. Pourquoi faisait-il des visites aux musées du Louvre, de Carnavalet, et de Cluny? 22. Lequel était le lecteur le plus avide, Miraud ou Roquin? 23. Lequel des deux restait le plus attaché à la tradition démocratique récente? 24. Quels sont les éléments de cette tradition? 25. Quels détails dans ces pages choisiriez-vous pour représenter l'attitude de l'ouvrier français en face de la vie sociale et politique?

DISCUSSION

The Artisan and Worker

1. One of René Clair's most famous films, *A Nous la liberté*, was a satire on huge mass-production enterprises. Charlie Chaplin's satire on this theme ran for many months in Paris. What is there about French tradition which makes the French so inclined to view mass production with disfavor?

2. Miraud is especially interested in authors and poets whose works have a sociopolitical or humanitarian purpose. Do you agree that a writer cannot be great unless he takes a stand on the grave social issues of his day?

3. Workers in France, and even in this country, frequently object to the introduction of new machinery as leading to technological unemployment. Should industry be encouraged to adopt or discouraged from adopting labor-saving machinery?

4. The artisans in this story feel that the widespread social revolutions of 1848 paved the way for socialistic and liberal reforms. Communism in France and Europe has in general tried either to exploit or destroy the socialist elements. What elements of communism are incompatible with socialism?

PART III · *Basic Institutions and Beliefs*

FRANÇOIS COPPÉE

JULES LEMAÎTRE

ANATOLE LE BRAZ

ANATOLE FRANCE

JULES ROMAINS

JOSEPH KESSEL

GEORGES DUHAMEL

ANTOINE DE SAINT-EXUPÉRY

10

THE FAMILY

In France, and especially in the provinces, the family remains, as in the past, the central institution around which gravitate Church and State. As a matter of fact, both of these latter institutions have consciously and systematically contributed toward strengthening that prominent position—the Church through its emphasis on the sanctity of marriage, and both by their encouragement of large families. The government for several reasons, including those of security, has multiplied the very appreciable financial benefits for such families. For many years the birth rate in France slowly dropped, whereas that of the neighboring large countries which had frequently gone to war against her was increasing far beyond their economic capacities. The decrease in France was due not in the slightest to biological exhaustion, as unfriendly critics claimed, but to a philosophy of common sense and moderation. There was a marked preference for a total population not exceeding the country's economic needs and for families of one or two children who could be properly cared for until maturity. Since the terrible loss of life due to World War II and the occupation, the birth rate in France, aided by increased government payments, has consistently exceeded the death rate. By this readjustment she has re-established a total population closely related to the country's requirements for that ever desired French goal, a balance between a high degree of economic self-sufficiency and a fair degree of security against invasion.

The importance of the family,[1] like that of regionalism, is doubtless in part an extension of the Frenchman's individualism. It is closely related to his desire to keep the same property, with additions, in the possession of his own kith and kin from generation to

[1]A typical glimpse of the important place occupied by the family circle will be found in the autobiographical selection from Anatole France, "Les Humanités" (pp. 180 ff.). Other glimpses, it will be recalled, have been seen in "La Croix de Saint-Louis," "Le Journal de Martine," and "La Flèche dorée."

generation. It is indeed the obligation of each generation to hold *le bien familial*, or the inherited family wealth, as a trust, never touching it except in dire emergencies. Consequently, the family has developed its own laws, its hierarchy, its servitudes, and of course, among the younger generations, subterfuges for getting around the excessive forms of those servitudes.

"L'Odeur du buis" by François Coppée (1842–1908) illustrates or suggests most of these facts. Theoretically and legally, the husband and father is indisputably "the head of the house." But in this story, as in several plays of Molière, we see successful resistance by wife and son to any abuse of that authority. Actually many Americans in France have been struck by the way the mother, with her self-sacrificing love of her offspring and disinterested devotion to the family's welfare, along with her greater steadiness, quietly plans and carries out a needed action with psychological keenness, overcoming, as here, stubborn opposition through appeals to both reason and feeling. Very often she is the one who handles the economic interests of the family. Children usually remain close to parents after marriage. Each generation, however, is properly concerned with the problems of its own family, and young people are increasingly asserting their independence when the parents fail to recognize their rights, as here or in Paul Hervieu's play, *La Course du Flambeau.*

The greatly misunderstood practice of the dowry (*la dot*) in France, although sometimes misused, is far from a mercenary arrangement as it normally functions, but because of the increasingly general economic pinch among even middle-class groups, it is progressively becoming less frequent. It is a trust fund, like *le bien familial*, in which the husband's parents often match the contribution of the wife's. It supposedly assures the perpetuation of the family by enabling a young couple, whose initial earnings will be necessarily modest, to have a home and properly provide for the children to come. In "L'Odeur du buis" the father, whose humble origins are evident, characteristically plans to take care of the education of his gifted son, including a doctorate in law, to provide him with a sizeable fortune, and to arrange a marriage between him and an equally well-educated young lady. Such choice by parents, which was frequently much more successful than might be supposed, has become relatively rare except in very conservative and aristocratic circles. In "L'Odeur du buis" the marriage of the elder Bourgeuils, like that of their son, had been based on mutual love and consummated without parental consent, as is frequently the case among working people. Moreover, they discover in their daughter-in-law those qualities of devotion and good housekeeping which are so esteemed in France. These facts, plus the natural desire for reconciliation, prepare the way for the final abdication, when the father, although not a churchgoer like his wife, is overcome by a good odor evoking obscure memories of the church's symbolisms, of Palm Sunday, and of family. Forgiveness follows, "une bonne griserie de miséricorde et de générosité."

Three other details are of particular interest for us. We see a bit of the old hierarchy in the skilled crafts, whereby a worker rises from apprentice to *compagnon*, or journeyman, and then to master. We witness the case, so frequent in real democracies such as France and America, of the "self-made man" who climbs from the lower rungs of the social ladder and expects his son to become, not a *parvenu*, but an authentic, well-educated bourgeois. He hopes that the son will occupy a highly esteemed position, the preference typically falling on the legal field and the magistrature, which have widespread prestige. We observe the way the French, although keenly aware that they are not distinctly Latin in "race," since they are a complex mixture of bloods, have never forgotten that their laws, language, culture, even their customs owe far more to ancient Rome than to any other country. So it is that "le père Bourgeuil," whose elementary schooling did not permit a wide knowledge of history, nevertheless remembers the story of Lucius Brutus, the patriot, sacrificing his children for his principles. He is at first flattered by the idea of being a real Roman in the manner of Brutus.

It is appropriate that the popular poet and *conteur*, François Coppée, should be the author of this story, since he specialized in writings inspired by the life of *petits bourgeois* and workers, due in part to his own humble origins. Unlike Bourgeuil, he easily rose in the social world and was warmly received by the *salons* of Parisian aristocracy. He likewise received the coveted honor of being elected member of the Académie française.

L'Odeur du buis

« JAMAIS! s'écria le père Bourgeuil en se levant avec violence et en jetant sa serviette sur la table. Jamais!... Tu m'entends bien?... Jamais!... »

Et, tandis que le vieux maître maçon arpentait furieusement la 5 salle à manger, avec de brusques volte-face d'ours en cage, en faisant craquer ses lourdes bottes, maman Bourgeuil, tenant baissés sur son assiette ses yeux humides de larmes, épluchait machinalement des amandes sèches.

Depuis deux ans, la même dispute éclatait souvent entre les deux 10 époux, comme cette fois encore, à la fin du repas, au moment du dessert. Car il y avait deux ans qu'ils étaient brouillés avec leur fils Édouard, et qu'il avait épousé, contre[1] leur consentement, une femme qu'il avait connue au quartier Latin[2] au moment où il faisait ses études de droit. Comme ils l'avaient aimé, gâté dès son 15 enfance, cet Édouard, leur enfant unique, venu après dix ans de ménage! Tout de suite Bourgeuil, l'ancien compagnon,[3] alors déjà petit entrepreneur, avait dit à sa femme: « Tu sais, Clémence, on est en train de rafistoler Paris de fond en comble. Le bâtiment

le maître maçon master mason
arpenter to pace up and down
la volte-face turn
craquer to creak
éplucher to crack
brouiller to be on bad terms
le droit law
le ménage marriage
un entrepreneur contractor
rafistoler (fam.) to patch up
de fond en comble from top to bottom

[1]*contre, i.e., sans.* [2]*le quartier Latin,* student section on the left bank of the Seine, so named because Latin was the common language, in the Middle Ages, for the great number of students matriculating at the University of Paris from all parts of Europe. [3]*compagnon,* journeyman. See page 113; also page 119, note 28. M. Bourgeuil has reached the top of his trade as a *maître.*

va fort,[4] et si cela continue, j'aurai fait fortune dans douze ou quinze ans d'ici. Aussi j'espère bien que ce petit paroissien-là n'aura pas besoin de grimper dans les échafaudages, comme son papa, et de rentrer tous les soirs, éreinté, avec des taches de plâtre sur sa veste grise... Nous en ferons un monsieur, n'est-ce pas, la bourgeoise?[5] 5

Et les choses s'étaient passées comme le désirait le père. Édouard fut, au lycée Louis-le-Grand,[6] un brillant élève, et Bourgeuil, le paysan arrivé à Paris, du fond du Limousin,[7] avec une paire de souliers de rechange et deux pièces de cent sous[8] nouées dans un coin de son mouchoir, eut l'orgueil de voir son fils félicité par 10 Monsieur le Ministre à la distribution des prix.[9] Un sujet d'avenir,[10] quoi! qui passerait en se jouant licence[11] et doctorat,[12] qui pourrait aborder n'importe quelle carrière! « Et nous laisserons à ce gaillard-là vingt-cinq bonnes mille livres[13] de rentes, » disait le père Bourgeuil, en frappant du plat de sa grosse main l'épaule de sa 15 femme. « Et saperlotte, il s'agira bientôt de le marier, hein? la mère, et de trouver une jolie fille, bien éduquée comme lui, qui le rende heureux et qui nous fasse honneur. »

Ah! ils étaient loin, ces beaux projets! Le jeune homme avait rencontré cette fille[14] et s'était épris d'elle. Et les études n'avaient 20

le paroissien (fam.) fellow
grimper to climb
un échafaudage scaffolding
éreinté worn out
le plâtre plaster
la veste jacket
de rechange extra
nouer to tie
en se jouant with great ease
n'importe quel any . . . at all
le gaillard young fellow
saperlotte (fam.) by golly
éduqué educated
s'éprendre de to fall in love with

[4]*Le bâtiment va fort*, The construction business is going extremely well. [5]*la bourgeoise*, popular expression in reference to one's wife (somewhat similar to the English *missis*). [6]*lycée Louis-le-Grand*, a famous old school located in the Latin Quarter near the Sorbonne. The academic program in a *lycée* includes not only work completed in an American high school but also that of the first two years of college. [7]*Le Limousin*, an old province of central France which formerly supplied many masons for urban construction. [8]*sou*, a term not used in the official French monetary system (cf. American use of *nickel*, *dime*); equal to five centimes. A *pièce de cent sous* is therefore a popular expression for a five-franc piece. [9]It is a common practice in France for a public official to present prizes, in the form of books, to the top-ranking members of a graduating class. [10]*Un sujet d'avenir*, A boy with a future. [11]*licence*, degree obtainable after a minimum of two years of intensive university study. [12]Presumably, the doctorate in law, far less difficult to obtain than the *doctorat d'État*, the ultimate in academic achievement in France. The *doctorat d'université* is available for graduate students from abroad. [13]*livre*, word formerly used for *franc*. [14]*fille* (for *jeune fille*), creature (used derogatorily).

plus marché. A vingt-cinq ans il n'avait même pas reçu sa licence. Très tristes, très déçus, les vieux parents ne désespéraient encore de rien, pourtant. Ils songeaient: « Cette folie ne durera pas. » Mais un jour l'impertinent a eu l'audace de leur déclarer qu'il adorait
5 son amie et qu'il voulait l'épouser. Oh! si alors le père Bourgeuil n'avait pas été foudroyé d'apoplexie, c'était une chance, par exemple; car ses oreilles s'étaient gonflées de sang, à en éclater. Il avait chassé son fils, lui coupant les vivres. « Si tu donnes mon nom à cette femme, s'était écrié le vieux maçon, cramoisi de colère,
10 n'attends pas un sou de nous deux avant notre mort! » Mais le méchant, l'ingrat enfant, les avait outragés jusqu'au bout, leur envoyant les sommations légales,[15] rompant toutes relations avec eux.

Et maintenant, il s'était marié avec sa poupée et il vivait d'un
15 misérable salaire de commis, au fond d'une banlieue, comme un pauvre.

Certes, depuis deux ans qu'ils ne voyaient plus leur fils, les vieux époux avaient cruellement souffert. Mais, dans les derniers temps, la situation s'était encore aggravée. La faute de la maman, voyez-
20 vous. Elle était trop malheureuse aussi, et elle avait fléchi la première. Sa colère était moins forte que son chagrin. Elle penchait maintenant du côté du pardon. Enfin, elle osa en parler à son mari. Mais il eut un accès de fureur, lança un « jamais » dont les vitres tremblèrent, défendit à la pauvre femme de dire un mot de plus
25 sur ce sujet.

Elle ne put lui obéir, essaya de plaider encore la cause du coupable. Mais à chaque tentative nouvelle, le père Bourgeuil entrait en rage, faisait une scène terrible. Et ce fut l'enfer à la maison.

marcher to progress
une audace boldness
foudroyer to strike
la chance good luck
par exemple indeed
à en éclater to the point of bursting
les vivres (m. pl.) allowance
cramoisi crimson
jusqu'au bout to the last degree
la poupée doll
le commis clerk
la banlieue suburb
dans les derniers temps lately
fléchir to give in
l'accès fit
plaider to plead
la tentative attempt
entrer en rage to become furious
un enfer hell

[15]*les sommations légales*, summons (in an attempt to obtain the consent of parents to one's marriage).

Ces deux vieilles gens, qui n'avaient pas un reproche à se faire, qui avaient vécu et travaillé côte à côte pendant plus de trente ans et qui s'étaient fidèlement et solidement aimés, devinrent presque des ennemis, vécurent sur le pied de guerre. Chaque soir, à la fin du dîner, les hostilités recommençaient. Et la discussion finissait 5
toujours par des mots qui blessent le cœur.

« Tiens, veux-tu que je te dise, Bourgeuil?... Tu es sans pitié!

—Eh bien, toi, la vieille, sache-le une fois pour toutes... Tu es par[16] trop lâche! »

Et le maître maçon sortait en faisant claquer la porte. 10

Alors, restée seule auprès de la lampe, dans ce salon cossu où elle gardait ses anciennes habitudes de femme du peuple et ses bonnets de linge, la vieille maman pleurait sur son tricot; et Bourgeuil, qui s'ennuyait chez lui, à présent, en face de cette triste figure, allait rejoindre, au café voisin, quelques habitués qui l'attendaient pour 15
la partie de manille. Là, tout en donnant les cartes, il déblatérait contre les mœurs du temps, où l'autorité paternelle était méprisée par les enfants, où se perdait chaque jour davantage le respect de la famille. Lui, du moins, il donnerait le bon exemple, il serait sévère jusqu'à la fin envers le rebelle. C'était même son unique 20
sujet de conversation, et, malgré le prestige que lui donnait sa fortune, ses compagnons de jeu[17] le traitaient parfois, après son départ, d'ennuyeux personnage et de vieux raseur. Mais en sa présence, on plaignait son malheur et on louait sa fermeté. Il y avait surtout l'employé des contributions—celui dont la pipe sentait si mauvais— 25
qui répondait invariablement aux imprécations du bonhomme contre son fils par cette phrase approbative:

« Bravo! père Bourgeuil!... Vous êtes un Romain![18] »

côte à côte side by side
sur le pied de guerre on a war footing
claquer to slam
cossu costly
le tricot knitting
s'ennuyer to become bored
donner to deal
déblatérer to rant
ennuyeux tiresome
le raseur (fam.) bore
la fermeté firmness
les contributions (f. pl.) tax administration
une imprécation curse
approbatif approving

[16]*par*, by far. [17]*compagnons de jeu*, comrades with whom he played. [18]The ancient Roman was traditionally considered to be the embodiment of energetic, virile manliness and endowed with an inflexible will.

En réalité, le père Bourgeuil était de la Haute-Vienne[19] et ne possédait sur l'antiquité que des notions très confuses. Néanmoins, il connaissait vaguement l'histoire du vieux Brutus,[20] et la pensée qu'il était un homme de cette trempe-là flattait agréablement son 5 amour-propre. Cependant, quand il sortait du café et se trouvait tout seul dans la nuit, il se disait—oh! tout bas—que ce Brutus avait l'âme bien dure et que c'était affreux de condamner son fils à mort.

Mais voici Pâques-Fleuries,[21] un gai dimanche de vent aigre et 10 de clair soleil. Tout le monde s'est souvenu du proverbe: « En avril, n'ôte pas un fil, »[22] mais Paris a quand même un air de fête. Les femmes, un peu honteuses de leurs toilettes d'hiver, aujourd'hui fanées, reviennent de l'église avec du buis qui sort de leur manchon. Car tout le monde en a, du buis, et les chevaux d'omnibus[23] eux-15 mêmes portent un petit rameau près de l'oreille.

Le père Bourgeuil, qui s'est attardé la veille au café, et qui a fait sa manille[24] jusqu'à minuit, se réveille tard. Il est d'une humeur massacrante. Hier soir, au dessert, sa femme lui a encore parlé d'Édouard et a tâché de l'apitoyer. Elle avait pris des renseigne-20 ments. Elle savait que la femme de leur fils—car, après tout, c'est leur bru, on ne peut pas dire le contraire—n'était pas aussi mauvaise qu'ils l'avaient cru d'abord. Oh! une pauvre fille, sans doute, qui avait été corsetière. Mais, voyons, qu'est-ce qu'ils étaient, eux, les parents? Des ouvriers parvenus,[25] et voilà tout. Ils n'avaient

la trempe character
un amour-propre ego
tout bas in a low voice
aigre sharp
de fête festive
fané faded
le buis sprig of boxwood
le manchon muff
le rameau branch
s'attarder to linger
massacrant foul
apitoyer to move to pity
prendre des renseignements to make some inquiries
la bru daughter-in-law
la corsetière corset-maker
voyons after all

[19]*Haute-Vienne*, a *département* of France and part of the province of Limousin. [20]*Brutus* (Lucius Junius, not the slayer of Caesar), considered a hero because he placed duty and patriotism above paternal love in condemning his son to death. [21]*Pâques-Fleuries*, Palm Sunday. In France, boxwood branches are used instead of palm leaves, since they have a pleasant odor, are easy to obtain, and stay green long after being cut. They serve the same religious symbolism as do the palm leaves. The branches are blessed by the priest at mass on that Sunday, then taken home and used as in the present story. [22]Similar to the old English proverb, "Ne'er cast a clout till May be out." [23]Today motorbusses and, in Paris, a modern subway system, are the means of locomotion. [24]*qui a fait sa manille*, who played manille. [25]*parvenus*. who had "arrived" (succeeded).

jamais espéré, n'est-ce pas? établir leur garçon au faubourg Saint-Germain.[26] Est-ce que, vraiment, il ne finirait pas par avoir un peu d'indulgence pour ces malheureux enfants?

« Car, mon vieux, ils sont dans la misère, oui, dans la misère! A cette Compagnie d'assurances où il a trouvé un emploi, devine ce que gagne notre Édouard... Deux cents francs par mois, ce que tu dépenses d'argent de poche, pour tes cigares et ton café. Ces choses-là crèvent le cœur... Oh! je ne te demande pas de les voir. Mais les aider un peu, seulement; quand nous nous gobergeons.[27] est-ce que ce ne serait pas juste? »

Et la pauvre vieille, comme son mari ne répondait rien et tournait pensivement entre ses doigts le petit verre qu'il venait de vider, avait quitté sa place, fait le tour de la table, posé sa main—timidement—sur l'épaule du chef de famille irrité. Vain effort! Papa Bourgeuil s'était tout à coup rappelé qu'il était un « Romain », avait vomi des malédictions, hurlé son éternel: « Jamais! »

Donc, ce matin, il est singulièrement triste et maussade, le vieux maître maçon. Il est nerveux et s'est coupé deux fois en se faisant la barbe. Fichtre non! il ne sera pas assez jobard pour faire des rentes à monsieur son fils. Un « Romain », vous dis-je. Est-ce que, à sa place, le vieux Brutus aurait fait des rentes? Dire que, la veille, il avait été sur le point de s'attendrir! Voilà ce que c'est d'écouter les femmes. Pas d'énergie pour deux sous,[28] les femmes.

Et, raffermi dans ses résolutions, le père Bourgeuil met une chemise blanche et son complet gris des jours fériés. Car, bien qu'il ait vendu son fonds depuis quelques années, il a gardé, en homme tra-

dans la misère poverty-stricken
une assurance insurance
crever to break
vomir to pour out
la malédiction curse
maussade sulky
se faire la barbe to shave
fichtre by golly
le jobard (fam.) easy mark
faire des rentes to give an income
dire to think
s'attendrir to soften
raffermi strengthened
le complet suit
le jour férié holiday
le fonds business

[26]*Faubourg Saint-Germain*, on the left bank of the Seine formerly a wealthy section of Paris inhabited primarily by nobility. [27]*quand nous nous gobergeons*, when we live on the fat of the land. [28]*Pas d'énergie pour deux sous*, Not a penny's worth of will power.

ditionnel,[29] le costume de sa profession, les habits gris pour aller sur le chantier,[30] qui ne craignent pas le plâtre.

Il descend au salon, ce salon dont il était si fier lorsque les choses l'intéressaient encore, et il regarde la pendule sur laquelle Galilée[31] 5 en bronze doré—pourquoi Galilée? —montre du doigt le cadran qui marque onze heures; et le bonhomme, qui, ce matin, a bon appétit, s'impatiente à la pensée qu'on ne déjeunera qu'à midi.

Alors la mère Bourgeuil revient de la messe, avec un gros paquet de buis, qu'elle pose sur le guéridon et qui, soudain, emplit la 10 chambre de son odeur fraîche et forte.

Ce n'est pas un poète, le père Bourgeuil; il n'a pas une nature très délicate. Mais, tout de même, il a des sensations, comme vous et moi, et, comme chez vous et chez moi, ces sensations évoquent des souvenirs.

15 Et, tandis que la vieille divise les rameaux, afin d'en décorer le logis, leur pénétrant parfum trouble le cœur du bonhomme. Il se rappelle un matin de Pâques-Fleuries—ah! qu'il y a longtemps!—quand il était encore compagnon et quand sa femme faisait des journées comme couturière. Ils étaient encore en pleine lune de 20 miel,[32] car ils s'étaient mariés peu de jours avant le carême. Comme aujourd'hui, elle avait apporté, en revenant de l'église, quelques branches de buis dans leur pauvre et unique chambre. Qu'elle était gentille, et comme il l'aimait! Et, par un rapide effort de mémoire, il revoit, en un instant, leurs longues années de vie com- 25 mune, pendant lesquelles elle a été si laborieuse, si économe, si dévouée. C'est pourtant cette bonne femme-là qu'il fait souffrir à cause de leur mauvais fils!... Mais est-il si mauvais? Sans doute, on doit honorer ses père et mère et leur obéir. Pourtant, ce sont peut-être des excuses pour bien des fautes que la jeunesse et l'amour.

craindre to be damaged by
la pendule clock
le cadran face (of clock)
le guéridon table
le logis house
faire des journées to work by the day
la couturière dressmaker
le carême Lent
laborieux hard-working
que namely

[29]*en homme traditionnel*, as a traditionalist. [30]*sur le chantier*, to his construction job. [31]*Galilée*, Galileo (1564–1642), famous Italian astronomer condemned by the Roman Inquisition. The statue of Galileo is on the clock because he discovered the regularity of the movement of a pendulum. [32]*en pleine lune de miel*, in the middle of their honeymoon.

En ce moment, la vieille femme, qu'il suit d'un œil ému,[33] a pris un brin de buis, s'est approchée de la muraille, a levé les bras, et voici qu'elle attache le petit rameau au-dessus de la photographie de leur Édouard,—de leur Édouard en collégien,[34] du temps qu'il avait tous les prix et qu'ils étaient si fiers de lui. 5

Ma foi, il ne sait plus où il en est,[35] le vieux maçon. La tête lui tourne;[36] l'odeur du buis le grise, d'une bonne griserie de miséricorde et de générosité. Il va vers sa femme, lui prend les mains, et, après un regard jeté sur le portrait, il murmure, de sa rude voix, soudain rouillée: 10

« Dis donc, Clémence, si nous lui pardonnions?... »

Ah!... Un cri de joie lui sort des entrailles,[37] à la maman... Et son homme qui l'appelle Clémence, comme dans leur jeunesse! Il y a plus de quinze ans qu'il ne lui a donné ce nom-là!... Elle comprend qu'il l'aime toujours, son mari, son vieux camarade! 15

Elle lui saute au cou, lui prend la tête à deux mains, lui parle à l'oreille. Car elle n'a pu y tenir. L'autre dimanche, elle est allée voir leur fils. Il est si malheureux de les avoir offensés! S'il n'est pas venu cent fois leur demander pardon, c'est qu'il n'a jamais osé!

« Et tu sais, ajoute-t-elle,—et sa voix se veloute et se fait caressante,—tu sais, j'ai vu sa femme... Il ne faut pas non plus lui en vouloir, je t'assure... Si mignonne, jolie comme une rose!... Elle adore notre Édouard, ça se sent tout de suite... Elle tient si bien leur pauvre ménage... » 20

Mais il est oppressé, le père Bourgeuil, il étouffe; et, mettant ses gros doigts tremblants sur la bouche de sa femme: 25

« En voilà assez, la mère... Fais mettre quatre couverts,[38] envoie chercher un fiacre... Tiens, portons-leur un de ces rameaux, en signe de paix... et ramenons-les déjeuner ici. »

le brin sprig
et voici que and then
la griserie intoxication
la miséricorde mercy
rouillé hoarse (rusty)
y tenir to restrain oneself
offenser to offend
se velouter to become soft (as velvet)
en vouloir to have a grudge
mignon sweet
en voilà assez that's enough
envoyer chercher to send for
le fiacre cab

[33]*d'un œil ému,* with an expression of tender emotion. [34]*en collégien,* in his schoolboy uniform. [35]*il ne sait plus où il en est,* he is completely confused. [36]*La tête lui tourne,* His head is swimming. [37]*lui sort des entrailles,* comes from the depths of her being. [38]*Fais mettre quatre couverts,* Have the table set for four.

Et, tandis que la maman, comme assommée de bonheur, défaille en sanglotant sur la poitrine de son mari, le père Bourgeuil—où est-il, le « Romain » ?, où est-il, l'ancien Brutus?—se met à pleurer à son tour comme une vieille bête.[39]

QUESTIONNAIRE *L'Odeur du buis*

I

A. Comment se fait-il que la famille soit la base de la vie sociale et économique en France?

B. Indiquez comment l'influence de la mère ou de la femme dans une famille française est très grande en dépit des apparences.

II

1. Qu'a dit le père Bourgeuil en se levant avec violence? 2. Pendant ce temps que faisait Mme Bourgeuil? 3. Qui leur fils Édouard avait-il épousé? 4. A quel lycée avaient-ils envoyé leur fils? 5. Quel héritage le père Bourgeuil voulait-il laisser à son fils? 6. A qui s'agissait-il de marier leur fils? 7. Avait-il reçu sa licence à l'âge de vingt-cinq ans? 8. Qu'est-ce que le père Bourgeuil avait dit à son fils en le chassant? 9. De quel salaire le fils vivait-il maintenant? 10. Qui avait fléchi le premier chez les Bourgeuil? 11. Quand la mère a osé parler à son mari de leur fils, qu'a-t-il répondu? 12. Comment finissaient toujours leurs discussions? 13. De quoi le père Bourgeuil accusait-il sa vieille? 14. Pourquoi le père s'en allait-il au café voisin? 15. Comment ses compagnons de jeu le traitaient-ils parfois? 16. Que se disait-il tout bas dans la nuit? 17. De quelle humeur était-il quand il s'est réveillé tard le jour de Pâques-Fleuries? 18. Quels renseignements Mme Bourgeuil avait-elle pris? 19. Combien le père Bourgeuil dépensait-il par mois en argent de poche? 20. Que lui est-il arrivé quand il se faisait la barbe? 21. Quel costume avait-il gardé? 22. Que portait la mère Bourgeuil en revenant de la messe? 23. Quel souvenir ces rameaux ont-ils suggéré au père? 24. Au-dessus de quelle photographie la mère a-t-elle attaché un petit rameau? 25. Quand l'odeur du buis grise le père Bourgeuil,

assommé overcome *défaillir* to sink *la bête* fool
sangloter to sob

[39]From *Contes tout simples.* Publication authorized by Librairie Alphonse Lemerre, Paris.

que dit-il à sa femme? 26. Combien de couverts va-t-on mettre pour le dîner de Pâques-Fleuries?

DISCUSSION *The Family*

1. While M. and Mme Bourgeuil have been able to enter the class of skilled workers, have they still retained some of their peasant manners and habits? Do you believe that a person may rise socially and yet discard all evidence of his previous social status? Would he be happier by remaining within his own group?

2. In view of the sacredness of the inheritance in France, the reader should observe the nature of the threat with which father Bourgeuil greets the announcement that his son is to marry his Latin Quarter sweetheart. Does he threaten to cut off his son completely?

3. Can you think of ways in which the custom of the dowry is advantageous to the new wife as well as to the new husband? Should there be laws, as in France, governing the husband's use and title to the dowry?

4. It appears that juvenile delinquency, except among the very poor, is relatively infrequent in France. Do you think that the close relationship between parents and children has anything to do with that fact?

5. The French traditionally honor the dead members of their family more formally than we. They wear mourning (*deuil*) and partial mourning (*demi-deuil*) sometimes for a full year; they place *ex voto* (*vœux*) or commemorative tablets on the walls of their churches; they publish tributes to the dead in newspapers; and they attend the graves more regularly than we. The French even raise their hats when an unknown funeral cortège passes by. Does the lack of such reverence in America indicate that no such family spirit exists here?

11

RELIGION AND THE CHURCH

THE PLACE of religion and the Church in France is another of the paradoxes which often confuse those who are not French. Yet it is not difficult to understand. The Frenchman's aspiration toward an all-inclusive inner life; his sense of awe in the presence of the mysteries of the universe; his recognition of the importance of institutions modifying or sublimating his individualism; his combination of realism and idealism, of practicality and often mysticism, of aesthetic and moral values, all a part of the Catholic Church as well, form within him a bond with religion. Other factors also explain the continued importance of the Church: the intimate way it associates social and sociological missions with religious functions; the central place accorded by it to the family as an institution; the ancestral memory of its important role in the Middle Ages as the symbol of unification inherited from Rome and continued in the idea of French nationality to which it lent its prestige and resources; its valuable contributions to art, music, literature, science, philosophy, social service and missions, explorations, and scholarship; and finally, but not least important, the great devotion of its priests to their parishioners.

On the other hand, there exists among numerous Frenchmen a strongly anticlerical attitude which develops frequently into religious skepticism. The causes for this hostility include charges of occasional spiritual decline directed at the upper levels of the hierarchy; its dogmatism and intolerance of nonconformism within its own ranks; its former exercise of and insistence upon special economic and political privileges; past antagonisms towards other Christian or non-Christian faiths in a country exceptionally proud of its traditions of tolerance and independence of mind; long resistance to certain phases of modern thought and science, considered by many Frenchmen to be inherent in the idea of human progress; and an occasional tendency in the past to oppose the democratic tradition and to support the Army or monarchical restoration in a country where workers, intellectuals, and artists are predominantly liberals or even radicals. Yet it would be a decided error to believe that atheism is prevalent. Such a form of extreme dogmatism would be repugnant to the majority of Frenchmen.[1] Moreover, the Catholic Church has generally been farsighted in adapting itself to French needs and characteristics. One should note the Gallicanism of the seventeenth and succeeding centuries, whereby French Catholicism obtained from the Papacy and retained a number of special privileges, although without undermining a deep loyalty to the Mother Church. Here again one may realize the depth of the spirit of independence in France. Yet this French Catholicism was the heart and soul of the Crusades, during which men fought, as did Jeanne d'Arc later, for Christendom as well as their native land. France has also provided the Church with an extraordinary number of saints and socially minded religious orders, both in the Middle Ages and in modern times. Among the latest are the recent worker-priests. The history of France is indeed intimately mingled with that of the Church, which is revered by millions, nominally followed by other millions, and held in respect by many who frequently oppose it. Such devout Catholics as Charles Péguy, Marc Sangnier,

[1]This attitude toward dogmatism (or unyielding rigorism) may account in part for the relatively small number of Protestants (perhaps 800,000) in a country which, like Protestantism, stresses the importance of individual conscience. French descendants of the Huguenots have not forgotten the persecutions to which they were formerly subjected, with the result that they have often been considered rather clannish and doctrinarian. However, despite their limited numbers, they have made important contributions to the economic, political and literary life of France, from the Reformation figures of Calvin and Coligny to such contemporaries as André Gide (though, in many ways, a severe critic of Protestantism), Jules and André Siegfried, André Chamson, André Philippe, Jean Schlumberger, and the revered doctor, missionary, and musician Albert Schweitzer, whose books are widely read in the United States.

There are perhaps no more than 300,000 Jews in France, but they include, in recent times, such prominent figures as Henri Bergson, Marcel Proust, André Maurois, Max Jacob, Léon Bloy, Léon Blum, Darius Milhaud, and Pierre Mendès-France.

For the past hundred years France has been a haven for religious as well as political dissenters of all kinds, as would be expected in a country proud of its tolerance and respect for the rights of the individual. Complete religious freedom is assured by law, and there is strict separation of church and state. A beautiful Mohammedan mosque and many other centers of exotic worship are to be found in Paris.

The tradition of Voltairean deism has remained widespread but unorganized, except for many Freemasons, who are numerous among the workers. Although real atheism is not very frequent, except among Communists and doctrinaire intellectuals, there are many convinced agnostics and a great many who are indifferent to religious problems, in France as elsewhere in our contemporary world. The fact remains that there is ample evidence of strong spiritual forces at work in present-day France.

and Abbé Pierre are considered political "leftists." A strong, growing Catholic labor union is becoming increasingly influential; one of the most important political parties (Mouvement Républicain Populaire), to which Georges Bidault belongs, is Catholic and liberal. Good examples of strong resistance to hierarchical authority within the Church are to be found today in the cases of the worker-priests, mentioned above, and of the Catholic publication *La Quinzaine*, both displaying a rugged spirit of independence and liberalism in the face of heavy pressures. In sum, it can be emphatically stated that Catholicism in France remains exceptionally alive and creative.

"Les Deux Saints," by the versatile critic and *conteur* Jules Lemaître (1853–1914), provides innumerable realistic glimpses of small-town life as it centers around the Church and its activities, seen through the sympathetic but skeptical eyes of the author. Saint Vincent is considered a "specialist" in a community of specialists. He is the patron saint of local vineyards and the wine industry,[2] having such interests at heart, according to the belief of many parishioners. They are deeply attached by habit, gratitude, and affection to his paternal statue because it "respirait la bonhomie et la gaieté" and because "ils le sentaient plus près d'eux et plus capable de les comprendre."

Since the young priest in "Les Deux Saints" lacks the discernment of his predecessor, he fails to understand his flock. He does not grasp its typical tendency to desire that religion be brought close to its daily work and pleasures, on the model of the Bible, whose parables and symbolisms stem from the good earth and the fruits thereof. French independence of mind, even among the faithful, reappears here in the way the parishioners support the outwardly sacrilegious acts of the young "freethinker" whom the curé considers a revolutionary, an atheist, and even a Freemason! They silently make fun of the priest in church because he does not live up to their ideal. Yet they are no less loyal Catholics in so doing. This is illustrated by the case of the charming, ingenious

[2]The French wine industry has been in difficulty in recent years because of overproduction and pressure to use all available soil for purely nutritional purposes. A decrease in domestic consumption and unfavorable foreign rates of exchange, together with an increasing concern over the dangers of alcoholism, are other factors. However, it must be emphatically noted that, by conviction and experience, the great majority of Frenchmen are temperate drinkers.

Lucile, an active church worker, who nevertheless plans to marry the nonconformist Jean-Louis and co-operates with him to thwart the curé in his ill-considered acts.[3] The story ends in an amusing but symbolic French compromise, satisfying everybody and suggested by the inexperienced curé himself, who is learning rapidly and who is "au fond un bon homme."

If not all the details of this first narrative are pleasing to Catholics, the same could hardly be said of "Histoire pascale," a story written by the ardent champion of Breton regionalism, Anatole Le Braz (1859–1926). The old priest of this tale typifies the historical attitude of many of his associates by welcoming at first the French Revolution, with its promise of justice and fraternity, but then opposing it when it seems unworthy of that trust. We follow him as, at the risk of his life, he performs his pastoral tasks, bringing to his followers a love of people and flowers, sly humor, and enjoyment of a joke (especially when it will benefit his flock). He displays homely common sense, almost supernatural ingenuity, tireless devotion, and unassuming courage. We can readily understand how priests like him, closely tied to their parishioners, have been a tower of strength through revolution and disaster. For example, during the last war, priests played an essential and heroic part in the Resistance movement, and today such groups as the *Mission de France* whose members work in the factories and Abbé Pierre's *Compagnons d'Emmaüs*, living in the slums, are highly respected by the poor.

[3]The character of many French "common people" is well represented by the brutally frank but intelligent and good-hearted Jean-Louis, as well as by Lucile, with her pluck and initiative, her keen knowledge of masculine psychology, and her capacity to influence it. She possesses an adaptability which permits her, though a simple "lingère" and "fille du peuple," to acquire a certain social ease or "savoir faire." As usual in semirural France, this couple mingles with others from higher economic levels without any appreciable feeling of inferiority.

Les Deux Saints

Le petit village de Champignol-les-Raisins[1] avait un vieux curé, une vieille église et, dans cette église, un vieux saint.

Le saint, c'était saint Vincent, patron des vignerons. Il était en bois, semblait taillé à coups de serpe, avait un gros ventre, une
5 large face naïvement peinte en vermillon et qui respirait la bonhomie et la gaieté, une trogne de vigneron au temps des vendanges. Il n'était pas joli, joli,[2] mais le curé et ses ouailles étaient habitués à sa figure. Le bon saint jouissait de la plus grande considération dans la paroisse, et il le méritait bien, car il faisait couramment des
10 miracles.

Le vieux curé mourut. Un jeune prêtre tout frais émoulu du séminaire vint s'installer au presbytère de Champignol, avec une vieille fille de trente-cinq ans qui était sa sœur, et un gamin de dix à douze ans qui était son neveu et à qui il montrait le latin.

15 Lorsque l'abbé Jubal (c'était le nom du nouveau curé) vit la statue de saint Vincent, il la trouva « indécente »—ce fut son mot—, et comme la fabrique de l'église avait justement une centaine de francs d'économies, il résolut de remplacer le vieux saint par un saint tout neuf.

20 Il se rendit au chef-lieu du département[3] dans le plus grand secret,

le patron patron saint
le vigneron vine-grower
la serpe billhook
la bonhomie good nature
la trogne large red face
la vendange grape harvest
ouailles (f. pl.) flock
la paroisse parish
couramment readily
frais émoulu de fresh from
le presbytère rectory
la vieille fille old maid
le neveu nephew
montrer to teach
la fabrique treasury
le chef-lieu governmental seat
le secret secrecy

[1] *Champignol-les-Raisins*, an imaginary village.
[2] Repetition of *joli* for emphasis.
[3] *le département*, an administrative division of France.

car il voulait ménager une surprise à ses paroissiens. Là il fit emplette d'un saint Vincent moderne, sorti des ateliers[4] de Bouasse-Lebel:[5] un jeune diacre tout rose, tout blond, frisé au petit fer, avec du doré le long de sa dalmatique; et, la veille de la fête patronale, il le hissa à la place du vieux, dans la niche au-dessus de l'autel. Quant au bonhomme de saint ainsi détrôné, il le déposa sans nul égard dans un coin de l'église, auprès du confessional. Il avait d'ailleurs préparé pour cette occasion un fort beau panégyrique du patron de Champignol-les-Raisins, et comptait sur un succès.

L'abbé Jubal se trompait. Quand ses paroissiens s'aperçurent de la substitution, un long murmure courut dans l'église. Et lorsque le curé, monté en chaire, voulut expliquer son coup d'état et osa qualifier de « simulacre inconvenant » l'antique statue vénérée des Champignollais, les bourdonnements redoublèrent. Surtout ce mot de « simulacre » parut une injure insupportable à une partie de l'auditoire. Tant, que l'orateur, décontenancé, s'embrouilla dans une période, et, bredouillant: « c'est ce que je vous souhaite de tout mon cœur, amen, » descendit sans achever son discours.

Il se forma deux partis dans la paroisse. Quelques-uns, séduits par les couleurs tendres et la figure poupine du nouveau saint Vincent, approuvaient monsieur le curé. Mais la plupart des Champignollais n'avaient aucune confiance dans ce joli diacre bien coiffé[6] et restaient attachés au vieux saint rubicond et paterne par

ménager to prepare
faire emplette de to purchase
le diacre deacon
rose pink
frisé au petit fer tightly curled
le doré gilt
la dalmatique tunic
la fête patronale patron saint's day
hisser to hoist
un autel altar
le panégyrique laudatory speech
se tromper to be mistaken
la chaire pulpit
le coup d'état radical action
qualifier to designate
le simulacre idol
inconvenant improper
le bourdonnement whispering
une injure insult
un auditoire audience
décontenancé disconcerted
s'embrouiller to become entangled
la période sentence
bredouiller to mumble
séduit charmed
poupin rosy-cheeked
rubicond ruddy
paterne benevolent

[4]*sorti des ateliers*, from the workshops. [5]*Bouasse-Lebel*, specialists in religious statuary and books. [6]*bien coiffé*, with its well-dressed hair.

les liens de la gratitude et de l'accoutumance, et aussi parce qu'ils le sentaient plus près d'eux et plus capable de les comprendre.

Ce fut surtout parmi les jeunes filles du catéchisme de persévérance[7] que la lutte fut vive. Celles qui tenaient pour le nouveau 5 saint avaient à leur tête Mlle Ursule, la sœur du curé, une personne anguleuse et revêche. Les autres étaient menées par Lucile Mariot, une brunette de vingt ans, lingère de son métier[8] et qui allant souvent en journée chez des bourgeois, y avait pris des petites manières aisées et plus de hardiesse qu'on n'en trouve d'ordinaire 10 chez les filles de la campagne.

Lucile Mariot, suivie de sa bande, fit auprès du curé, en faveur du vieux saint, une démarche qui resta inutile. L'abbé Jubal les reçut même assez sèchement.

Mais Lucile était une fille de tête.[9] Elle avait un amoureux, 15 Jean-Louis, un fort gars de façons un peu brusques, au reste franc comme l'or, et qu'elle menait par le bout du nez. Elle lui remontra que de bons chrétiens ne pouvaient tolérer l'outrage infligé par l'abbé Jubal au patron de la paroisse et qu'il fallait agir énergiquement.

20 Jean-Louis n'avait guère de religion et n'allait à la messe que le jour de Pâques. Mais il croyait tout de même un peu au vieux saint, et surtout il croyait aux beaux yeux de Lucile.

—Sois tranquille, ma petite. Moi, d'abord, je ne connais qu'un saint Vincent. Ainsi!...

25 A quelques jours de là Jean-Louis, revenant des vignes à la nuit tombante, sa pioche sur l'épaule, rencontra le neveu du curé, qui polissonnait sur la place avec d'autres gamins:

—Germain! sais-tu où ton oncle met la clef de l'église?

une accoutumance habit
revêche bad-tempered
la lingère seamstress
aller en journée to work by the day
aisé easy-going
la hardiesse boldness
d'ordinaire usually
faire une démarche auprès de to approach
sèchement bluntly
le gars young fellow
au reste yet
franc comme l'or as open as a child
remontrer to point out
le jour de Pâques Easter
polissonner to run about
le gamin young boy

[7] *le catéchisme de persévérance*, religious instruction given following the First Communion.
[8] *de son métier*, by trade. [9] *une fille de tête*, a strong-willed, capable girl.

Georges Rouault Collection. Photograph by Yvonne Chevalier

"Notre Jeanne," by Georges Rouault (born 1871)

This tribute to France's patron saint is typical of the art of M. Rouault, a distinguished Catholic painter whose works combine the forms of modern pure art, subtle suggestion, and fervent feeling.

—Oui, Monsieur.

—Veux-tu gagner deux sous?

—Oui, Monsieur.

—Alors, va me la chercher, sans que ton oncle s'en aperçoive, bien entendu. 5

—Oui, Monsieur.

Germain disait toujours « Monsieur », étant très bien élevé par son oncle. C'était d'ailleurs un précoce chenapan, comme le sont souvent les neveux de curés et les neveux de papes, par une ironie de la Providence. 10

L'enfant détala et revint au bout d'un instant, cachant une grosse clef sous sa blouse.

Jean-Louis prit une échelle dans une cour, ouvrit la porte de l'église, enleva le saint neuf, le mit dans un coin en lui tournant le nez du côté du mur, et réinstalla dans sa niche le vrai patron de 15 Champignol-les-Raisins.

Le lendemain, qui était un dimanche, l'abbé Jubal faillit tomber à la renverse. Puis la colère lui monta à la figure et, dans un prône violent, il dit leur fait « aux auteurs inconnus de cet exploit sacrilège. » Il parla d'audace scélérate et d'esprit de révolte et cita 20 l'exemple du juif foudroyé pour avoir touché à l'Arche.

Les deux tiers des assistants s'esclaffaient silencieusement.[10] Jean-Louis, qui était venu à la messe ce jour-là, pour voir, rayonnait de satisfaction. Lucile Mariot baissait les yeux d'un air confit,[11] et Germain, en[12] enfant de chœur, rigolait derrière le lutrin. 25

Mais Mlle Ursule était blanche de rage et elle dit tout haut en

précoce precocious
le chenapan scamp
le pape pope
détaler to scurry off
du côté de toward
faillir (plus infinitive) almost
tomber à la renverse to fall over backwards
le prône sermon
dire son fait à to say what one thinks of
une audace boldness
scélérat wicked
le juif Jew
foudroyé struck down
une Arche Sacred Ark of the Covenant
le tiers third
les assistants (m. pl.) audience
s'esclaffer (fam.) to laugh
rayonner to beam
le chœur choir
rigoler (fam.) to snicker
le lutrin lectern
tout haut aloud

[10]*s'esclaffaient silencieusement,* barely kept from bursting out laughing. [11]*d'un air confit,* pretending to be devout. [12]*en,* dressed as a.

sortant de l'église que ceux qui avaient osé faire un coup pareil étaient des révolutionnaires, des athées et des franc-maçons.[13]

Tout de suite après la messe l'abbé Jubal fit remettre par le bedeau le jeune saint dans la niche et le vieux dans le coin du 5 confessionnal. Et parmi ce va-et-vient et tous ces changements de fortune, le vieux saint gardait son sourire indulgent d'ivrogne, comme si sa bonté séculaire le maintenait impassible au-dessus des orages; et le jeune saint gardait son sourire de petit-maître, comme s'il lui suffisait d'être frisé et de se sentir joli homme. Et ces deux 10 saints étaient assurément deux sages.

Cependant les mots aigres de Mlle Ursule, et la réinstallation du petit diacre qui, dans sa niche, semblait les narguer, avaient redoublé l'exaspération des amis du vieux saint. On était en carême. Les filles, deux fois par semaine, se rendaient au salut 15 après l'Angélus. Or, près de la porte de l'église était la « cambuse ». On nommait ainsi une maisonnette assez minable louée par les conscrits de l'année, et où, suivant l'usage, les jeunes gens se réunissaient le soir pour boire du vin du pays et pour s'amuser honnêtement. A l'heure où finissait le salut, ils venaient tous sur la place 20 pour assister à la sortie des filles, et ceux qui avaient des amoureuses les reconduisaient chez elles en prenant le plus long.[14]

Peut-être y avait-il, ce soir-là, quelque chose de particulièrement revêche et provoquant dans les yeux gris et dans le nez pointu de Mlle Ursule quand elle passa devant la rangée des garçons. 25 Toujours est-il que, sans crier gare, Jean-Louis la saisit à bras le corps, l'enleva comme il eût fait d'un cotret de sapin, et, tandis

faire un coup pareil to do such a thing
un (*or une*) *athée* atheist
le bedeau beadle
le va-et-vient coming and going
un (*or une*) *ivrogne* drunkard
séculaire ancient
le petit-maître fop
assurément certainly
narguer to defy
le salut evening service
la cambuse drinking "joint"
minable dilapidated
le conscrit draftee
pointu pointed
toujours est-il the fact remains
sans crier gare without warning
à bras le corps around the waist
le cotret fagot
le sapin fir (tree)

[13]*franc-maçons.* In France many pious Catholics even today consider Freemasons as dangerously subversive individuals, since they have been traditionally anticlerical and politically leftish. Mlle Jubal goes to the extent of thinking that Freemasons are almost worse than atheists. [14]*le plus long*, the longest route.

qu'elle se débattait et agitait ses jambes sèches en criant « Jésus! » il l'emporta dans la cambuse au milieu des rires des conscrits.

Là on voulut, par plaisanterie, la forcer à boire à la santé du vieux saint Vincent. Elle continuait de se démener, et, Jean-Louis la tenant un peu rudement par ses bras maigres, elle poussait des 5 cris de pie en colère, quand Lucile Mariot entra dans la salle:

—Tu n'as pas honte, Jean-Louis? Je ne te croyais pas si mal élevé avec les dames. Écoute, tu vas laisser mademoiselle tranquille, et plus vite que ça!

Jean-Louis, penaud, lâcha la sœur de M. le curé. Avant de 10 franchir le seuil, Mlle Ursule se retourna et dit avec une grande dignité:

—Je vais me plaindre à la justice.

Elle ne se plaignit qu'à son frère qui, craignant le scandale, ne sonna mot de l'aventure. Mais les partisans du vieux saint com- 15 prirent qu'ils s'étaient mis dans leur tort et qu'une violence de plus perdrait leur cause. Pourtant ils ne voulaient pas faire leur soumission. Lucile Mariot eut alors une idée. Jean-Louis, stylé par elle, alla trouver l'abbé Jubal, et tout en tournant sa casquette:

—Monsieur le curé, je n'ai pas eu raison l'autre jour. C'était 20 pour rire, c'est vrai, mais je n'ai pas eu raison tout de même.

—J'accepte vos excuses au nom de Mlle Ursule, dit sévèrement l'abbé Jubal.

—Merci bien, monsieur le curé. Entre honnêtes gens on finit toujours par s'entendre, et j'ai quelque chose à vous proposer. 25 Voilà la mère Guezitte qui a pris une pleurésie, et la mère Suzette qui est malade on ne sait pas de quoi, peut-être bien de vieillesse. Elles ont autant dire le même âge, étant à six semaines l'une de

se débattre to struggle
sec thin
par plaisanterie for a joke
se démener to struggle
la pie magpie
avoir honte to be ashamed
laisser tranquille to leave alone
plus vite que ça be quick about it
penaud crestfallen
la justice law
ne sonner mot not to breathe a word
dans son tort in the wrong
la violence act of violence
faire sa soumission to surrender
stylé trained
la casquette cap
pour rire in fun
s'entendre to come to an understanding
prendre une pleurésie to be stricken with pleurisy
la vieillesse old age
autant dire so to speak

l'autre.[15] La mère Guezitte a confiance en notre saint Vincent, et la mère Suzette a foi au vôtre. Allumez un cierge pour Suzette, nous en allumerons un pour Guezitte, et celui des deux saints qui guérira sa malade sera le bon et aura droit à la niche. Ça vous 5 va-t-il?[16]

L'abbé Jubal était au fond un bon homme. Il songeait qu'il avait eu, lui aussi, quelques torts, et puis il savait gré à la promise de Jean-Louis de ce qu'elle avait fait pour Mlle Ursule. Il répondit onctueusement:

10 —Mon fils, il est à souhaiter que les images des saints répondent autant qu'il se peut à l'éminente dignité dont ils sont investis dans le ciel. Il importe donc qu'elles soient décentes et même agréables aux yeux du corps. Le simulacre antique, cause première de ce regrettable différend, outre qu'il est peu propre à inspirer des 15 sentiments de piété, est pour affliger le regard des gens de goût. C'est pourquoi j'avais voulu le remplacer par une effigie plus artistique. Mais enfin ce n'est pas une statue qu'on prie, c'est le saint qu'elle représente. Je consens donc à ce que vous me proposez.

—C'est entendu, fit Jean-Louis. Mais vous avez beau dire, 20 monsieur le curé, c'est bien un peu la statue qui fait les miracles, et plus elle est vieille, plus elle en fait. Parce que, voyez-vous, le saint finit par être dedans. C'est mon opinion.

Chacun des deux partis veilla avec jalousie sur sa malade, ne laissant approcher d'elle que les personnes du même camp. Mlle 25 Ursule se chargea de Suzette, et Lucile Mariot de Guezitte. Quoique Mlle Ursule eût confiance au jeune saint, elle fit boire à sa malade de l'eau de Lourdes;[17] et quoiqu'elle eût foi en l'eau de

le cierge wax candle used in churches
avoir quelques torts to be somewhat in the wrong
savoir gré to be grateful
la promise fiancée
répondre to correspond
le différend difference of opinion
outre que not to mention the fact that
le regard eyes
de goût cultured
se charger de to assume responsibility for

[15]*étant . . . l'autre,* being born only six weeks apart. [16]*Ça vous va-t-il?* Is that agreeable to you? [17]*Lourdes,* town in southwestern France near the Spanish border, famous as a place of pilgrimage, particularly for the sick and disabled, who pray for a miraculous cure at its shrine and grotto. The water of Lourdes is also supposed to have curative qualities. It was here that Bernadette is said to have seen the vision of the Virgin Mary (1858).

Lourdes, elle fit venir l'officier de santé.[18] Lucile allait en faire autant; Jean-Louis l'en empêcha et fit prendre à Guezitte des rôties au vin et des brûlots à l'eau-de-vie de marc,[19] alternativement.

Et c'est sans doute pour cela que Guezitte mourut un jour après Suzette. 5

En somme, la question n'était pas tranchée. L'abbé Jubal proposa un compromis. Le vieux saint Vincent garderait sa niche; on en creuserait une autre au-dessus pour le nouveau.

—Pourquoi au-dessus? demanda Lucile.

—Le vôtre sera plus près des fidèles, répondit le digne prêtre, 10 et le mien plus près de Dieu.[20]

en faire autant to do likewise
la rôtie au vin piece of toast dipped in wine
en somme in short
tranché settled
creuser to cut out

[18]*officier de santé*, medical practitioner authorized to practice without a degree. No longer exists. [19]*des brûlots . . . marc*, pieces of sugar burned with white brandy (*le marc*, pulp of grapes). This and the *rôtie au vin* are popular "home remedies," especially in wine-making regions of France. [20]From *Sérénus*, Librairie Alphonse Lemerre. Publication authorized by Madame Myriam Harry. For questions, see pages 172–174.

Histoire pascale

I

A TROIS quarts de lieue environ, en aval de Lannion, sur le Léguer,[1] jolie rivière chantante qui réfléchit dans son courant quelques-uns des plus beaux sites de la Bretagne, se voit le vieux moulin de Keryel, avec sa toiture moussue et gondolée, sa tourelle toute 5 feuillue de lierre d'où s'envolent chaque matin des nuées de pigeons, et ses deux roues à aubes, taillées dans des chênes massifs, solides encore et abattant de belle besogne, sans trop geindre, malgré leurs cent vingt ans révolus.

Elles étaient toutes neuves, les braves roues, et d'une jaune 10 couleur de bois fraîchement ouvré à l'époque où se passait cette histoire. C'était au printemps de 1793, un samedi d'avril, ou, comme on disait alors, un sextidi de germinal,[2] vers le soir. Il avait plu dans la journée, mais le vent qui s'était levé avait chassé les nuages, en sorte qu'il ne traînait plus maintenant, dans le ciel 15 nettoyé, que quelques flocons épars.

pascal Easter
en aval downstream
le moulin mill
la toiture roof
moussu moss-covered
gondolé warped
la tourelle turret
feuillu leafy
le lierre ivy
la nuée flock (cloud)
une roue à aubes paddle wheel
abattant de belle besogne finishing a lot of work
geindre to groan
révolu (of time) completed
ouvré worked
plu rained
en sorte que so that
nettoyé clear (cleaned)
le flocon wisp
épars scattered

[1]*Lannion*, a beautiful old Breton town of about 6000 inhabitants located near the English Channel. Numerous pre-Renaissance houses and a twelfth-century church remain intact. The Léguer river valley is one of the most picturesque areas of Brittany. [2]Refers to the date according to a calendar devised by the French revolutionists (sixth day of the decade in the month of Germinal).

—La lessive est finie, dit en son pittoresque langage maître Jean Derrien, le meunier; voilà les draps qui sèchent!... Tout de même, il se pourrait bien que Dom[3] Karis nous arrive détrempé par l'averse... Fais bon feu, Mar'Yvonne.[4]

Debout, en bras de chemise, sur le seuil de la porte, il regardait onduler sur le coteau d'en face les verdures naissantes, saupoudrées de gouttes de pluie que le soleil couchant faisait étinceler comme des myriades de joyaux. 5

C'était un gaillard robuste que maître Jean Derrien, carré de la tête, carré des reins, carré de toute sa personne; jovial, du reste, et gardant le goût du rire, même en ces temps troublés. 10

Derrière lui, dans la cuisine, allait et venait sa femme Mar'-Yvonne, vaquant aux apprêts du souper.

Petite et menue, elle trottinait d'un pas léger de souris.

—Ne t'inquiète de rien, lui répondit-elle: Dom Karis trouvera flamme claire et soupe chaude... Pourvu, du moins, qu'il n'ait pas eu, en route, d'autre désagrément que l'ondée! 15

—Ta, ta, fit le meunier, le vieux *recteur*, avec sa douceur de mouton, sait au besoin se faire renard pour dépister les loups...

Tout soudain, comme il venait de s'abriter les yeux avec la main pour voir au loin, dans la direction de l'occident, il s'écria: 20

la lessive washing
se pouvoir to be possible
détrempé soaked
une averse shower
en bras de chemise in shirt-sleeves
onduler to sway
le coteau hill
la verdure vegetation
naissant new(born)
saupoudré sprinkled
couchant setting
étinceler to sparkle
le joyau jewel
le gaillard fellow
carré square
du reste moreover
vaquant à occupied with
un apprêt preparation
menu slim
trottiner to scamper about
la souris mouse
s'inquiéter de to worry about
pourvu que provided that
le désagrément unpleasantness
une ondée shower
ta, ta don't worry
le recteur (Breton dialect) priest
au besoin if necessary
le renard fox
dépister to throw off the track
le loup wolf
abriter to shade
un occident west

[3]*Dom*, a title ordinarily given to members of a religious order, but occasionally used to address a member of the lower clergy. [4]*Mar'Yvonne* = *Marie Yvonne*. Bretons will often drop the last syllable of a word. Indeed, many Bretons still prefer to speak among themselves their ancestral Celtic tongue, related to that of the Welsh, Irish and Scotch. Its continued use is a manifestation of the intense spirit of Breton regionalism mentioned below (p. 165, note 27).

—Eh! pardieu, je veux être damné si ce n'est pas lui que j'aperçois, descendant la côte de Sainte-Thècle,[5] déguisé en mendiant!...

—Ce n'est pas une raison pour blasphémer, Jean Derrien, observa Mar'Yvonne de son ton discret.

5 Elle se hâta vers l'âtre, jeta une brassée de copeaux dans le feu et se mit à écumer le bouillon qui trottait dans la grande marmite. Le meunier, lui, s'en alla en sifflotant à la rencontre du vénérable messire Dom Karis.

II

Un prêtre d'autrefois, ce Dom Karis, ci-devant recteur de Plou-10 bezre.[6] Ainsi que la plupart des membres du bas clergé en notre pays, il avait été des premiers à saluer l'aube de la Révolution[7] comme le signal d'une ère nouvelle, toute de justice féconde et de généreuse égalité. « Dieu le veut! » avait-il crié, dans un sermon célèbre, du haut de sa chaire paroissiale, le dimanche qui suivit la 15 prise de la Bastille.[8] On l'en plaisanta plus tard, quand le cours des choses se fut précipité, emportant les principes mêmes au nom desquels le mouvement s'était d'abord accompli. « Ah! ah! lui disait-on, vous avez changé de façon de voir,[9] Dom Karis! » — « Nullement, répondait-il. J'ai tenu la Révolution sur les fonts 20 baptismaux, et je m'en vante: ce n'est point ma faute si elle a mal tourné. » Il refusa le serment, mais n'accepta pas non plus d'émigrer.[10] Son évêque, Mgr le Mintier, le pressant de l'accompagner

le mendiant beggar
la brassée armful
le copeau shaving
écumer to skim
le bouillon broth
trotter to bubble
la marmite kettle
siffloter to whistle softly
messire sir
ci-devant formerly
bas lower
fécond bountiful
généreux noble
paroissial parish
se précipiter to rush on
tenir . . . sur les fonts baptismaux to stand godfather to
mal tourner to go wrong
accepter de to consent
non plus either

[5] *Sainte-Thècle,* one of the first female martyrs. She was converted by Saint Paul. French women have played and continue to play a very important part in the Church, for instance, in the "Little Sisters of the Poor" and in the Saint Vincent missions, whose devoted work for orphans, the poor, and the sick ever since the seventeenth century is so well known and respected in America, as it is, of course, in France, where both of these orders originated. [6] *Ploubezre,* town about two miles from Lannion. [7] French Revolution (1789–1793). [8] The capture of the Bastille, a State prison, and its destruction was the first major event of the French Revolution. [9] *vous . . . voir,* you have changed your point of view. [10] In 1791, the Legislative Assembly decreed that the clergy must take an oath (*le serment*) to support the new republican constitution. Many refused, preferring to emigrate (*émigrer*) or to risk arrest in France.

dans sa fuite, il lui écrivit ces simples mots, non peut-être sans ironie: « Un évêque peut s'en aller: il n'a que des liens spirituels avec son diocèse. Mais moi, j'ai toutes mes ouailles suspendues à mes basques. Lors même que je voudrais les lâcher, elles ne me lâcheraient pas... » Il quitta son presbytère, pour laisser la place libre à son 5 successeur constitutionnel,[11] mais demeura dans la région, invisible et toujours présent.

Il excellait à être partout et nulle part.

Dans les premiers temps de la « persécution », comme il disait, quelques administrateurs trop zélés du district lancèrent une 10 dizaine de « citoyens[12] » à ses trousses, avec ordre de le ramener pieds et poings liés à la prison de la ville. Lesdits citoyens furent si peu aimablement accueillis sur le territoire de Ploubezre qu'ils s'empressèrent de rentrer à Lannion dare-dare, jurant qu'ils avaient vu parfois trente-six mille chandelles,[13] mais pas l'ombre de Dom 15 Karis.

On finit par où l'on aurait dû commencer. On laissa en paix ce vieillard.

Il avait près de soixante-dix ans.

Mais qu'il était donc resté alerte, et jeune, et vivant! 20

De jour et de nuit, par vent, grêle ou soleil, il se multipliait à travers sa paroisse. Il baptisait ici, confessait là, extrémisait plus loin, se prodiguait à tous, arpentant les routes, franchissant les talus, de ses longues jambes infatigables, sous les déguisements les plus

la basque coattail
le presbytère rectory
nulle part nowhere
zélé zealous
lancer to send out
la dizaine about ten
à ses trousses in pursuit of him
ledit the aforesaid
peu aimablement unpleasantly
dare-dare posthaste
la grêle hail
se multiplier to be in half a dozen places at once
extrémiser to give extreme unction
se prodiguer to give oneself unsparingly
arpenter to walk along
franchir to jump over
le talus bank

[11]*i.e.*, one who had taken the oath to uphold the constitution. [12]The revolutionary title was *citoyen* (citizen), to replace the *monsieur*, etc., of the monarchy. [13]The expression *voir des chandelles* may become, for emphasis, *trente-six* or *mille* or *trente-six mille chandelles*. Translate "to see stars." The citizens, in other words, were roundly beaten. Strife between the Bretons and those Frenchmen who supported the new revolutionary government was not limited to minor skirmishes. Hugo, in *Quatre-vingt-treize*, and Balzac, in *Les Chouans*, relate the massive, heroic resistance of the Bretons to soldiers of the Revolution.

variés, tantôt maçon, tantôt ménétrier,[14] tantôt colporteur, cachant le pain-chant d'une hostie[15] entre les pages d'un livret de sans-culotte.[16]

Il disait parfois avec une pointe d'humeur sacerdotale:

5 —Mon remplaçant assermenté n'a vraiment pas grand'chose à faire, grâce à moi... Il devrait, au moins, me rendre le service de soigner, en mon absence, mes rosiers...

Le vieux prêtre errant et sans abri ne regrettait de son presbytère qu'une admirable collection de rosiers, le seul luxe qu'il se fût 10 jamais permis... Il souffrait de la voir négligée par celui qui occupait actuellement son ancienne et chère demeure.

Un jour, il ne put se tenir de pousser la porte vermoulue de l'enclos[17] contigu au cimetière et servant de jardin presbytéral. Il entra, la serpe en main, trouva son « confrère » qui lisait au frais, 15 vautré dans l'herbe folle, foisonnante comme en pleins champs.

—Tu as là une superbe plantation de rosiers, citoyen-curé.

—Possible! fit l'autre, indifférent.

—Oui, mais si tu n'y prends garde, chacun de ces sujets menace de retourner à sa nature primitive de sauvageon.

20 —Ah!

tantôt . . . tantôt now . . . now
le maçon mason
le colporteur peddler
sacerdotal priestly
le remplaçant substitute
assermenté who has taken the oath
le service favor
le rosier rosebush
errant wandering
vermoulu worm-eaten
contigu adjoining
la serpe billhook
le confrère colleague
au frais in the shade
vautré sprawling
l'herbe folle rank weeds
foisonnant plentiful
en pleins champs in the open fields
prendre garde to take care
le sujet grafted stock
le sauvageon wild stock

[14]*ménétrier*, fiddler. Migratory musicians are still frequent in France, somewhat as in the Middle Ages, and each locality in Brittany has its fiddlers, or especially bagpipe (*biniou*) players, who appear at all weddings and church festivals. The latter, many of which are called *pardons*, are numerous and colorful, the occasion for wearing the traditional costumes of Brittany. Even in everyday life many Breton women wear their *coiffes*, or headgear, which are picturesque and vary in shape from locality to locality. [15]*le pain-chant d'une hostie*, the unconsecrated bread changed into the Host in the Catholic Mass. [16]*un livret de sans-culotte*, an identity booklet carried by the *sans-culottes*, so called because the revolutionaries or republicans wore the trousers of the common people, as contrasted with the *culottes*, or knee-breeches, of the aristocrats. [17]*l'enclos*, enclosure. In France walls or high hedges are more frequent than fences for private dwellings. They help to maintain the domestic privacy prized by most Frenchmen. Incidentally Dom Karis' love of flowers and expert care of them is very typical of the French, as a glance at the names of the varieties of roses in any American flower catalogue will attest.

—Parole de jardinier.

—Que veux-tu que j'y fasse?

—On les taille, parbleu!... Il y a dans le nombre, à ce que je vois, des variétés qu'il serait criminel de laisser perdre...

—Tu prêches pour ton saint.[18] 5

—Eh bien! non, citoyen-curé... La preuve, c'est qu'avec ta permission je vais te les tailler pour l'amour de l'art, tes rosiers...

Hip! Houp!... Les branchettes stériles furent élaguées, Dom Karis s'éloigna content, et, l'été d'après, les roses fleurirent...

Tel était l'homme au devant duquel s'acheminait Jean Derrien, 10 le meunier de Keryel.

Ils se joignirent à quelques pas du tronc[19] rustique où les pèlerins, de nos jours encore, ont coutume de déposer leur offrande en mettant le pied sur la « terre de sainte Thècle », avant de s'engager dans la sente qui, à travers prés, conduit jusqu'à la chapelle. 15

Pour tout autre qu'un de ses fidèles paroissiens, Dom Karis eût été littéralement méconnaissable.

Un feutre aux bords jadis retroussés, mais amollis et pendants par suite d'un long usage, par suite aussi des fréquentes inclémences du ciel breton, prolongeait une ombre propice sur sa figure émaciée, 20 toute brûlée et comme tannée au grand air. Une barbe hirsute lui mangeait les trois quarts du visage. Ses pieds nus étaient chaussés de sabots bourrés de paille de seigle. Une veste en peau de mouton

parole de on my word as a
le jardinier gardener
tailler to prune
la branchette little branch
élaguer to lop off
au devant de to meet
s'acheminer to wend one's way
le pèlerin pilgrim
une offrande offering
s'engager dans to enter
le paroissien parishioner
méconnaissable unrecognizable
le feutre felt hat
retroussé turned up
amolli softened
pendant drooping
par suite de as the result of
les inclémences (f. pl.) storms
prolonger to extend
propice propitious
au grand air in the open air
hirsute shaggy
manger to consume
chaussé shod
le sabot wooden shoe
bourré stuffed
le seigle rye
la veste jacket

[18] *Tu . . . saint,* You seem to be pleading in your own interest. [19] *le tronc,* alms box. The alms box and the path leading to the chapel for the use of pilgrims are very typical of Brittany. This province has many local saints whose legends have been chronicled in numerous books by the present author, Charles Le Goffic, and others. The pilgrimages are both picturesque and moving. See note 14 on *pardons.*

lui couvrait, tant bien que mal, les épaules, et ses braies en toile, rapiécées de morceaux des nuances les plus diverses, étaient retenues par une corde autour de ses reins. Il portait en bandoulière son bissac de « quêteur d'aumônes ».

5 —Comme vous voilà équipé,[20] monsieur le recteur! s'écria joyeusement le meunier.

—Chut! fit le prêtre, dehors appelle-moi Yann Divalo.

—Oh! une fois dans les prés du moulin de Keryel, il n'y a plus rien à craindre...

10 —C'est ce qui te trompe, interrompit vivement Dom Karis... Mais d'abord, rentrons. Je te dirai ensuite de quoi il retourne.

Quand il fut installé dans le fauteuil du maître, au coin de l'âtre, devant l'énorme flambée pieusement entretenue par les soins de Mar'Yvonne, il commença:

15 —Vous êtes ici dans un fond retiré, et le tic-tac de votre moulin vous empêche d'entendre les bruits du dehors... Mais moi qui cours les routes et dont c'est maintenant le métier d'être sans cesse aux aguets comme un sauvage, j'apprends les nouvelles... Elles sont mauvaises... Un bataillon d'Étampois[21] fouille en ce moment le

20 pays. Ce sont des barbares, des hommes sans foi ni loi. Ils saccagent, ils brûlent, ils tuent. Ils brisent à coups de marteaux les statues des saints, ils font de la pierraille avec nos christs, mais leur grande joie est de mettre la main sur un prêtre réfractaire... Il paraît qu'à quelques lieues d'ici ils en ont rôti un, comme un simple co-

25 chon de lait... Je pense toutefois qu'ils n'en ont pas mangé... Or,

tant bien que mal after a fashion
les braies (f. pl.) trousers
rapiécé patched
les reins (m. pl.) waist
en bandoulière across one's back
le bissac bag
le quêteur d'aumônes alms collector
chut! ssh!
de quoi il retourne what's up
un âtre hearth
la flambée blaze
entretenu kept
le fond retiré remote place
courir to roam
aux aguets on the alert
saccager to plunder
le marteau hammer
la pierraille rubble
le christ crucifix
réfractaire rebellious
rôtir to roast
simple ordinary
le cochon de lait suckling pig

[20]*Comme vous voilà équipé,* What a get-up you have on. [21]*les Étampois,* men from Étampes, a city of over 10,000 inhabitants, about 30 miles south of Paris.

ces brutes ont mon nom et ils me cherchent. Un de leurs détachements vient d'arriver à Ploubezre. Ce matin, je me suis approché du chef, en lui demandant la charité. Il m'a pris au collet, m'a secoué et m'a dit:

« —Découvre le gîte où se terre le ci-devant Dom Karis, et tu toucheras un assignat[22] de mille francs!

« J'ai répondu:

« —Ah! si j'avais su ça plus tôt!... Mais les gueux comme moi ont du flair. Je retrouverai peut-être la piste.

« —A la bonne heure! a fait l'homme; en attendant, tiens, bois-moi ça.

« Il me tendait une pleine écuellée de vin. Je l'ai vidée à sa santé.

—Pauvre monsieur le recteur! soupira Mar'Yvonne en joignant les mains.

—Mais non, repartit Dom Karis, le vin n'était pas mauvais, et j'en fus tout regaillardi... Je continue. « Vers midi, comme je me mettais en chemin pour venir vers vous, selon ma promesse, un groupe de soudards me dépassa, à peu près à la hauteur du bois de pins, presque au sortir du bourg.

« —Tiens, c'est notre mendiant de ce matin, dit l'un d'eux, celui-là même qui m'avait fait boire... Hé, vieux! est-ce bien par ici qu'on se rend à Keryel?

« —Au moulin?

« —Oui.

« —J'y vais moi-même et vous servirai, si vous voulez, de guide.

« —Inutile... Il suffit que nous soyons sur la bonne voie...

« Il ajouta, en clignant de l'œil:

la charité alms
le collet collar
le gîte hole
se terrer to burrow
ci-devant late
toucher to receive
le gueux beggar
avoir du flair to have a gift for nosing things out
la piste track
à la bonne heure! good!
une écuellée bowlful
soupirer to sigh
regaillardi cheered up
se mettre en chemin to set out
le soudard hardened old soldier
au sortir de on coming out of
bon right
cligner de l'œil wink

[22]*assignat*, promissory note of the revolutionary government, issued so prolifically that it soon became valueless.

« —Rappelle-toi, vieux... La récompense est de mille livres... Prends garde seulement de te laisser devancer[23]...

« —Ho! ho! fis-je, vous allez plus vite que moi, je le sais. Mais, tout de même, j'aurai peut-être découvert avant vous la retraite de 5 Dom Karis.

« —Nous verrons, dit l'officier.

« Et, sur ce, ils doublèrent le pas, riant et se gaussant... Je m'attendais à les trouver installés ici, et j'ai été agréablement surpris en voyant Jean Derrien arriver au-devant de moi avec sa mine de 10 tous les jours[24]... Ils auront probablement jugé à propos de faire quelques crochets à droite et à gauche vers les manoirs de Lezguern et de Kerbastiou. Mais il faut vous attendre à les voir arriver d'un moment à l'autre...

—Seigneur Dieu! s'exclama la meunière... Et moi qui ai 15 prévenu tous les voisins que vous célébreriez chez nous, cette nuit, l'office de Pâques!...

—N'était-ce pas chose entendue entre nous, Mar'Yvonne? fit doucement le recteur.

—Mais comment les avertir à présent qu'il y a contre-ordre?

20 —Je n'ai pas dit qu'il y eût contre-ordre, Mar'Yvonne.

—Quoi! vous vous imaginez que ces allées, ces venues[25] de gens dans nos alentours, à une heure si étrange, passeront inaperçues des soudards!... C'est donc votre mort que vous cherchez, monsieur le recteur?

25 —Ni ma mort, ni la vôtre, ni celle d'aucune de mes ouailles... N'ayez point d'inquiétudes, Mar'Yvonne... J'ai réfléchi à tout cela; nous allons en causer, Jean et moi; tout s'arrangera bien, j'en suis sûr... Vous, ne vous préoccupez que de faire bon visage aux

prendre garde de to be careful not to
doubler le pas to quicken one's pace
se gausser to joke
s'attendre à to expect
à propos appropriate
le crochet detour
la meunière miller's wife
un office de Pâques Easter mass
le contre-ordre counter-order
les alentours (m. pl.) neighborhood
inaperçu unnoticed
se préoccuper de to give one's attention
faire bon visage à to be friendly with

[23]*de te laisser devancer*, let anyone beat you to it. [24]*avec . . . jours*, looking the same as ever. [25]*ces allées, ces venues*, this coming and going.

Étampois. Qu'ils trouvent abondamment à manger, plus abondamment[26] à boire... Pour le reste, Dieu nous aidera.

S'adressant au meunier, il ajouta:

—Me voilà sec, Jean Derrien; la soirée est admirable; allons faire un tour par le courtil. 5

Ils sortirent dans la fraîcheur grise du crépuscule qui tombait.

III

QUAND ils rentrèrent au bout d'une demi-heure, Jean Derrien se frottait les mains, et, dans ses yeux vifs, une gaîté malicieuse brillait. Tout le personnel du moulin était attablé pour le souper, à savoir: un garçon meunier, une servante et le petit gardeur de vaches. 10 Mar'Yvonne avait déjà mis tout ce monde au courant des événements. Jean Derrien leur dit:

—Quoi qu'on vous demande de faire, ne vous étonnez de rien.

—Compris, grommela le garçon meunier, le nez dans son écuelle.

On mangea vite et en silence. 15

Le petit gardeur de vaches alla soigner ses bêtes, mais il reparut presque aussitôt pour annoncer que des gens ivres venaient par le sentier du bord de l'eau en chantant une chanson française.[27]

C'étaient les soldats du bataillon d'Étampes. Ils étaient quatre, dont trois semblaient avoir bu plus que de raison. Seul, celui que 20 Dom Karis appelait le chef ou l'officier avait conservé en partie son sang-froid.

—Où est le meunier? demanda-t-il dès le seuil, d'une voix rogue.

—C'est moi, fit en se levant maître Jean Derrien.

abondamment plenty
faire un tour to take a walk
le courtil garden
le crépuscule twilight
malicieux mischievous
le personnel staff
le souper supper
à savoir namely
le gardeur de vaches cowherd
mettre au courant to inform
quoi que whatever
s'étonner de to be astonished at
grommeler to mutter
une écuelle bowl
du bord de at the edge of
boire plus que de raison to drink to excess
le sang-froid composure
rogue arrogant

[26]*plus abondamment*, even more. [27]*une chanson française*. This was a clear indication that the singers were not Bretons. The people of Brittany have an exceptional sense of independence and are keenly aware of their long history as an autonomous state. They also possess an extraordinarily rich folklore, somewhat similar to that of the Irish, likewise of Celtic origin. Many of the native songs, with Breton words, are strikingly fascinating. Maurice Bouchor has arranged and published many of them.

—Fort bien. Tu vas nous loger ce soir.

—A ton service, citoyen-commandant. Nous sommes prêts à te céder, à toi et à tes hommes, tout ce que nous avons de lits. Mais auparavant chauffez-vous, si vous êtes transis; buvez, si vous avez 5 soif; mangez, si vous avez faim. Ma maison est la vôtre.

—Pas mal parlé, dit le chef d'un ton radouci... Mais sais-tu qu'on la prétend suspecte, ta maison?

—Qui prétend ça?... De mauvais payeurs, peut-être, pour qui j'ai refusé de moudre.

10 —Nous en recauserons... Toi, citoyenne, mets notre couvert.

Il s'approcha de l'âtre, reconnut Dom Karis qui s'apprêtait à quitter son escabeau pour lui faire place.

—Ah! c'est toi, mendiant?

—Oui, le moulin de Keryel a toujours été hospitalier. J'y ai, 15 quand je passe, ma couchée de paille à l'étable, articula le prêtre à voix haute.

Puis, plus bas, se penchant à l'oreille du soudard:

—J'ai appris du nouveau. Viens me rejoindre, dès que tu pourras, dans le bâtiment où l'on m'héberge, sous prétexte d'in- 20 specter le logis.

Ayant souhaité le bonsoir à chacun, Dom Karis gagna la porte.

L'étable où se rendit Dom Karis était située au fond de l'aire. C'était une construction assez spacieuse et dont l'intérieur témoignait, du moins pour l'instant, d'une singulière propreté. Les 25 bestiaux, d'ailleurs peu nombreux, avaient été relégués contre l'un des pignons, en sorte qu'on se fût cru dans une grange vide plutôt que dans une crèche, n'était[28] la fougère fraîchement renouvelée qui

le citoyen-commandant citizen-commander
auparavant first of all
transi chilled
radouci softened
le payeur payer
moudre to grind
mettre le couvert to set the table
un escabeau stool
faire place à to make room for
la couchée bed
articuler to utter
du nouveau something new
héberger to lodge
le logis house
une aire threshing floor
la construction building
témoigner de to display
la propreté cleanness
le bétail (bestiaux) cattle
le pignon gable end
la grange barn
la crèche manger
la fougère fern

[28] *n'était,* were it not for.

jonchait le sol. A l'un des angles opposés au coin des vaches, une charrette renversée sens dessus dessous formait une espèce de table que recouvrait une pièce de toile étendue là comme sur un séchoir. Dom Karis prit au râtelier une botte de paille et s'y coucha, après avoir placé son bissac sous sa tête, en guise d'oreiller. Puis, tout en égrenant dans sa poche son chapelet, il attendit. 5

Son attente ne fut pas longue.

La lueur d'une lanterne de corne rougeoya dans les ténèbres du dehors.

—Mendiant! héla discrètement une voix. 10

—Voilà, mon officier.

—Eh bien? interrogea le soudard en laissant retomber la claie qui fermait l'étable.

—Dom Karis est ici, j'en ai la certitude, foi de Yann Divalo! affirma le prêtre... Il ne tient qu'à nous de le pincer. Seulement, dame! il faudrait agir avec prudence. Pour peu que nous donnions le moindre éveil, il nous filera des mains comme une anguille. Et tes hommes, citoyen-commandant, en l'état où je les ai vus, me paraissent plus propres à compromettre le succès de notre entreprise qu'à la servir... 15 20

—Je les obligerai bien à se tenir cois.

—C'est quelque chose, mais ce n'est pas encore assez. Consentiras-tu à monter la garde toute la nuit en un lieu que je t'indiquerai?

—Indique.

—Viens donc et suis-moi; mais commence par éteindre ton fanal. 25

Dom Karis se glissa dehors, le long du mur de l'étable, feignant les précautions les plus minutieuses. Le sergent rampa derrière lui. Le fumier dont l'aire était couverte étouffait le bruit de leurs pas.

joncher to be strewn on
opposé à facing
sens dessus dessous upside down
le séchoir drier
le râtelier rack
en guise de by way of
un oreiller pillow
égrener son chapelet to tell one's beads
la lueur glimmer
la corne horn
rougeoyer to emit a reddish glow
les ténèbres (f. pl.) darkness
héler to call
la claie hurdle, gate inside a barn
foi de on the word of
tenir à to depend on
pincer to catch (pinch)
dame of course
pour peu que if only
un éveil warning
filer to slip
une anguille eel
se tenir coi to keep quiet
le fanal lantern
minutieux scrupulous
ramper to creep
le fumier manure

Ils franchirent un échalier, prirent une sente étroite qui serpentait à travers prés jusqu'à la rivière. On entendait un grand bruit d'eau.

—Attention! fit le prêtre. Nous sommes au barrage. Il nous faut passer de l'autre côté. As-tu le pied sûr au moins?

5 —Va toujours, grommela entre ses dents l'Étampois qui ne laissait pas de ressentir quelque appréhension devant cette large nappe sombre s'écroulant avec un tel fracas, mais n'en était pas moins résolu à aller jusqu'au bout.

De place en place, à longueur d'enjambée, des têtes de pierres 10 noires et ruisselantes émergeaient. Le prêtre se mit à sauter allégrement de l'une à l'autre, et fut bientôt sur la rive opposée. Il dut attendre quelque temps son compagnon. Vingt fois celui-ci faillit perdre l'équilibre, et, lorsqu'enfin il prit terre, ce ne fut pas sans un fort soupir de soulagement.

15 Maintenant, en face des deux hommes, se dressait une espèce de promontoire rocheux, hérissé ça et là de touffes de genêt et d'ajonc.

—Allons, fit le prêtre, nous touchons presque au but. Et déjà il montait, s'accrochant aux aspérités du granit, aux racines, aux brousses. Le sergent suivait, non sans pester. Ils atteignirent le 20 sommet, après une pénible ascension. Là, sur une plate-forme assez vaste, se voyaient des pans de murs en ruine, vestiges de quelque antique demeure féodale. Dom Karis souleva un épais rideau de lierre, et le sergent aperçut le trou béant d'une poterne ouvrant sur les premières marches d'un escalier souterrain.

25 —Voilà, dit le prêtre. Le petit gardeur de vaches du moulin m'a confié que le ci-devant recteur est caché là-dedans depuis près de

un échalier wooden fence
serpenter to wind
le pré meadow
attention! watch out!
le barrage dam
ne pas laisser de not to fail to
la nappe sheet of water
s'écrouler to fall
le fracas crash
résolu determined
de place en place at various spots
une enjambée stride
allégrement nimbly
un équilibre balance
prendre terre to reach ground
le soulagement relief
le promontoire cliff
rocheux rocky
hérissé bristling
ça et là here and there
la touffe clump
le genêt broom
un ajonc gorse
toucher to reach
s'accrocher to cling
une aspérité rough surface
la racine root
la brousse bush
pester to curse
la plate-forme level stretch of land
le pan section
le lierre ivy
béant gaping
la poterne postern gate
souterrain underground

huit jours. Les paysans de la région lui apportent de la nourriture, la nuit, environ sur le coup des deux heures du matin. Il se risque alors à sortir. Fais bonne garde et tu es assuré de t'emparer de lui. Mais attends qu'il soit dehors, sinon il aura tôt fait de disparaître sous terre par des voies ténébreuses et inextricables dont il connaît toutes les issues, mais où tu t'ensevelirais vivant, s'il te prenait fantaisie d'essayer de l'y poursuivre. Donc, prudence, patience, et vigilance!... Pour le moment regagnons le moulin. Tu feras semblant de te coucher avec tes hommes, dans la cuisine, et, vers minuit, tout le monde endormi, tu t'esquiveras pour te rendre ici derechef...

—Et toi? demanda le soudard quelque peu perplexe.

—Comment, moi?

—Oui, ton intention n'est pas de m'accompagner?

—Il ne manquerait plus que cela![29] Ce serait le moyen de tout faire rater... Si, tout à l'heure, on ne me trouvait allongé sur ma botte de paille, l'alarme serait vite donnée, et le ci-devant prêtre vite averti... Sans compter qu'un de ces jours il m'en cuirait fort[30] d'avoir voulu te livrer Dom Karis. Je ne tiens nullement à être haché en menus morceaux, ou jeté à l'eau, une pierre au cou...

Ce disant, le faux mendiant dévalait l'âpre pente; le soudard l'imita.

—Là, fit Dom Karis, quand ils furent sur l'autre rive du Léguer, maintenant séparons-nous. Prends le sentier qui côtoie l'eau. La lumière qui brille aux fenêtres du moulin te servira de phare. Bonsoir et bonne chance.

IV

LE VIEUX recteur était rentré depuis quelque temps dans l'étable, quand on gratta faiblement à la porte. Il alla ouvrir: c'était le petit gardeur de vaches.

la nourriture food
faire bonne garde to keep a sharp lookout
avoir tôt fait de not to take long
une issue outlet
s'esquiver to slip out
derechef once again
rater to miss fire
tenir à to be anxious
hacher to chop
menu tiny
ce disant with these words
dévaler to go down
cotoyer to skirt
le phare beacon
gratter to scratch

[29] *Il . . . cela!* That's just what we need! [30] *il m'en cuirait fort,* I would certainly have reason to repent.

—Je viens de la part de maître Jean, murmura l'enfant: il vous fait dire que tout va bien. Le chef est parti pour l'endroit que vous savez, et ses trois hommes, ivres-morts, ronflent comme des serpents[31] d'église.

5 —Dieu soit loué!... Quelle heure est-il?

—Minuit passé.

—C'est donc le moment... Aide-moi à terminer les derniers préparatifs.

Le vieillard plongea les mains dans son bissac, en tira successive-10 ment un crucifix de cuivre, un ciboire, un surplis, des fioles contenant le vin à consacrer... Le tout fut disposé sur la charrette renversée qui devait tenir lieu d'autel... Le pâtre sortit, puis revint avec deux longues chandelles de résine qui furent allumées en guise de cierges.

15 —Les gens sont dans le bois, qui attendent, dit-il.

—C'est bien... Que Jean Derrien donne le signal! répondit le prêtre, déjà revêtu de son surplis.

Peu après, un hou![32] strident, prolongé, d'oiseau de nuit retentit dans le vaste silence. Des formes d'hommes, de femmes, d'adoles-20 cents et de fillettes, surgirent en foule des profondeurs sombres.

—Entrez, entrez, disaient maître Jean et Mar'Yvonne: il y aura place pour tout le monde.

La grange ne tarda pas à s'emplir.

Dans le fond, les vaches, réveillées, soulevaient avec étonnement 25 leurs mufles graves.

Dom Karis se tournant vers l'assistance, lui rappela en quelques brèves paroles la solennité de la grande fête pascale. Puis la messe fut célébrée. Le petit pâtre faisait les fonctions d'enfant de chœur et

de la part de on behalf of
faire dire to send word
ronfler to snore
le ciboire ciborium (receptacle for consecrated bread)
le surplis surplice
la fiole vial
tenir lieu de to take the place of
un autel altar
le pâtre shepherd
le hou hoot of owl
strident shrill
la fillette girl
en foule in great numbers
tarder à to be slow in
le mufle nose
une assistance audience

[31]*le serpent*, serpent (musical wind instrument bent in serpentine form). [32]This was the signal ordinarily used by those opposing the revolutionists.

donnait les répons à l'officiant. Un groupe de jeunes filles entonnèrent l'*Alléluia.* Un recueillement doux planait. Toutes les tristesses de l'époque présente étaient oubliées. La lumière fleurie des anciens dimanches de Pâques rayonnait sur les visages et dans les âmes, malgré l'heure obscure et la pauvreté du décor. 5

A l'Élévation, le gardeur de vaches fit tinter la clochette de fer qui pendait d'ordinaire au collier des chevaux du moulin, et la communion commença.

Grands et petits défilèrent tous, un à un, pour recevoir l'hostie des mains du vieux prêtre. Il les bénit, puis, d'une voix que l'émotion 10 faisait trembler:

—Vous m'êtes témoins, prononça-t-il, que j'ai toujours tâché de faire ce qui dépendait de moi pour assurer l'œuvre de votre salut... J'ignore ce que l'avenir me réserve... Que ma mémoire vous soit douce et que la volonté de Dieu s'accomplisse!... Allez en paix. 15

Resté seul avec le meunier, il lui dit:

—Tu vas m'accompagner, maître Jean; j'ai encore un devoir à remplir, qui est de relever de sa garde l'homme que j'ai mis en sentinelle sur le sommet de Roch'-Vrân.

Et, comme Jean Derrien se récriait: 20

—Il le faut... Marchons!... Sinon, avant ce soir, ton moulin serait en cendres, toi-même et les tiens massacrés!...

Une blancheur d'aube se dessinait vaguement au fond du ciel.

Quand ils furent arrivés sur la crête du promontoire de granit, ils trouvèrent le sergent tapi à côté de la poterne et luttant avec effort 25 contre le sommeil.

—Eh bien? demanda avec un sourire Dom Karis.

—Je n'ai rien vu, rien entendu, grogna le soudard.

Et, remarquant le sourire du prêtre:

—Te serais-tu moqué de moi, par hasard? 30

le répons liturgical response
un officiant officiating priest
entonner to begin to sing
le recueillement worshipful state
planer to hold sway
rayonner to radiate
une Élévation elevation of the Host
tinter to tinkle
le collier collar
défiler to file past
assurer to guarantee
le salut salvation
réserver to have in store
relever to relieve
se récrier to exclaim
se dessiner to be visible
la crête top
tapi crouched
grogner to grumble
se moquer de to make fun of

Ses doigts jouaient autour de la gâchette de son fusil à pierre.

—Non. Je t'ai promis de te livrer Dom Karis, tu vas être satisfait... Mais, donnant donnant, s'il te plaît... Où sont les mille francs?

5 Le soudard sortit de sa poche un papier crasseux.

—C'est bien; remets cet argent à cet homme, continua le recteur, en désignant le meunier.

Et, comme le soudard hésitait, étonné, sans comprendre:

—Je suis Dom Karis, articula tranquillement le vieux prêtre.

10 Puis, se tournant vers Jean Derrien qui assistait à cette scène, muet et blême comme un mort, il lui dit en breton:

—Prends en souvenir de moi, et plus tard, quand des temps meilleurs seront revenus, fais édifier une croix de pierre à la place où je serai tombé.

15 On vous la montrera, cette croix de pierre, sur le bord de la grande route qui mène de Lannion à Plouaret, à l'angle d'un champ dont les talus se constellent, chaque année, aux approches de Pâques, de primevères couleur de sang. Elle est massive, fruste, ne porte aucun nom, aucune date, mais les gens de Ploubezre ne 20 passent jamais devant elle sans s'y agenouiller pieusement: ils l'appellent *Kroaz Dom Karis* (La croix de Dom Karis), et plus d'une vieille du pays s'imagine que le recteur-martyr y fut réellement crucifié.[33]

QUESTIONNAIRE *Les Deux Saints*

I

A. Pourquoi existe-t-il en France une certaine hostilité envers l'Église, bien que la plupart des Français soient catholiques?
B. Pourquoi la dévote Lucile soutient-elle certains actes censément sacrilèges de Jean-Louis?

la gâchette trigger
le fusil à pierre flint gun
donnant donnant give and take
crasseux filthy
remettre to hand over
blême pale
édifier to erect
le talus bank
se consteller to be studded
la primevère primrose
fruste worn

[33]From *Vieilles Histoires du pays breton.* Publication authorized by Librairie ancienne Honoré Champion.

II

1. Que possédait le petit village de Champignol-les-Raisins? 2. Décrivez la statue du saint, patron des vignerons. 3. Avec qui le nouveau prêtre est-il venu s'installer au presbytère? 4. Comment l'abbé Jubal a-t-il trouvé la statue de saint Vincent? 5. Quelle emplette a-t-il faite au chef-lieu du département? 6. Qu'a-t-il fait ensuite de l'ancienne statue détrônée? 7. Quand ses paroissiens se sont aperçus de la substitution, que s'est-il produit? 8. Des deux partis qui se sont formés, est-ce que la majorité ou la minorité approuvait monsieur le curé? 9. Parmi quelles personnes la lutte a-t-elle été la plus vive? 10. Quel genre de garçon était Jean-Louis, l'amoureux de Lucile? 11. A quoi croyait-il? 12. Qu'a dit Jean-Louis pour rassurer Lucile? 13. Comment le petit Germain a-t-il dû gagner deux sous? 14. Qu'a fait Jean-Louis, une fois entré dans l'église? 15. Que dit monsieur le curé le lendemain en découvrant la deuxième substitution? 16. Qu'a déclaré Mlle Ursule après la découverte? 17. Parmi tous ces changements de fortune, quel sourire les deux saints gardaient-ils? 18. Qu'est-ce que c'était que la « cambuse »? 19. Que faisait Jean-Louis au moment précis où Lucile Mariot est entrée dans la salle? 20. Pourquoi Mlle Ursule voulait-elle se plaindre à la justice? 21. Quel moyen Jean-Louis a-t-il proposé au curé pour vérifier lequel des saints était le bon et avait droit à la niche? 22. Laquelle des deux malades est morte la première, Suzette ou Guezitte? 23. Quel compromis l'abbé Jubal a-t-il suggéré pour trancher la question?

QUESTIONNAIRE *Histoire pascale*

I

A. Quels détails dans ce conte représentent l'indépendance d'esprit, le dévouement et l'ingéniosité de beaucoup de prêtres français?
B. Quelles sont quelques-unes des manifestations de vitalité religieuse et sociale dans la France de nos jours?

II

1. Où se voit le vieux moulin de Keryel? 2. Comment disait-on « un samedi d'avril » en 1793? 3. Décrivez le meunier Jean Derrien. 4. Qui descend la côte de Sainte-Thècle, déguisé en mendiant? 5. Pourquoi Dom Karis avait-il crié, « Dieu le veut! » 6. Comment

Dom Karis a-t-il pu demeurer dans la région après avoir quitté son presbytère? 7. Que disait Dom Karis au sujet de son remplaçant? 8. Quelle permission a-t-il obtenue de son confrère un jour, en entrant dans l'enclos du jardin presbytéral? 9. Comment Dom Karis était-il déguisé quand il est retourné au moulin de Keryel? 10. De quel nom le meunier devait-il l'appeler? 11. Que faisait en ce moment un bataillon d'Étampois? 12. Qu'a dit le chef du détachement lorsque Dom Karis lui a demandé la charité? 13. Quelle était la récompense offerte par les ennemis de Dom Karis qui le cherchaient? 14. De quoi la meunière avait-elle prévenu tous les voisins? 15. Dom Karis voulait-il avertir les voisins du fait qu'il ne pourrait célébrer l'office de Pâques? 16. Qu'est-ce que le petit gardeur de vaches a annoncé après le souper? 17. Comment Dom Karis a-t-il expliqué sa présence près de l'âtre quand le chef des soldats d'Étampes l'a reconnu? 18. Est-ce que Dom Karis a dû attendre longtemps l'arrivée du soudard à l'étable? 19. Jusqu'où Dom Karis a-t-il conduit son adversaire? 20. A quelle heure le chef des soudards devait-il revenir au sommet du promontoire? 21. Quel signal Jean Derrien a-t-il donné dans le vaste silence pour annoncer l'office de Pâques? 22. Décrivez comment Dom Karis a relevé de sa garde le chef des soudards. 23. Quelles sont les dernières paroles que Dom Karis a adressées au meunier Jean Derrien?

DISCUSSION *Religion and the Church*

1. Can you explain the existence, since the Middle Ages, of an exceptional number of canonized saints, important religious orders, and missions in France, where anticlericalism is strong?

2. The law of Separation of Church and State (December, 1905) forbade religious teaching in tax-supported schools. Is it right that France should make an exception of this law for Alsace, with its very religious population? How may this be justified?

3. The "Histoire pascale" takes place in Brittany, which is correctly described as an ardently Catholic region. Why are some provinces, like Alsace and Brittany, more religious than others?

4. The tenth article of the *Déclaration des droits de l'homme* states: "Nul ne doit être inquiété pour ses opinions, même religieuses, pourvu que leur manifestation ne trouble pas l'ordre public." What are some of the points or issues over which religious and political thinking might come into conflict?

12
EDUCATION

THE EDUCATIONAL system in France presents many similarities to ours, but there are also certain striking differences. Except for private institutions, it is free, supported by public funds, and obligatory to the age of fourteen. Administered from Paris by a Ministry of Public Education, the public schools are lay institutions in which, except for the sensitive province of Alsace, religious teaching is forbidden.[1] There are also numerous private schools like the *collège* of the first selection which follows. In order to maintain high standards, official degrees at all levels are granted only by the government after rigorous, uniform examinations. Failures often reach fifty per cent, although candidates have the right to be re-examined. There are two types of what we Americans call secondary schools: one is for those not planning to go beyond the secondary level, which emphasizes commercial and industrial training, as in our commercial high schools (or the École Colbert of the earlier selection by Romains); the second includes *lycées* and *collèges*,[2] preparing students for higher education. In both *lycée* and *collège*, studies are rigorous and difficult. Analysis, orderly thinking, and memory are stressed. Despite recent changes in requirements, a student who passes the *baccalauréat* (the degree necessary for admission to a university and normally obtained at the age of eighteen) is, in general, sufficiently advanced academically to be received in American colleges (except in technical fields) as a Junior. The universities and advanced technological institutes are primarily attended by those planning to enter a particular profession where specific degrees are required. In the past, many of France's cultural and literary leaders, like Anatole France and

[1]Obviously, many of the classic authors studied (Pascal, Bossuet, Chateaubriand, Lamartine, etc.) write from the Catholic point of view.

[2]The French word *collège* must not be confused with its English cognate. It is similar to the *lycée*, although operated, not by the government, but by the city or by a private, often religious, organization, as in Anatole France's narrative.

most of the other writers represented in this text, never received university degrees. Such degrees were unnecessary because of the solid background obtained in the *lycée* or *collège*, which fitted them for independent study and cultural development.[3]

In the pages from *Le Livre de mon ami* which are presented here Anatole France, the urbane apostle of *le génie latin*, movingly evokes the fascination of Paris, *la ville lumière*. For centuries it has been the cultural capital of the occidental world, where Frenchmen and foreigners from all corners of the earth, forgetting national or racial differences, have together perfected much of our modern concept of man and his mission, his dignity and responsibilities, his cultural patrimony.

In a few pages, with his typically fluent mastery of the language, Anatole France brings us into close contact with the soul of Paris, especially the *rive gauche*, with its famed Latin Quarter. He depicts it as it appeared to him in his childhood and as it continued to appear to him in later years, when he was acknowledged as a great man of letters, a member of the Académie française and a winner of the Nobel prize for literature. The student will note all the components of the charm of Paris: bookstalls and gardens, shops and famous buildings, "les métiers et les gens de métier," "les choses et leur âme," "la machine sociale," all comprising the marvelous open-air school of life. Like France himself,

[3]Today, many authors belonging to the younger generations have received a university education, including, for a number of them, attendance at the École normale supérieure, which is the scene of the following excerpt from Jules Romains. This increase may be partially explained by the value of having proper preparation to teach, if necessary, or to fit into one of the highly specialized fields essential in contemporary civilization; the increased difficulties for the free-lance writer to live by his pen, at least in the early years of his career; the importance to an author of having a solid understanding of the intricate problems confronting society, and a growing tendency for literature to probe into aesthetic, psychological, and philosophical depths requiring extensive knowledge. There has resulted a much closer relationship than in the past between universities and writers, to the mutual benefit of all, including the reading public.

In general, however, a considerably smaller proportion of French youth than its American counterpart pursues formal higher education. This is caused in part by individual financial difficulties, although in most fields tuition is negligible and scholarships are numerous. It is due above all to the very high entrance requirements and the still higher level of attainment necessary to receive university degrees, including the *licence*, obtainable for the fortunate after a minimum of two years of academic labor in a specialized field, and representing in that field a level of achievement somewhat analogous to that of the American M.A. The broad background provided in the curricula of our American universities is partially covered by French students in their various *lycée* courses.

who is his prototype, and like Gavroche, the street urchin of *Les Misérables*, with whose counterparts he feels a close affinity, little Pierre Nozière, although a well-to-do boy of the cultured bourgeoisie, acquires learning and wisdom with each step he takes in the city's streets. He is imbued with that "curiosité affectueuse" which is the surest of educational principles[4] and which is epitomized in the words: "c'est pour aimer que je voulais connaître." France's own definition of education was "the art of awakening curiosity in young people."

Permeating all, we have the gentle image of family life with kindly, intelligent parents, whose conversations around the lamp give the lad "un sens juste et le goût d'aimer," which are at the very center of French ideals. Nor do these pages neglect the place occupied by formal education in Anatole France's life, and which it continues to occupy for most of the alert, sensitive students in the *collège*, *lycée*, and *université*. Our author's professors do not seem to have been equal to the task, and, in spite of what he says, he would have fared better intellectually had he been enrolled in one of the noted Parisian *lycées* such as Condorcet, Louis-le-Grand, or Henri IV. In such institutions teachers, like the renowned Alain, often have a reputation for brilliant, solid scholarship quite equal to that of the professors of the Sorbonne. (You will remember that the Bourgeuils in "L'Odeur du buis" sent their cherished son to the Lycée Louis-le-Grand.) Yet, mediocre though Anatole France's teachers were, the great corpus of knowledge included in the program of studies in the French *collège* or *lycée* did much, as he readily acknowledges, to increase his cultural enrichment, with a corresponding effect upon all who read his works. In that body of knowledge and the wisdom derived therefrom, his advanced studies in the cultures of Greece and Rome rank exceptionally high. He and his fellow Frenchmen are very conscious of their great debt to the civilization of those ancient countries. They are equally proud of the continued development which their fatherland has given to those memorable cultures.

A second selection chosen to represent French education comes from the third volume of Jules Romains's *Les Hommes de bonne*

[4]The future teacher will note the close relationship between these *leçons de choses* and the educational principles proposed by Rabelais, Montaigne, and Rousseau, many of which are practiced by both French and American educators today.

volonté. It has been added to furnish a glimpse of student life on the university level. Two important characters of this voluminous work are seen in their room at the École normale supérieure, where a large proportion of future *lycée* and university professors are trained. The studies, on a very high level, lead to the *agrégation*, a degree based on competitive examinations and permitting successful candidates to become *lycée* or ultimately, perhaps, university professors. Attendance at the École normale supérieure is not obligatory in order to receive the *agrégation.* Beyond this degree is the *doctorat d'État*, which requires a number of years of additional research.

In the pages of which our selection is a part, Jerphanion, who is from Romains's native Cévennes, dreams of the future and all it holds for a young man endowed with energy, will power, a high sense of values, and a realization of social responsibility. Reasons for choosing his later career as a prominent political figure are foreshadowed here. In other passages not reproduced, the pranks of these future teachers are related in detail by Romains, who in his own student days at *Normale* was noted for his colossal practical jokes. Some of these pranks were *chahuts*, either noisy demonstrations, or collective tricks played upon the professor.

In our major passage we see Jerphanion and his gifted Parisian friend Jallez discussing intellectual curiosity, the importance of method and the critical approach, and, consequently, the danger of the intellectual or moral cliché (a favorite target for the alert Frenchman). They make fun of cheap journalism and jingoistic patriotism against a background of military service which they, like all able-bodied Frenchmen, have experienced. They discuss poetry and its importance for the full life as suggested by a passage from Baudelaire, as well as the value of their knowledge of ancient languages in exploring poetic meaning. Their intellectual interests are acute, like those of many other Frenchmen. These students are similar in this respect to Jean Jaurès, Édouard Herriot, Georges Bidault, Romains himself, and Jean-Paul Sartre, who started as professors but later entered the political or literary world.

Despite expressions to the contrary often heard in America, France has a large number of devoted statesmen like Schuman, Monnet, and Bidault. Unfortunately, the rapid changes of ministries, aided by the petty political bickering of many deputies, often prevent them from being fully effective. Hundreds of pages of Romains's novel are devoted to the French political scene and are well worth studying by future political scientists.

The wide range of a Frenchman's intellectual interests is reflected by Romains himself. At different levels of advanced university work he majored in literature, general science, biology, plant biology, and philosophy. He taught philosophy in a *lycée*, and even wrote a brilliant study on hyperoptic vision.

The passages from France and Romains represent only a few aspects of French education. In addition to the 60,000 students enrolled at the Université de Paris, there are over 100,000 in the provincial universities and in various technological and professional schools. See notes to previous selections, especially "Ouvriers parisiens" and "L'Odeur du buis."

Les Humanités[1]

(*Le Livre de mon ami*)

Je vais vous dire ce que me rappellent, tous les ans, le ciel agité de l'automne, les premiers dîners à la lampe et les feuilles qui jaunissent dans les arbres qui frissonnent; je vais vous dire ce que je vois quand je traverse le Luxembourg[2] dans les premiers jours d'octobre, 5 alors qu'il est un peu triste et plus beau que jamais; car c'est le temps où les feuilles tombent une à une sur les blanches épaules des statues. Ce que je vois alors dans ce jardin, c'est un petit bonhomme qui, les mains dans les poches et sa gibecière au dos, s'en va au collège[3] en sautillant comme un moineau. Ma pensée seule le voit; 10 car ce petit bonhomme est une ombre; c'est l'ombre du *moi* que j'étais il y a vingt-cinq ans. Vraiment il m'intéresse, ce petit; quand il existait, je ne me souciais guère de lui; mais, maintenant qu'il n'est plus, je l'aime bien. Il valait mieux, en somme, que les autres *moi* que j'ai eus après avoir perdu celui-là. Il était bien 15 étourdi; mais il n'était pas méchant et je dois lui rendre cette justice qu'il ne m'a pas laissé un seul mauvais souvenir; c'est un

jaunir to grow yellow
alors que when
la gibecière school bag
sautiller to hop along
le moineau sparrow
se soucier de to care for
étourdi rattle-brained

[1]*Les Humanités,* study of languages and literatures in general, and classical studies in particular. Applied, as here, to secondary education in *collège* or *lycée,* it refers to the programs in the 9th, 10th, and 11th grades (*troisième, seconde,* and *rhétorique*), especially the 10th, where classical studies were and, for some curricula, are still strongly stressed. [2]*Le Luxembourg,* beautiful public park situated in the Latin Quarter near the Sorbonne and many other schools, where students gather between and after classes. It is not far from France's childhood home. The palace in the gardens was built between the years 1615 and 1620 for Marie de Médicis. Since 1879 it has been the seat of the French Senate and its recent successor, the Conseil de la République. [3]*collège.* See Introduction to this selection. Anatole France went to the Collège Stanislas, a Catholic school.

innocent que j'ai perdu: il est bien naturel que je le regrette; il est bien naturel que je le voie en pensée et que mon esprit s'amuse à ranimer son souvenir.

Il y a vingt-cinq ans à pareille époque, il traversait, avant huit heures, ce beau jardin pour aller en classe. Il avait le cœur un peu serré; c'était la rentrée. 5

Pourtant, il trottait, ses livres sur son dos et sa toupie dans sa poche. L'idée de revoir ses camarades lui remettait de la joie au cœur. Il avait tant de choses à dire et à entendre! Ne lui fallait-il pas savoir si Laboriette avait chassé pour de bon dans la forêt de 10 l'Aigle?[4] Ne lui fallait-il pas répandre qu'il avait, lui, monté à cheval dans les montagnes d'Auvergne?[5] Quand on fait une pareille chose, ce n'est pas pour la tenir cachée. Et puis c'est si bon de retrouver des camarades. Combien il lui tardait[6] de revoir Fontanet, son ami, qui se moquait si gentiment de lui, Fontanet qui, 15 pas plus gros qu'un rat et plus ingénieux qu'Ulysse,[7] prenait partout la première place avec une grâce naturelle.

Il se sentait tout léger, à la pensée de revoir Fontanet. C'est ainsi qu'il traversait le Luxembourg dans l'air frais du matin. Tout ce qu'il voyait alors, je le vois aujourd'hui. C'est le même ciel 20 et la même terre; les choses ont leur âme d'autrefois, leur âme qui m'égaye et m'attriste, et me trouble; lui seul n'est plus.

C'est pourquoi, à mesure que je vieillis, je m'intéresse de plus en plus à la rentrée des classes.

ranimer to call back to life
serré heavy
la rentrée opening of school
la toupie top
pour de bon really and truly
gentiment nicely
égayer to cheer
troubler to move emotionally
à mesure que (in proportion) as
vieillir to grow old
s'intéresser à to be interested in

[4]*La forêt de l'Aigle* is located in Normandy (département de l'Orne). [5]*L'Auvergne*, picturesque mountainous region of south-central France whose inhabitants have maintained their physical characteristics and regional cultural autonomy since Gallo-Roman times. They traditionally furnish Paris with its small retail coal dealers and, as in this selection, with its vendors of hot chestnuts. [6]*Combien . . . tardait*, How anxious he was. [7]Ulysses, noted for his ingenuity and strength, is one of the many Greek heroes best known to French *collégiens*, steeped as they are in classical Greek literature. That literature, reoriented to fit modern cultural preoccupations, serves as subject matter for prominent French writers like Giraudoux, Gide, Anouilh, and Camus.

Si j'avais été pensionnaire[8] dans un lycée, le souvenir de mes études me serait cruel et je le chasserais. Mais mes parents ne me mirent point à ce bagne. J'étais externe dans un vieux collège un peu monacal et caché; je voyais chaque jour la rue et la maison et
5 n'étais point retranché, comme les pensionnaires, de la vie publique et de la vie privée. Aussi, mes sentiments n'étaient point d'un esclave; ils se développaient avec cette douceur et cette force que la liberté donne à tout ce qui croît en elle. Il ne s'y mêlait pas de haine. La curiosité y était bonne et c'est pour aimer que je
10 voulais connaître. Tout ce que je voyais en chemin dans la rue, les hommes, les bêtes, les choses, contribuait, plus qu'on ne saurait croire, à me faire sentir la vie dans ce qu'elle a de simple et de fort.

Rien ne vaut la rue pour faire comprendre à un enfant la machine sociale. Il faut qu'il ait vu, au matin, les laitières, les porteurs
15 d'eau, les charbonniers; il faut qu'il ait examiné les boutiques de l'épicier, du charcutier et du marchand de vin[9]; il faut qu'il ait vu passer les régiments, musique en tête; il faut enfin qu'il ait humé l'air de la rue, pour sentir que la loi du travail est divine et qu'il faut que chacun fasse sa tâche en ce monde. J'ai conservé de ces
20 courses du matin et du soir, de la maison au collège et du collège à la maison, une curiosité affectueuse pour les métiers et les gens de métier.

le bagne penitentiary
monacal monastic
caché secluded
retranché cut off
un esclave slave
croître to grow
saurait = *pourrait*
la laitière milkwoman
le charbonnier coal vender
un épicier grocer
le charcutier pork butcher
musique en tête led by the band
humer to inhale
la course walk
affectueux affectionate

[8]*pensionnaire . . . lycée . . . externe . . . collège.* See Introduction. Since the *lycées* and *collèges* are reserved for those intellectually fit to go to the universities, they are located only in sizeable towns and, therefore, have dormitories and dining facilities for resident students, who are charged nominal sums for board and room. As suggested by France, the *pensionnaires* have little freedom compared with the *externes.* Poor but gifted *pensionnaires* receive government scholarships in the *lycées.* Scholarships are likewise very numerous on the University levels, and a large number of students, like Jerphanion in the selection following this story and like its author Romains, come from families of very modest means.

[9]As this passage suggests, France abounds in small, highly specialized businesses, a *boucher*, for example, selling only beef and veal, while the *charcutier* deals in pork products and delicatessen goods. Horse meat, which is exceptionally healthful, may be purchased in *boucheries chevalines* whose entrances are surmounted by the large golden horse's heads so often photographed by American tourists.

Le Louvre, Paris

"L'Inspiration," by Jean-Honoré Fragonard (1732-1806)

Amid a galaxy of brilliant eighteenth-century artists, Fragonard was outstanding. This painting may serve to suggest both the rich creative efforts of that century, an "age of ideas," and the continuous contributions of a country where many talented young people have been inspired to augment the cultural, social, and humanistic patrimony they received from their forebears.

Je dois avouer, pourtant, que je n'avais pas pour tous une amitié égale. Les papetiers qui étalent à la devanture de leur boutique des images d'Épinal[10] furent d'abord mes préférés. Que de fois, le nez collé contre la vitre, j'ai lu d'un bout à l'autre la légende de ces petits drames figurés! 5

J'en connus beaucoup en peu de temps: il y en avait de fantastiques qui faisaient travailler mon imagination et développaient en moi cette faculté sans laquelle on ne trouve rien, même en matière d'expériences et dans le domaine des sciences exactes. Il y en avait qui, représentant les existences sous une forme naïve et saisissante, 10 me firent regarder pour la première fois la chose la plus terrible, ou pour mieux dire la seule chose terrible, la destinée. Enfin, je dois beaucoup aux images d'Épinal.

Plus tard, à quatorze ou quinze ans, je ne m'arrêtai plus guère aux étalages des épiciers, dont les boîtes de fruits confits pourtant me 15 semblèrent longtemps admirables. Je dédaignai les merciers et ne cherchai plus à deviner le sens de l'Y[11] énigmatique qui brille en or sur leur enseigne. Je m'arrêtais à peine à déchiffrer les rébus naïfs, figurés sur la grille historiée des vieux débits de vin, où l'on voit un coing ou une comète en fer forgé. 20

Mon esprit, devenu plus délicat, ne s'intéressait plus qu'aux échoppes d'estampes, aux étalages de bric-à-brac et aux boîtes de bouquins.

O vieux juifs sordides de la rue du Cherche-Midi! naïfs bou-

le papetier stationer
la devanture (shop) window
collé glued
figuré illustrated
saisissant striking
pour mieux dire to be more exact
un étalage window display
confit candied
dédaigner to disdain
le mercier owner of a notions store
une enseigne sign
déchiffrer to puzzle out
le rébus riddle
figuré depicted
historié bearing figurines
le débit shop
le coing quince
le fer forgé wrought iron
une échoppe booth
une estampe print (engraving)
le bouquin old book
sordide slovenly

[10] *images d'Épinal*, precursors of the "historical" or "biographical" type of comic book, containing highly colored pictures illustrating a running commentary. Most of them were and still are printed at Épinal, capital of the département des Vosges, on the Moselle river, in the picturesque Vosges mountains, near Alsace. [11] *Y*, typical of many conventional signs indicating the nature of the business. The origin of this one is obscure.

quinistes des quais, mes maîtres, que je vous dois de reconnaissance ![12] Autant et mieux que les professeurs de l'Université,[13] vous avez fait mon éducation intellectuelle. Braves gens, vous avez étalé devant mes yeux ravis les formes mystérieuses de la vie passée et toute sorte 5 de monuments précieux de la pensée humaine. C'est en furetant dans vos boîtes, c'est en contemplant vos poudreux étalages, chargés des pauvres reliques de nos pères et de leurs belles pensées, que je me pénétrai insensiblement de la plus saine philosophie.

Oui, mes amis, à pratiquer les bouquins rongés des vers, les 10 ferrailles rouillées et les boiseries vermoulues que vous vendiez pour vivre, j'ai pris, tout enfant, un profond sentiment de l'écoulement des choses et du néant de tout. J'ai deviné que les êtres n'étaient que des images changeantes dans l'universelle illusion, et j'ai été dès lors enclin à la tristesse, à la douceur et à la pitié.

15 L'école en plein vent m'enseigna, comme vous voyez, de hautes sciences. L'école domestique me fut plus profitable encore. Les repas en famille, si doux quand les carafes sont claires, la nappe blanche et les visages tranquilles, le dîner de chaque jour avec sa causerie familière, donnent à l'enfant le goût et l'intelligence des 20 choses de la maison, des choses humbles et saintes de la vie. S'il a le bonheur d'avoir, comme moi, des parents intelligents et bons, les propos de table qu'il entend lui donnent un sens juste et le goût d'aimer. Il mange chaque jour de ce pain béni que le père spirituel

le bouquiniste second-hand book dealer
brave worthy
fureter to rummage
se pénétrer de to become imbued with
insensiblement imperceptibly
pratiquer to associate with
rongé de vers worm-eaten
la ferraille old iron
la boiserie woodwork
tout enfant when very young
un écoulement transitoriness (passing)
le néant nothingness
dès lors from then on
enclin inclined
en plein vent open air
en famille at home
la carafe decanter
la nappe tablecloth
la causerie conversation
le propos talk

[12]This passage explains part of the charm of the Latin Quarter. Cultured people of all countries are well acquainted with its stamp collectors, its antiquarians, its streets as picturesque as their names, its rare and second-hand book shops and stalls, many of them on the parapet above the Seine, and its art collectors (especially near the famous École des Beaux-Arts, on the Quai Malaquais where Anatole France was born). The *rue du Cherche-Midi* runs from the rue de Sèvres to the rue de Vaugirard. [13]*l'Université*, a word signifying the complete educational system in France, founded by Napoleon and now under a special ministry. The rector or regent (president) of each university has titular direction of all the schools in his area.

rompit et donna aux pèlerins dans l'auberge d'Emmaüs.[14] Et il se dit comme eux: « Mon cœur est tout chaud au dedans de moi. »

Les repas que les pensionnaires prennent au réfectoire n'ont point cette douceur et cette vertu. Oh! la bonne école que l'école de la maison! 5

Pourtant on entrerait bien mal dans ma pensée si l'on croyait que je méprise les études classiques. Je crois que, pour former un esprit, rien ne vaut l'étude des deux antiquités d'après les méthodes des vieux humanistes français. Ce beau mot d'humanités,[15] tout beau qu'il est, n'a pas trop de noblesse pour désigner les arts 10 qui font un homme, selon l'idée la plus haute qu'on en puisse concevoir.

Le petit bonhomme dont je vous parlais tout à l'heure avec une sympathie qu'on me pardonnera peut-être, en songeant qu'elle n'est point égoïste et que c'est à une ombre qu'elle va, ce petit bonhomme 15 qui traversait le Luxembourg en sautant comme un moineau, était, je vous prie de le croire, un assez bon humaniste. Il goûtait, en son âme enfantine, la force romaine et les grandes images de la poésie antique. Tout ce qu'il voyait et sentait dans sa bonne liberté d'externe qui flâne aux boutiques et dîne avec ses parents, ne le 20 rendait point insensible au beau langage qu'on enseigne au collège. Loin de là: il se montrait aussi attique et aussi cicéronien,[16] peu s'en faut, qu'on peut l'être dans une troupe de petits grimauds régie par d'honnêtes barbacoles.

Il travaillait peu pour la gloire et ne brillait guère sur les 25

le réfectoire dining hall
d'après in accordance with
un humaniste connoisseur of ancient languages and literatures
tout . . . que however
insensible indifferent
peu s'en faut almost
le grimaud dull schoolboy
régi directed
le barbacole pedantic schoolmaster

[14]Emmaüs, Judean town where Christ first appeared after his Resurrection. Here, he blessed the bread, representing his body, and gave it to his disciples (*Luke* xxiv, 30, 32). [15]*études classiques . . . deux antiquités . . . humanistes . . . humanités*. See Introduction and note 1. Although today most *lycéens* majoring in the sciences and certain other fields no longer study classical languages, others often take as many as seven years of Latin and several of Greek. The passage refers to the great French humanists of the sixteenth century who favored classical studies and helped to formulate a humanistic ideal such as Anatole France praises in the following pages. [16]*aussi attique . . . cicéronien*, as imbued with Athenian culture and Cicero's style.

palmarès:[17] mais il travaillait beaucoup pour que cela l'amusât, comme disait La Fontaine.[18] Ses versions[19] étaient fort bien tournées et ses discours latins eussent mérité les louanges même de M. l'inspecteur, sans quelques solécismes qui les déparaient gé-
5 néralement. Ne vous a-t-il pas déjà conté qu'à douze ans les récits de Tite-Live[20] lui arrachaient des larmes généreuses?[21]

Mais c'est en abordant la Grèce qu'il vit la beauté dans sa simplicité magnifique. Il y vint tard. Les fables d'Ésope[22] lui avaient d'abord assombri l'âme. Un professeur bossu les lui
10 expliquait, bossu de corps et d'âme. Voyez-vous Thersyte conduisant les jeunes Galates dans les bosquets des Muses? Le petit bonhomme ne concevait pas cela. On croira que son pédagogue bossu, se vouant spécialement à expliquer les fables d'Ésope, était admissible dans cet emploi: non pas! c'était un faux bossu, un
15 bossu géant, sans esprit et sans humanité, enclin au mal et le plus injuste des hommes. Il ne valait rien, même pour expliquer les pensées d'un bossu. D'ailleurs, ces méchantes petites fables sèches, qui portent le nom d'Ésope, nous sont parvenues limées par un moine byzantin,[23] qui avait un crâne étroit et stérile sous sa tonsure.

tourné expressed
eussent would have
la louange praise
sans except for
le solécisme grammatical mistake
déparer to spoil
aborder to begin the study of
assombrir to sadden
bossu hunchbacked
le bosquet grove
se vouer to devote oneself
admissible eligible
parvenir to come down
limé filed down
le moine monk
le crâne brain

[17]*les palmarès,* honor roll for each class, published at the end of the school year. They are greatly prized both by the successful students and their parents. Many books are given by the government as rewards for scholastic achievement. [18]*La Fontaine,* greatest of modern fabulists (1621–1695), born at Château-Thierry, near which many Americans fought in World War I. [19]*Ses versions,* translations into the mother tongue, as opposed to *thèmes* which are translations from French into a foreign language. The *discours latin* is an original composition in that language. [20]*Tite-Live,* Livy (59 B.C.–19 A.D.), brilliant but not very dependable historian whose eloquence little Pierre, like many French youths, was able to appreciate in the original. [21]*lui arrachaient . . . généreuses,* forced him to shed many tears. [22]*Ésope . . . Thersyte . . . Galates . . . Muses.* A complex but appropriate expression of Anatole France's aversion for Aesop's fables (as contrasted with those of La Fontaine) and for this particular professor who, like Aesop, was hunchbacked *de corps et d'âme.* The professor, in introducing his young pupils to the beauties of Greek literature, was, in France's opinion, as absurd as would be the deformed and vulgar Thersites of Homer's *Iliad* guiding young Galatians (Gauls, or, by extension, French boys) into the sacred groves of the Muses. [23]*un moine byzantin,* Planude, a fourteenth-century compiler.

Je ne savais pas, en cinquième,[24] leur origine, et je me souciais peu de la savoir; mais je les jugeais exactement comme je les juge à présent.

Après Ésope, on nous donna Homère. Je vis Thétis[25] se lever comme une nuée blanche au-dessus de la mer, je vis Nausicaa et ses compagnes, et le palmier de Délos, et le ciel et la terre et la mer, et le sourire en larmes d'Andromaque... Je compris, je sentis. Il me fut impossible, pendant six mois, de sortir de l'*Odyssée*. Ce fut pour moi la cause de punitions nombreuses. Mais que me faisaient les pensums? J'étais avec Ulysse « sur la mer violette »! Je découvris ensuite les tragiques. Je ne compris pas grand'chose à Eschyle[26]; mais Sophocle, mais Euripide m'ouvrirent le monde enchanté des héros et des héroïnes et m'initièrent à la poésie du malheur. A chaque tragédie que je lisais, c'étaient des joies et des larmes nouvelles et des frissons nouveaux.

Alceste et Antigone[27] me donnèrent les plus nobles rêves qu'un enfant ait jamais eus. La tête enfoncée dans mon dictionnaire, sur mon pupitre barbouillé d'encre, je voyais des figures divines, des bras d'ivoire tombant sur des tuniques blanches, et j'entendais des voix plus belles que la plus belle musique, qui se lamentaient harmonieusement.

Cela encore me causa de nouvelles punitions. Elles étaient justes: je m'occupais de choses étrangères à la classe. Hélas! l'habitude m'en resta. Dans quelque classe[28] de la vie qu'on me mette pour le reste de mes jours, je crains bien, tout vieux, d'en-

le palmier palm tree
la punition punishment
le pensum extra task imposed as punishment
le tragique writer of tragedy
le frisson thrill
le pupitre desk
barbouillé smeared
encourir to incur
seconde 10th grade

[24]*en cinquième,* in the 7th grade. [25]*Thétis . . . Nausicaa . . . Andromaque,* famous Homeric characters well known to all French *collégiens* and *lycéens* in the original text when Anatole France was alive. Only those who elect the classical program take Greek today. Thetis, the lovely Nereid, was mother of Achilles. Nausicaa was as graceful as a palm tree of the Aegean island of Delos. Andromache was the noble wife of the Trojan patriot Hector. One of Racine's great plays is based on her faithfulness to his memory. [26]Aeschylus, Sophocles, and Euripides, greatest of ancient Greek dramatists. Their tragedies appeared in the 4th and 5th centuries B.C. [27]Alcestis and Antigone were the heroines of great tragedies by Euripides and Sophocles. [28]*Dans quelque classe,* In whatever class.

courir encore le reproche que me faisait mon professeur de seconde: « Monsieur Pierre Nozière, vous vous occupez de choses étrangères à la classe. »

Mais c'est surtout par les soirs d'hiver, au sortir du collège, que
5 je m'enivrais dans les rues de cette lumière et de ce chant. Je lisais sous les réverbères et devant les vitrines éclairées des boutiques les vers que je me récitais ensuite à demi-voix en marchant. L'activité des soirs d'hiver régnait dans les rues étroites du faubourg, que l'ombre enveloppait déjà.

10 Il m'arriva bien souvent de heurter quelque patronnet qui, sa manne sur la tête, menait son rêve comme je menais le mien, ou de sentir subitement à la joue l'haleine chaude d'un pauvre cheval qui tirait sa charrette. La réalité ne me gâtait point mon rêve, parce que j'aimais bien mes vieilles rues de faubourg dont les pierres
15 m'avaient vu grandir. Un soir, je lus des vers d'Antigone[29] à la lanterne d'un marchand de marrons, et je ne puis pas, après un quart de siècle, me rappeler ces vers:

O tombeau! ô lit nuptial!...

sans revoir l'Auvergnat soufflant dans un sac de papier et sans
20 sentir à mon côté la chaleur de la poêle où rôtissaient les marrons. Et le souvenir de ce brave homme ne me gâte point les lamentations mélodieuses de la vierge thébaine.

Ainsi j'appris beaucoup de vers. Ainsi j'acquis des connaissances utiles et précieuses. Ainsi, je fis mes humanités.

25 Ma manière était bonne pour moi; elle ne vaudrait rien pour un autre. Je me garderais bien de[30] la recommander à personne.

Au reste, je dois vous confesser que, nourri d'Homère et de So-

au sortir de upon leaving
s'enivrer to be enraptured
le réverbère street lamp
la vitrine shop window
à demi-voix in an undertone
le patronnet young pastry-shop helper
la manne manna
subitement suddenly
le marron chestnut
le tombeau tomb
un Auvergnat native of Auvergne
la poêle frying pan
thébain of Thebes (Egypt)
la manière method

[29]*vers d'Antigone,* verses in which this noble maiden, daughter of Oedipus, says farewell to life just before she is to be buried alive for having given proper burial to her brother against the orders of King Creon. [30]*Je me garderais bien de,* I should take good care not to.

phocle, je manquais de goût quand j'entrai en rhétorique. C'est mon professeur qui me le déclara, et je le crois volontiers. Le goût qu'on a ou qu'on montre à dix-sept ans est rarement bon. Pour améliorer le mien, mon professeur de rhétorique me recommanda l'étude attentive des œuvres complètes de Casimir Delavigne.[31] Je ne suivis point sa recommandation. Sophocle m'avait fait prendre un certain pli que je ne pus défaire. Ce professeur de rhétorique ne me paraissait point et ne me paraît point encore un fin lettré; mais il avait, avec un esprit chagrin, un caractère droit et une âme fière. S'il nous enseigna quelques hérésies littéraires, il nous montra du moins, par son exemple, ce que c'est qu'un honnête homme.

Cette science a bien son prix. M. Charron était respecté de tous ses élèves. Car les enfants apprécient avec une parfaite justesse la valeur morale de leurs maîtres. Ce que je pensais, il y a vingt-cinq ans, de l'injurieux bossu et de l'honnête Charron, je le pense encore aujourd'hui.

Mais le soir tombe sur les platanes du Luxembourg et le petit fantôme que j'avais évoqué se perd dans l'ombre. Adieu, petit *moi* que j'ai perdu et que je regretterais à jamais, si je ne te retrouvais embelli dans mon fils![32]

rhétorique 11th grade
prendre un pli to form a habit
défaire to get rid of
le fin lettré literary connoisseur
chagrin morose
droit upright
un honnête homme gentleman
le prix reward
la justesse accuracy
injurieux abusive
le platane plane tree
à jamais forever
embelli improved

[31]Casimir Delavigne (1793–1843), a mediocre but popular dramatist of the early Romantic movement. [32]From *Le Livre de mon ami*. Publication authorized by Calmann-Lévy, Éditeurs. For questions, see pages 198–200.

Jeunesse, Travail, Poésie

(Les Amours enfantines)

QUAND il rentra dans la turne, Jallez et Budissin paraissaient travailler. Il ne les dérangea pas. Jallez avait devant lui plusieurs livres, des feuilles de papier de différentes grandeurs; tout un attirail qui ne lui était pas habituel. Il allait d'un livre à l'autre,
5 d'une feuille à l'autre. Il semblait absorbé...

Jerphanion lui-même, gagné par cette atmosphère, prit le *Discours sur l'Inégalité*,[1] de Jean-Jacques Rousseau, et un paquet de fiches. Le sujet de son mémoire de licence[2] était: *Rousseau législa-*

la turne (fam.) study room
un attirail equipment
absorbé engrossed
gagné won over
la fiche filing card

[1]*Discours sur l'Inégalité*, shortened title of an important essay published by Rousseau in 1755. He develops the theory that natural man was happy, independent, and equal to his neighbor, but that, with the organization of society and the development of a system of private property, economic and social inequality was instituted, leading to poverty and oppression. It is because of such ideas that Rousseau is considered the theoretical father of the French Revolution and French Socialism. Jerphanion's mixed attitudes toward him, shared by many Frenchmen, are presented in the following paragraph of the original text, omitted here for lack of space.

In these pages, Jerphanion is a new student at the famous École normale supérieure, rue d'Ulm, in the Latin Quarter. The excerpts reprinted here are from volume III, chapter II of Romains's encyclopedic novel. All of this chapter and the one preceding should be read in order to obtain an impression of the life and interests of French university students, especially of the *internes* at the École normale.

Among the 60,000 or more students enrolled annually at the University of Paris, a very considerable proportion are foreigners, including thousands of Americans, many of whom stay at the American house in the spacious Cité universitaire on the southern limits of Paris. There are approximately 100,000 students in the provincial universities and some 30,000 in various technological and advanced professional schools. Numerous details on various aspects of French education have been given in the notes of previous selections, notably "Ouvriers parisiens," "L'Odeur du buis," and "Les Humanités."

[2]*mémoire de licence*, thesis for *licence* degree. Rousseau's proposals concerning constitutions for the governments of Corsica and Poland contain much of interest. Many of the "Fourteen Points" formulated by President Wilson during World War I, as a basis for a durable peace, are to be found in Rousseau's recommendations.

teur. Le travail devait porter principalement sur les projets de constitution que Rousseau avait élaborés pour la Corse et la Pologne. Mais il convenait de rechercher dans les ouvrages antérieurs de Rousseau la naissance et le développement de sa pensée politique. . . . 5

Budissin se leva sans bruit, remit sur l'étagère l'unique volume de sa table, prit dans sa petite armoire son chapeau melon, son parapluie dans un coin de la turne, donna une poignée de main à Jallez puis à Jerphanion, en leur disant un « au revoir » plein tout à la fois de chaleur et de mollesse, et partit, en tenant son parapluie 10 devant lui comme une canne d'aveugle.

Jerphanion et Jallez restaient seuls. Jallez avait écarté son attirail de livres d'études et de papiers. Il feuilletait maintenant un livre à couverture jaune.

Jerphanion s'approcha de lui: 15

—Qu'est-ce que tu lis?

—Rien... je repensais à des choses de Baudelaire[3] que je voulais retrouver.

—Et ça?

Jerphanion désignait la pile de bouquins relégués au bout de la 20 table.

—Je m'amusais.

—*Histoire de l'astronomie, de Delambre*[4]; *Essai sur la notion de théorie physique de Platon à Galilée... Les étoiles... Mécanique céleste...* Tu fais de l'astronomie? 25

—Je ne fais pas « de l'astronomie ». Mais il m'est arrivé ces temps-ci, de repenser à ces choses-là. Je t'avoue que je n'aime pas rêver à faux... Je refuse de rêver aux étoiles comme une jeune fille

porter sur to deal with
élaborer to formulate
convenir to be advisable
la naissance origin
une étagère shelf
le chapeau melon derby
le parapluie umbrella
la poignée de main handshake
la mollesse softness
écarter to push aside
un attirail paraphernalia
feuilleter to thumb through
faire de l'astronomie to study astronomy
à faux incorrectly

[3]*Baudelaire*, see note 18. [4]*Delambre* (1749–1822), French astronomer who measured an arc of the meridian to serve as a basis for establishing the metric system.

de Francis Jammes.[5] Justement parce que j'attache une valeur à mes rêveries... Je m'explique mal. Vois-tu ce que je veux dire?

—Oui, il me semble.

—Question de respect pour ses propres pensées. Le monsieur qui 5 a des pensées, et qui se dit vaguement qu'elles sont probablement démonétisées, sans valeur actuelle, mais qui a la flemme de s'informer, de les vérifier, qui s'en contente, et, tu me saisis?[6] qui s'en contente en les méprisant au fond, ce monsieur-là est un dégoûtant.

—Ce monsieur-là, c'est presque tout le monde.

10 —Je le crois... Moi, il y a une chose que je me répète souvent. Je me dis: « Cette idée, telle ou telle, que tu as en ce moment-ci, est-ce qu'elle n'est pas définitivement dépassée quelque part dans l'humanité? » J'insiste: définitivement. « Est-ce que les dix ou quinze meilleures cervelles de l'humanité prendraient encore la 15 peine de s'arrêter à cette idée-là? » Certaines idées d'Héraclite[7] ne sont pas encore définitivement dépassées. Mais, par exemple, la structure du système solaire... personne ne m'oblige à y penser, c'est évident; mais si j'y pense, je ne puis pas admettre que les idées que j'accueille à ce propos, que j'hospitalise, au sujet des- 20 quelles, qui sait? je m'excite, soient dès maintenant des âneries pour un type qui est là-bas dans son observatoire, en Californie ou à Berlin.[8]

—Tu ne peux quand même pas te tenir au courant de tout.

—Bien sûr. Pas plus que le trappiste[9] ne peut se préserver d'un

démonétisé withdrawn from circulation
avoir la flemme (fam.) to be too lazy
le dégoutant disgusting person
dépassé superseded
à ce propos in this connection
hospitaliser to take in
une ânerie gross ignorance
se tenir au courant to keep informed

[5]Francis Jammes (1868–1938), French Catholic poet from the Hautes-Pyrénées, who also wrote fanciful novels about idyllic young heroines. [6]*tu me saisis?* you get my idea? [7]*Heraclitus,* ancient Greek philosopher who, like Plato and others, attempted to formulate scientific theories, many of which have been modified or disproved by later scientists, such as the Italian Galileo (1564–1642), noted above. [8]*Californie . . . Berlin.* The French, who excel in mathematics, have always been keenly interested in astronomy. Discoveries made at Mt. Wilson Observatory in California or at Berlin receive widespread attention, as do those at the Paris Observatory, situated near the École normale supérieure. [9]The Trappist monks follow a very strict rule of conduct. The order was founded in 1140 and is located near Mortagne in the Normandy hills.

certain nombre de péchés par jour. Mais c'est en se donnant pour règle une espèce de perfection limite qu'on évite de devenir un ignoble mufle. En ça comme dans le reste.

—Il y a le danger de la dispersion.

—Tu te disperses autant en lisant ton journal. Et puis, quelle blague! Quand on a un peu l'habitude, et le flair, je parie qu'il ne faut pas trois semaines au total par an—en partant, naturellement, d'une certaine culture générale—pour savoir quelles sont les principales idées mortes ou frappées à mort en tous les domaines et celles qui les remplacent. 10

—Attention. Ça ressemble à la mode.

—Aucun rapport. Je ne parle pas de la fluctuation inévitable des tendances. Si on renonce à la théorie de la nébuleuse de Laplace,[10] parce qu'elle ne colle plus avec les faits, la mode n'y est pour rien. 15

Tout en parlant, Jallez rangeait ses papiers, les triait.

—Qu'est-ce que c'est que ça?... Ah! Dire que je l'ai cherché je ne sais combien de fois depuis notre première balade. Tu te souviens? Je t'ai parlé ce jour-là d'un article que j'avais copié. Pour ma délectation morose. Je ne pouvais plus mettre la main 20 dessus. Il a été écrit à propos de l'explosion de tourelle du *Latouche-Tréville*. Treize morts.

—Oui, j'ai lu ça dans le journal pendant les vacances. Je me rappelle même une interview, plus tard, du ministre Thomson, que j'ai dégustée[11] dans le train qui m'amenait de Saint-Étienne... 25

le péché sin
le mufle (fam.) punk
quelle blague! what a joke!
au total on the whole
partir de to start with
frappé à mort doomed to die
le domaine area of learning
la nébuleuse nebular system
coller to be in accord (stick)
n'y être pour rien to have nothing to do with it
trier to sort out
la balade (fam.) stroll
la délectation enjoyment
à propos de in connection with

[10]*Laplace* (1749–1827), outstanding mathematician and astronomer who made a particular study of the movement of the stars, following Newton, Halley, Clairaut, and d'Alembert. Some of his theories have been superseded by others based on new evidence, as the text implies. Laplace was a founder of France's famed École polytechnique (for civil engineers and artillery officers) and its equally important École normale supérieure, where Jerphanion and Jallez are studying. [11]*déguster,* to enjoy (literally, to sip, which meaning is in accord with *piquette* in the following sentence).

—Ton interview de ministre n'était certainement que de la piquette à côté de ceci. Tu vas voir. Mais d'abord réfléchis une seconde à l'évènement; tel qu'il a dû être en réalité. Dans sa modeste réalité. Tu sors, comme moi, d'une année de caserne.[12]
5 Tu as fait des tirs. Aux manœuvres, tu as peut-être vu des soixante-quinze pétardant pas très loin de toi. Tu peux donc te mettre sans trop de difficulté à la place de braves bougres de matelots qui servent une grosse pièce dans une tourelle. Ils pensent principalement à ne pas trop se faire engueuler. Or, à ce moment, ce qui
10 leur éclate dans la gueule, ce n'est pas la colère du quartier-maître, c'est le canon. Un point c'est tout. Eh bien! tu vas voir ce qu'un académicien[13] peut faire de ça. Lis tout haut, mon vieux. Je t'en prie.

Jerphanion prit le papier et lut:

15 « Les exercices de tir intensif, le maniement quotidien des matières explosibles... »

—Tu trouveras des points de suspension, ça et là. J'ai coupé quelques redondances. Mais le sens est intact.

« ...Le maniement quotidien des matières explosibles... créent à
20 la caserne, au poligone, sur le vaisseau-école... »

—Il y a de la précision! Le lecteur sent que notre homme parle de choses qu'il connaît; que ce n'est pas du boniment.

la piquette an inferior wine
faire le tir to fire a shell
le soixante-quinze 75-millimeter shell
pétarder to explode
le bougre poor devil
le matelot sailor
servir to man
se faire engueuler (fam.) to get bawled out
la gueule (fam.) face (mouth of an animal)
le quartier-maître quartermaster
un point c'est tout and that's that
les exercices (m. pl.) drill
le maniement handling
la redondance unnecessary words
la caserne barracks
le poligone artillery range
le vaisseau-école training vessel
le boniment smooth talk

[12]*une année de caserne.* The two friends have just finished their year of military service, obligatory in France. The training period has more frequently extended through two or three years. Students may have their service briefly deferred under normal conditions.

[13]*un académicien,* member of the Academy, probably the Académie française, though it might be one of the other academies (in the arts, sciences, social sciences), which together form the Institut de France, located, as we have seen, on the left bank of the Seine, opposite the Pont des Arts. The "forty immortals" composing the Académie française frequently are considered to be rather "stuffy" and removed from reality, as Jallez hints. Ironically, Jules Romains, like Anatole France and Georges Duhamel, who are also represented in this collection, later became a member of the Académie.

« ...Sur le vaisseau-école les périls que l'on ne courait autrefois que sur le champ de bataille. Le soldat s'y jette avec une passion nouvelle... Non seulement il ne calcule pas le danger, mais il l'appelle... »

—Hein! 5

« Ces tirs, où il dépense en prodigue sa force et son adresse, le grisent et lui sont un besoin; il y voit une image de la sainte guerre... »

—Je te jure sur ma vie qu'il y a « sainte guerre » dans l'original.

« ...Et quand l'arme, en éclatant dans ses mains, le couche sur le 10 sol... il croit de bonne foi qu'il tombe au champ d'honneur, frappé non par le projectile en quelque sorte parricide qui s'est retourné contre lui, mais par la balle ou le boulet de l'ennemi contre lequel « il y allait » de si bon cœur...[14] Toutes les occasions, même celles à côté, lui sont bonnes pour verser son sang. » 15

—« Celles à côté! » souligné dans le texte. Tu vois la signature?

—Oui.

—Il faut aussi que tu te représentes cet éminent boulevardier, plein au demeurant de talent et de gentillesse, venant de porter sa copie, et tout satisfait, son chapeau haut de forme gris clair un peu 20 incliné sur l'oreille, une canne à pomme d'ivoire et sa paire de gants dans une main, une fleur à la boutonnière, déambulant le long des terrasses[15] et se disant: « Est-ce que les gens me reconnaissent? » Il faut que tu te représentes encore le lecteur douillet qui, le soir, les pieds au feu, avec quelques rots discrets de bonne digestion— 25 une main devant la bouche—s'assimile cette prose. Quant aux

dépenser to expend
en prodigue lavishly
une adresse skill
griser to intoxicate
coucher to lay low
le boulet bullet
à côté accidental
souligné underlined
le boulevardier man about town
au demeurant nevertheless
la gentillesse kindness
la copie manuscript
porter to deliver
le chapeau haut de forme top hat
clair light
incliné tilted
la pomme head
le gant glove
la boutonnière buttonhole
déambuler to stroll
douillet comfortable
le rot belch

[14]*de si bon cœur*, with so much spirit. [15]*terrasses.* Even in winter Frenchmen are fond of dining or taking refreshments outside so that they may enjoy the pleasure of observing the passing crowd. The prevalence on the main boulevards of very wide sidewalks has, consequently, favored the multiplication of cafés and restaurants with numerous sidewalk tables.

treize cadavres, aux treize familles, aux treize tombes, tu peux te les représenter par-dessus le marché. Mais ce n'est pas indispensable.

Jerphanion n'avait pas encore vu Jallez avec cette flamme du 5 regard,[16] cette vibration de tout le corps. Il en fut heureux. Il croyait Jallez non, certes, détaché ni sceptique, mais dominant les choses de trop haut, tirant ses pensées de trop loin, pour connaître une telle fraîcheur d'indignation.[17]

« Je l'aime bien, se dit-il. Je me sens plus près de lui. Mainte- 10 nant, j'hésiterai moins à me laisser aller. »

Jallez, ayant plié le papier académique, l'avait logé dans son portefeuille.

—Bon à relire de temps en temps. Quand il vous vient des mollesses de conscience.

15 Puis il se pencha sur sa table, et d'un petit grattement du doigt, désigna une strophe dans la page ouverte:

> Un port retentissant où mon âme peut boire
> A grands flots...[18]

par-dessus le marché in addition
sceptique skeptical
plier to fold
la mollesse weakness
le grattement scratching sound
la strophe stanza
retentissant resounding
à grands flots plentifully

[16]*cette flamme de regard*, this fire in his eyes. [17]*une telle fraîcheur d'indignation*, such vigorous indignation. [18]*Un port . . . flots*, lines from "La Chevelure," an extraordinary poem by Charles Baudelaire (1821–1867), who will be the subject of discussion between the two friends for several interesting pages, given here only in part, for lack of space. They would also be obscure for those not familiar with this poem and the Baudelairean poetic tradition. While many, like Jerphanion, still think of Hugo as France's greatest poet in spite of certain defects, Baudelaire is quite generally considered to have exercised the greatest influence on French poetry from his time to the present. After an analysis of "La Chevelure" by Jallez, who indicates the principal elements constituting its unusual originality and infinite power of suggestion and evocation, Jerphanion states why, for him, Baudelaire's subject matter is too preoccupied with the sensual to be transcendently great. Jallez partially agrees; he has become so engrossed in the purely esthetic and psychological qualities of Baudelaire that he is less conscious of the poet's limitations. "La Chevelure" is a poem in which the abundant tresses of his mistress, exotic Jeanne Duval, become inextricably intermingled with the waves of the ocean, the sky, the air, with memories, ecstasy, and the infinite, illustrating Baudelaire's remarkable powers of poetic suggestion and evocation. Jallez shows how the lines of this poet contain a richness and solidity reminiscent of the best in Virgil or Horace. They also recall the Dionysian quality in a passage of Bizet's opera, *L'Arlésienne* (based on a story by Daudet).

Jerphanion lut la strophe, fit une légère approbation de la tête, mais ne dit rien. Il craignait de se méprendre sur l'intention de Jallez.

—Eh bien?

—Oui, c'est beau.

—Tu n'as pas l'air très convaincu?

—Parce que je me demandais si tu n'établissais pas par hasard un rapprochement quelconque...

—Aucun, aucun. Je n'aime pas me rouler dans l'ordure, voilà tout. Et j'ai voulu brusquement changer d'air: « Va te purifier dans l'air supérieur... »[19] Mais dis donc, en général, tu ne me sembles pas très emballé par Baudelaire. Tu le connais bien?

—Je l'ai lu. Je ne puis pas dire que j'en aie vécu. D'abord, mon admiration pour Hugo m'a certainement gêné... envers Baudelaire et envers d'autres.

—Moi aussi j'admire beaucoup Hugo. Ça n'empêche pas.

Jerphanion prit le recueil en mains, lut tout le poème de *la Chevelure*, reposa le livre sur la table, resta silencieux et songeur.

—Tu ne peux pas être insensible à l'extraordinaire beauté d'un morceau comme ça?

—Non, bien sûr. Je m'interroge. Il y a des vers magnifiques. Je crois que ce sont les mêmes pour toi et pour moi. Il y en a d'autres que je trouve plus faibles. Je me dis malgré moi que les plus faibles nuisent un peu aux autres; que chez Hugo, il y aurait eu autant de vers magnifiques, et pas, ou presque pas de vers faibles; en tout cas, pas la moindre gaucherie. Et pourtant je me rends bien compte que pour toi les vers « magnifiques » de ce poème ont une qualité que tu ne retrouverais nulle part ailleurs; qu'ils te font

une approbation approving nod
se méprendre sur to mistake
le rapprochement comparison
quelconque of some kind
une ordure filth
dis donc! say!
emballé (fam.) carried away
le recueil collection
la chevelure head of hair
nuire à to detract from
la gaucherie awkwardness
nulle part ailleurs nowhere else

[19] *Va te purifier . . . supérieur*, a line from "Élévation," a poem which illustrates the strong desire for purification and mystical experience present in much of the writing of this complex genius. From Baudelaire's time to the present, French poetic experimentation has continued to occupy a unique place in the Western world, similar to explorations in the field of art.

passer sur n'importe quoi;[20] qu'ils te mettent dans un état de grâce tel, que même les faiblesses prennent un rayonnement spécial, profitent de cette grâce. C'est bien un peu ça[21] ?

—Tout à fait . . .[22]

QUESTIONNAIRE *Les Humanités*

I

A. Comment peut-on dire que l'auteur était un homme de forte culture bien qu'il n'ait jamais été un étudiant universitaire?

B. Quels détails dans « Les Humanités » révèlent chez l'auteur des idées pédagogiques semblables à celles que l'on met en pratique dans nos « progressive schools »?

II

1. A quoi Pierre Nozière (Anatole France) pense-t-il chaque automne en traversant le Luxembourg? 2. Où s'en va le petit bonhomme? 3. De qui le petit bonhomme est-il l'ombre? 4. Quel était le caractère de ce jeune collégien? 5. Pourquoi avait-il le cœur serré? 6. Qu'est-ce qui lui remettait de la joie au cœur? 7. Qu'avait-il fait, lui, en Auvergne? 8. Décrivez Fontanet, son ami. 9. Le petit bonhomme était-il pensionnaire ou externe? 10. Que donne la liberté à tout ce qui croît en elle? 11. Que faut-il qu'un enfant ait fait avant de mieux comprendre la machine sociale? 12. Quelles gens de métier étaient d'abord ses préférés? 13. Que lisait-il, le nez collé contre la vitre? 14. A l'âge de quatorze ou quinze ans, s'intéressait-il encore aux épiceries et aux merceries? 15. A quoi s'est-il intéressé exclusivement ensuite? 16. Que vendaient les bouquinistes des quais? 17. Qu'est-ce qu'il a appris en pratiquant les bouquins? 18. Quelle différence y a-t-il entre les repas des pensionnaires et les repas en famille? 19. Que signifie le beau mot « humanités? » 20. Que goûtait le petit bonhomme en son âme enfantine? 21. Qu'a-t-il vu en abordant la Grèce? 22. Quelle opinion avait-il du pédagogue bossu? 23. Comment jugeait-il

le rayonnement radiance

[20]*te font passer . . . quoi,* make you overlook anything. [21]*un peu ça,* something like that. [22]From *Les hommes de bonne volonté,* Vol. III (*Les Amours enfantines*). Publication authorized by Librairie Ernest Flammarion.

autrefois et juge-t-il maintenant les fables d'Ésope? 24. Comment savons-nous qu'il appréciait vraiment *l'Odyssée?* 25. Lisait-il le grec sans dictionnaire? 26. Quel reproche lui faisait son professeur de seconde? 27. Où lisait-il un soir des vers d'Antigone? 28. Que lui a déclaré son professeur de rhétorique? 29. Quelle opinion avait-il du professeur de rhétorique? 30. A-t-il changé d'idée à l'égard de ses anciens professeurs après vingt-cinq ans?

QUESTIONNAIRE *Jeunesse, Travail, Poésie*

I

A. Comment Jerphanion et son ami appliquent-ils la méthode critique pour éviter d'attacher un sentiment superficiel aux valeurs de la vie?

B. Quelles sont quelques-unes des attitudes et préoccupations des étudiants français telles qu'elles sont représentées dans cette sélection?

II

1. Pourquoi Jerphanion n'a-t-il pas dérangé ses camarades? 2. Qu'avait Jallez devant lui? 3. Quel était le sujet du mémoire de licence de Jerphanion? 4. Pour quels pays Rousseau avait-il élaboré des projets de constitution? 5. Comment Budissin tenait-il son parapluie? 6. A quel poète pensait Jallez? 7. Avec quels livres Jallez s'amusait-il au bout de la table? 8. Pourquoi lisait-il des livres sur l'astronomie? 9. Dans quels observatoires étudie-t-on la structure du système solaire? 10. Comment évite-t-on de devenir un mufle ignorant? 11. Combien de semaines par an faut-il pour déterminer quelles sont les principales idées mortes et vivantes en tous les domaines? 12. Combien de morts l'explosion de la tourelle du *Latouche-Tréville* avait-elle causés? 13. Quels périls court-on aujourd'hui sur un vaisseau-école? 14. Que pense Jallez de l'idée que la guerre est « sainte »? 15. Comment Jallez représente-t-il l'auteur du texte qu'il vient de lire? 16. Comment représente-t-il le lecteur douillet du texte? 17. Est-il indispensable de penser aussi aux treize familles et aux treize tombes des morts? 18. Que fait Jallez du papier académique quand il a fini de le lire? 19. Que dit-il après? 20. Lequel des deux Jerphanion préfère-t-il, Baudelaire ou Hugo? 21. Quelle impression les vers magnifiques de Baudelaire font-ils sur Jallez?

DISCUSSION *Education*

1. Very able students often fail to pass the examinations for the *baccalauréat* in France. Is there any advantage in having such rigid requirements? What disadvantages would you name?

2. In France the *lycéens* and *lycéennes* in the upper grades go to different schools, but the universities are co-educational. Would this be a good system to introduce into the United States?

3. Do you know what seven subjects made up the curriculum in the schools of the Middle Ages (the trivium and the quadrivium)? Which of them are apparently neglected in modern education? What new subjects have been added?

4. Since France has only seventeen universities (not counting technical institutes), only the intellectual élite have a chance of attending them. By comparison, do you believe that the American system of higher education offers any distinct advantages?

5. It has been stated above that some *lycée* professors (such as the philosophers Alain and Sartre) are as brilliant and productive as those in the universities. Why should this so often be the case in France?

13
LA PATRIE

In the course of her long history France has had her full share of wars. She has sometimes been the aggressor. However, most of the terrible conflicts in which she has participated, including the last three major ones, have been fought on French soil. The principal causes, other than fear of her strength, have been population pressures from the East, the tempting richness of her agricultural resources, her nearly self-sufficing economy, the strong attraction of her varied, generally moderate climate, and her rich, diversified civilization, with its appealing way of life. For innumerable centuries these factors have brought about invasions by primitive hordes and modern predatory peoples. So increasingly destructive have these wars become that France's survival is something of a miracle. It is an even greater miracle that, since the seventeenth century, she has continued to occupy the central position, culturally and for long periods politically, in continental European civilization. It is little wonder then that France has not ceased to be what Carlton Hayes calls "a nation of patriots" for whom its frontiers enclose a *sol sacré*. Under such menace and in the desire to maintain a hard-earned prestige, her military establishment was raised to the level of an important institution, with results which have not always been good. Nevertheless, particularly since the founding of the Third Republic, whenever the army has overstepped the bounds to threaten individual rights or the democratic process, the reaction has been strong and decisive. This was evidenced in the Boulanger and Dreyfus affairs and in the progressive resistance to *Pétainisme*. The Napoleonic legend has very few ardent followers. Actually France, like our country, was woefully unprepared for the two world wars, partly because the former cult of the army among conservative classes has been replaced by a determination to limit it strictly to its proper function of national, and today, of anti-totalitarian defense.

Only a few years ago France again suffered from losses whose gravity few Americans realize. She is well aware that widespread destruction and ruthless occupation have brought her to a critical point which jeopardizes her position as a world power, making any future war an almost certain path to complete exhaustion. In the postwar years she has repeated her performance of remarkable recovery already witnessed after the war of 1870 and World War I. Although critical of certain American theories and practices in our relationships with others, she is keenly appreciative of our predominant role in her liberation, in extending precious Marshall Plan aid as well as other forms of assistance, and in implementing the North Atlantic Treaty Organization (NATO). France has provided, despite some recent hesitation, the principal initiative for creating a European economic union. Many of her citizens firmly believe that survival depends on a co-operating Germany, although others remain skeptical regarding such a possibility, fearing a rebirth of German military aggression.[1] No nation today is more in favor of peace than France; indeed, she has a number of avowed pacifists, like Jean Giono, author of "La Femme du boulanger," who, in this respect, follow the example of Romain Rolland, creator of the *Jean-Christophe* cycle. Yet, if another world war should come, there is every reason to believe that she will do her share with determination, as she did for so many years in the vicious, costly Indo-Chinese conflict. It must be noted, however, that, though desirous to co-operate, she is not interested in national suicide, knowing that if again attacked by a strong aggressor, resistance will be useless, as it was in 1940, without prompt, intensive participation by other members of NATO and the newly created Western European Union. Hence her insistence on definite commitments and controls, which have been hard to obtain.

To represent French patriotism and courage, qualities which are self-evident to any student of European history, a scrupulously authentic chapter from Joseph Kessel's *L'Armée des ombres* has been chosen. It describes the French resistance movement operating

[1]Against a background of ever fresh memories of the terrible occupation years, the knowledge that by necessity the leaders of an efficient new German army will be drawn from officers who served loyally under one of the most ruthless dictators and regimes ever known, and that genuinely democratic traditions are too recent in Germany to be well established, was the main reason for France's delay in ratification of the Western European Union.

during the first years of enemy occupation in World War II. In the presence of crushing defeat and ruthless police control, some Frenchmen proved themselves of less heroic stuff than those who figure in this passage. Yet resistance grew rapidly, at first isolated and ineffective, but later highly successful because of careful organization. Many, like Jean-François and Albertine in the present story, risked concentration camp, torture, and death once they found some promising means of enlisting in the underground movement. Joining the *maquis* (from a Corsican word meaning "thicket") was not easy because of the necessity for great caution and secrecy. Prominent Frenchmen were among the leaders, with the statesman Georges Bidault at the very top, and with Mendès-France, the abbé Pierre, and many others playing decisive roles.

Many American soldiers will readily testify to the importance of the Resistance in helping to establish beachheads, and especially in facilitating our rapid advance afterward. Many others witnessed the outstanding combat qualities of the Fighting French under General de Gaulle. One of these soldiers was our author, Joseph Kessel, who, joining the Free French in England in 1940, served as both aviator and parachutist. The experiences of British and Canadian aviators or Commandos saved by the underground organization, as related in "L'Embarquement pour Gibraltar," were later matched by those of American airmen brought down in France. The following pages permit a view of the considerable importance of France's contribution to the allied effort and exemplify how readily the French spirit lends itself to the requirements of underground warfare. Initiative and ingenuity join hands with careful organization when organization is useful. So also do deep secrecy, unassuming courage, and readiness to sacrifice anything, including life and the safety of family, for a cause greater than self, greater even than *la Patrie*. The narrative is based on fact; the seemingly overdone surprise ending was substantially repeated many times in actual experience. We glimpse the complex, interlocking, secret "cell" organization, the variety of activities, such as harassing and sabotage, intelligence work, and radio communications. We observe constant liaison with De Gaulle's Free French forces in England, parachutings, secret trips to London, clandestine newspapers (there were many of them), the functioning of the "underground railroad" with the co-operation of people from all classes, the security measures taken to prevent leakages through torture or otherwise, the genuinely important role played by women, and even the secret aid received from certain members of the Vichy police and other officials. The reader will note also the spirit in which the various privations of enemy occupation were met, the keen pleasure of fooling one's own "government" when it appears to be betraying the country, the self-critical logic which makes the individual Frenchman ready to accept his share of responsibility for national disaster, and the close comradeship within the Movement binding together people, like Jean-François and Félix, of very different origins or social levels. It is true that such leveling is a phenomenon which the French system of universal military service has fostered. The typical actions of the energetic farmer's wife, the resourceful garage man, the enthusiast for sports flirting with death, the scholar and aesthete who is also a patriotic leader, all explain why many French people are shocked when accused of having done little in the war for the common effort.

JOSEPH KESSEL

L'Embarquement pour Gibraltar

JEAN-FRANÇOIS marchait très vite le long de la Promenade des Anglais,[1] bien qu'il fût trop tôt pour rejoindre, dans un bar à la mode, quelques camarades qui s'y réunissaient chaque jour, réfugiés[2] de Paris comme lui et comme lui désœuvrés. . . .

A ce moment, il aperçut un homme en paletot de cuir, de petite taille, mais puissant de torse et d'encolure et qui fonçait, plus qu'il ne marchait, en roulant terriblement les épaules. 5

—Félix! cria Jean-François, de toutes ses forces. Félix la Tonsure!

L'homme se retourna d'un mouvement dur et vif, reconnut Jean-François et seulement alors sourit. Ils avaient servi dans le même corps-franc[3] pendant la guerre. . . . 10

—Par quelle chance te voilà à Nice? Et ton garage de Levallois[4]? demanda Jean-François.

—Les Fritz voulaient que je travaille à leurs réparations. Alors tu comprends, je leur ai laissé des clous,[5] dit Félix. 15

à la mode fashionable
désœuvré idle
le paletot overcoat
la taille size
une encolure neck and shoulders
foncer to plunge forward
le Fritz German
la réparation repair work

[1] *la Promenade des Anglais*, a favorite coastal park of Nice (population, 235,000), frequented by vacationers and inhabitants alike. The Riviera begins at Nice and extends into Italy. With mountains rapidly rising from the shore, it is one of the most fashionable and beautiful areas of France. [2] *réfugiés*, refugees. In 1940 millions of Frenchmen had succeeded in going from the Occupied Zone of northern France, directly under the supervision of the Germans, into the Unoccupied Zone, later administered by the Vichy government, where life was somewhat more tolerable. Ellipses (. . .) are used throughout this selection to indicate omissions made necessary by the length of the original text. [3] *le corps-franc*, an important special unit of the French army, whose members function rather freely as scouts and raiders. [4] *Levallois*, industrial suburb of Paris near Saint-Denis (population, 85,000). [5] *je leur ai laissé des clous*, I left them holding the bag.

Son visage plein et vivant avait pris cette expression sommaire que Jean-François lui avait vue en embuscade ou en patrouille.[6] C'était un homme courageux, rond, tout en dehors, comme Jean-François les aimait. . . .

5 —Qu'est-ce que tu fais dans le civil en ce moment? demanda Félix.

—Mais rien du tout, dit Jean-François.

—Et contre les boches?

—Mais... rien non plus, dit Jean-François, plus lentement.

10 —Pourquoi?

—Je ne sais trop... dit Jean-François. Comment s'y prendre? Seul, on ne peut rien... Et autour de moi, personne...

—Eh bien, j'ai du boulot pour toi, fainéant, dit Félix. Ça t'ira mieux qu'une fleur.[7] Des papiers secrets à porter en douce et des 15 armes à cacher; et faire l'instruction à des petits gars épatants et déjouer les flics et la Gestapo. Un vrai travail de corps-franc. La belle vie.

—La belle vie, répéta Jean-François.

Celle qu'il menait lui était devenue insupportable d'un seul coup.

20 —Faudra te lever de bonne heure, dit Félix, et passer des nuits en route sans chercher à savoir, à comprendre.

—J'aime le mouvement et je ne suis pas curieux, tu le sais, dit Jean-François. . . .[8]

Cette vie était vraiment une vie faite pour Jean-François. Tous 25 les éléments qui pouvaient lui plaire s'y trouvaient rassemblés: l'exercice violent du corps, le risque et la joie de passer à travers

vivant alert
sommaire tense
rond straightforward
en dehors frank and open
dans le civil in civilian life
le boche German
le boulot (fam.) work
le fainéant loafer
en douce secretly
faire l'instruction à to teach
épatant (fam.) swell
déjouer les flics (fam.) to fool the cops
d'un seul coup all of a sudden
le mouvement action

[6]*en embuscade ou en patrouille*, on ambush or patrol duty. [7]*Ca t'ira . . . fleur*, It will fit you like a glove. [8]The considerable length of this chapter has forced the omission of many interesting details, such as the great personal sacrifices made by Félix and others to work in the underground movement. Félix is obliged to neglect his improvised bicycle shop because of the heavy demands of his secret activities, with the result that his wife and family, who know nothing about them, are deprived of necessities and resentful of his supposed indolence.

les mailles, la camaraderie, l'obéissance à un chef d'équipe qu'il aimait. D'autres prenaient le soin de réfléchir et d'ordonner. Il n'avait que l'amusement. Il courait, à bicyclette,[9] les belles routes rouges[10] de la côte. Il roulait en chemin de fer vers Toulouse, Lyon ou la Savoie.[11] Il passait en zone interdite, malgré les douaniers allemands et leurs chiens.[12] Il portait des plis chiffrés, des explosifs, des armes, des postes émetteurs. Dans des granges, des criques, des caves, des clairières, il enseignait à des gens simples, sérieux et passionnés, l'usage des mitraillettes anglaises. Il se présentait à eux sous un faux nom, et il ne savait pas qui ils étaient. Ils s'aimaient pourtant d'une tendresse et d'une confiance sans égales. Un matin, il fit plusieurs kilomètres à la nage[13] avec des lunettes sous-marines pour repérer un colis mystérieux, qu'un bateau mystérieux avait mouillé en mer. Une nuit de lune, il recueillit des parachutes tombés du ciel profond.[14]

Félix la Tonsure (Jean-François continuait à ne connaître que lui dans les cadres de l'organisation) ne ménageait ni la fatigue, ni

la maille mesh (of a police net)
la camaraderie comradeship
une obéissance obedience
le chef d'équipe team leader
courir to travel over
en chemin de fer by train
interdit prohibited
le douanier border guard
le pli chiffré coded message
le poste émetteur radio broadcasting unit
la crique sea cove
la clairière clearing
passionné intensely interested
la mitraillette sub-machine gun
les lunettes (f. pl.) goggles
sous-marin underwater
repérer to spot
le colis package
mouiller to anchor
la nuit de lune moonlight night
le cadre list of leaders
ménager to spare

[9]*à bicyclette.* The French of all ages are ardent bicycle devotees, and often spend vacations on bicycle trips. This was advantageous during the Occupation when gasoline was almost unobtainable. [10]*routes rouges.* The region near Nice has beautiful red rocks and soil. [11]*Toulouse . . . Lyon . . . la Savoie.* Toulouse, a major city of France on the Garonne river, having a population of 285,000. It is famous as the former capital of the province of Languedoc, cultural center of southern France. Lyon (Lyons) (population, 600,000), located at the junction of the Rhône and Saône rivers, is France's third largest city. It has a rich historical background and is of great importance today in the industrial and commercial activities of the nation. La Savoie is either the department or the mountainous region of that name (southeastern France, along part of the Italian border). [12]*zone . . . chiens.* As explained in note 2, France was divided during World War II. The frontier thus created was manned by German guards, with the help of trained and dangerous police dogs. Only authorized persons with special passports were able to cross the frontier legally. Many Frenchmen, however, found ways of eluding the guards. [13]*il fit . . . nage,* he swam several kilometers. [14]*du ciel profond,* from high in the sky.

le danger, à son camarade de corps-franc. . . . Félix recevait ses ordres d'un échelon supérieur. Au delà c'était l'obscurité complète. Mais le mystère n'irritait pas, n'intriguait pas et même n'intéressait pas Jean-François. . . .

5 Une mission qui mena Jean-François à Paris lui montra combien il était formé et absorbé par la vie clandestine.

Quand Jean-François débarqua à la gare de Lyon,[15] il portait une valise qui contenait un poste émetteur anglais, parachuté quelques jours auparavant dans un département du Centre. Un 10 homme pris avec un pareil bagage était voué à mourir dans les tortures.

Or, ce matin-là, des agents de la Gestapo et de la Feldgendarmerie contrôlaient tous les colis à la sortie de la gare.

Jean-François n'eut pas le temps de réfléchir. Près de lui un 15 enfant aux gros genoux, aux mollets grêles, trottait péniblement derrière une femme âgée. Jean-François prit l'enfant contre sa poitrine et tendit en même temps sa valise à un soldat allemand qui s'en allait les bras ballants.

—Porte ça, mon vieux, dit Jean-François en souriant. Je n'y 20 arriverai jamais seul.[16]

Le soldat allemand regarda Jean-François, sourit lui aussi, prit la valise et passa sans examen. Quelques instants après, Jean-François était assis dans un compartiment de métro,[17] sa valise entre les jambes.

25 Mais la matinée n'était pas bonne. A la station où Jean-François s'arrêta, il trouva un nouveau barrage formé, cette fois, par la police française. Jean-François dut ouvrir sa valise.

un échelon level
intriguer to make curious
absorbé par wrapped up in
débarquer to get off
auparavant before
voué destined
la Gestapo German secret police
la Feldgendarmerie German military police
contrôler to inspect
le mollet calf (of leg)
grêle spindly
bras ballants empty-handed
la matinée morning
le barrage checking point

[15]*la gare de Lyon.* Parisian terminus of the PLM (Paris-Lyon-Méditerranée) railroad, one of the first to be electrified. A major portion of the main French railroads now operates electrically. [16]*Je n'y arriverai jamais*, I shall never succeed in doing it. [17]*le métro*, the Parisian subway system, one of the best in the world, clean, efficient, and covering all sections of the city.

—Qu'est-ce que vous avez là? demanda l'agent.

—Vous le voyez bien, brigadier, dit Jean-François avec simplicité: Un appareil de T. S. F.[18]

—Alors, ça va, passez, dit l'agent.

Riant encore de ces deux réussites, Jean-François remit le poste émetteur à un revendeur de meubles de la rive gauche. Celui-ci le pria à déjeuner. . . . Mais il refusa. Il avait une surprise à faire. . . . 5

Balançant sa valise et sifflant la marche de son ancien régiment, Jean-François arriva dans l'avenue de la Muette,[19] devant un petit hôtel absurde et charmant, construit à la fin de l'autre siècle et qui appartenait à son frère aîné. Il y avait dans cet hôtel de beaux tableaux, des livres sans nombre et quelques précieux instruments de musique.[20] Il y avait eu aussi, avant l'invasion, une femme 10

un agent policeman
le brigadier sergeant
la réussite success
le revendeur second-hand dealer
la marche marching song
un hôtel town house
autre preceding

[18]*un appareil de T. S. F.* Jean-François was not lying, These words normally designate an ordinary radio, but they may also mean, as here, a broadcasting unit. [19]*avenue de la Muette*, probably the chaussée de la Muette, near the Bois de Boulogne and the beautiful Parc de la Muette where a royal château was formerly located. This street is in the fashionable Passy section, high above the Seine. Many Americans live in this area. [20]*de beaux tableaux, des livres . . . musique.* The very important place occupied by art, literature, and music in the life of the cultured Frenchman, as well as of many others with little formal education, is too well known to need commentary. The well-developed tastes of the workmen in the Romains selection will be recalled. A mere roster of names must suffice here to indicate France's unbroken prominence and frequent pre-eminence in the field of art. The anonymous artists of the Middle Ages built world-famous cathedrals of the Romanesque and particularly of the Gothic style (such as Notre Dame de Paris, Amiens, Chartres, Reims). The Renaissance châteaux are likewise renowned (Fontainebleau, Chenonceaux, Chambord, and many others). Sixteenth-century artists include Jean and François Clouet, Cousin, Goujon, Palissy. Seventeenth century: Claude Gelée (le Lorrain), Philippe de Champagne, Poussin, Le Brun, Le Vau, Le Nôtre. Eighteenth century: Watteau, Boucher, Fragonard, Greuze, Chardin, La Tour, Houdon, David. Nineteenth and twentieth centuries: Gros, Prud'hon, Delacroix, Géricault, Ingres, Corot, Rousseau, Rosa Bonheur, Millet, Courbet, Viollet-le-Duc, Rude, Carpeaux, Rodin, Puvis de Chavannes, Manet, Monet, Pissaro, Renoir, Degas, Cézanne, Gauguin, Van Gogh, Picasso, Toulouse-Lautrec, Matisse, Rouault, Modigliani, Chagalle, Utrillo, Derain, Braque, Vlaminck, Léger, Segonzac, Miro, Dufy, Bonnard, Henri Rousseaux, Foujita, Maillol, Despiau, Le Corbusier, and Jeanneret. A glance at the list of artists of the past half century with foreign names (some are of foreign nationality, but all made their homes in France) will give another indication of the extent to which Paris has been for many years the art center of the occidental world.

France's rich musical heritage may be represented by such names as Couperin, Rameau, Berlioz, Gounod, Bizet, Saint-Saëns, Massenet, Debussy, Ravel, Fauré, Chaus-

silencieuse et fine, et un petit garçon batailleur qui avait les yeux de Jean-François. La mère et l'enfant étaient partis pour la campagne à l'arrivée des Allemands et n'étaient plus revenus.[21] Mais le frère de Jean-François n'avait pas quitté sa maison à cause des 5 tableaux, des instruments de musique et des livres.

Jean-François interdit à la vieille bonne de l'annoncer et ouvrit sans bruit la porte de la bibliothèque. Il y vit son frère, enfoncé dans un fauteuil et lisant un volume épais. On ne voyait presque pas son visage parce qu'il portait un gros manteau au col relevé et 10 un bonnet de laine très enfoncé sur les yeux. Cela parut comique à Jean-François. Encore tout échauffé par sa marche rapide il ne sentait pas que la maison était glacée.

—Salut, saint Luc, cria Jean-François.

Son frère s'appelait tout bonnement Luc. Mais pour son égalité 15 de caractère, son goût de la vie spirituelle, et pour sa bienveillance envers tous les hommes, quelques camarades de classe l'avaient baptisé saint Luc. Le nom lui était resté dans la famille.

—Le petit Jean, le petit Jean, dit Luc, dont la tête arrivait tout juste au niveau des épaules de Jean-François.

20 Les deux frères s'embrassèrent... Il y avait une assez grande différence d'âge entre eux, mais elle n'en imposait pas à Jean-François. Il se sentait tellement plus fort, plus pratique, plus adroit que son frère.

batailleur pugnacious
interdire to forbid
la bibliothèque library
enfoncé sunk deep
relevé turned up
enfoncé pulled down
échauffé warm
tout bonnement simply
une égalité de caractère evenness of temper
a bienveillance good will
le niveau level
en imposer à to impress

son, César Franck (Belgian in origin), and, among living composers, Honegger, Milhaud, Poulenc, Ibert, and Jean Françaix. Pierre Monteux, Charles Münch, and Paul Paray are Frenchmen who occupy important places as orchestra conductors in the United States. The late Georges Enesco had lived in France for many years. Among outstanding French musicians who frequently tour our country may be mentioned Casadesus, Francescatti, Monique de la Bruchollerie, Nadia Boulanger, Bernac, Souzay, the Pasquier trio, the Pascal and Lowenguth quartets. Martial Singher, Lili Pons, and the French-Canadian Raoul Jobin are some of the French singers who have been members of our Metropolitan Opera Company for a considerable period of time.

[21]During the Occupation those Parisians who had a farm or village home sent their families away from the city in order to find greater security and decent food.

—Tous les bouquins sont là et le clavecin et le hautbois, dit Jean-François. Alors, la vie est toujours belle.

—Toujours, toujours, dit Luc tendrement.

Puis il demanda:

—Mais comment es-tu venu, petit Jean? J'espère que tu as un *Ausweis*[22] ?... 5

—Oui, j'ai un *Ausweis*, saint Luc, reprit Jean-François. Et même... et même...

Jean-François s'arrêta un instant, parce qu'il avait été sur le point de dire que son sauf-conduit était faux et admirablement imité. Il 10 acheva:

—Et même je meurs de faim.

—On va déjeuner tout de suite, dit Luc.

Il appela la vieille servante et lui demanda:

—Qu'est-ce que nous avons de bon aujourd'hui? 15

—Mais des rutabagas,[23] comme hier, Monsieur Luc, dit la servante. . . .

Ils prirent leur repas dans la cuisine qui était la seule pièce où il y eut du feu. Luc garda son manteau et son bonnet.

—J'emmagasine la chaleur, dit-il. 20

—Eh bien moi, j'ai eu chaud à en mourir,[24] deux fois ce matin, s'écria Jean-François.

Il s'arrêta une fois encore et expliqua:

—Dans ces trains et ces métros bondés on étouffe.

A ce moment Jean-François se souvint du revendeur de meubles 25 et regretta d'avoir refusé son invitation. Puis il eut honte. . . . Il sentit que le petit brocanteur qu'il venait à peine de connaître lui était plus proche que le frère qu'il avait toujours chéri et qu'il

le clavecin harpsichord	*le sauf-conduit* pass	*le brocanteur* second-hand
le hautbois oboe	*emmagasiner* to store up	dealer
	bondé overcrowded	*chérir* to love

[22]*un Ausweis*, pass issued by the Germans to go from one zone to the other. [23]*le rutabaga*, a large, tasteless turnip of low food value, ordinarily fed to livestock, but a staple meal for the undernourished people of occupied France. [24]*chaud à en mourir*, an expresson *à double entente* (a play on words). It may be translated as "I thought I'd die of the heat," or "Things were hot enough to cause my death." However, Jean-François realizes that he must not reveal, even to his own brother, his real meaning, as contrasted with the freedom which he would have felt in discussing his adventures with a fellow member of the Resistance movement, the humble second-hand dealer.

continuait de chérir, mais avec lequel il n'avait plus rien de commun que des souvenirs. La vie, la vraie vie, dans toute sa chaleur, dans toute sa profonde et puissante richesse, il pouvait la partager seulement avec des gens comme Félix ou le Bison,[25] ou cette ouvrière
5 tuberculeuse qui l'avait caché pendant deux jours, ou comme le chauffeur de locomotive aux yeux si clairs dans leur gaine de suie, qui l'aidait à passer des armes. . .

Tandis que Jean-François déjeunait avec son frère Avenue de la Muette, Gerbier,[26] à Lyon, recevait Félix.

10 —Je vous ai fait venir parce qu'il y a urgence,[27] dit Gerbier. On a perquisitionné chez notre ami le docteur, dans le secteur sud-ouest. Toute la maison de repos a été fouillée. Par chance, il n'abritait ce jour-là personne de chez nous. Il s'en est tiré, mais l'endroit est brûlé.

15 —Je vois, je vois, dit Félix.

—Combien de monde en tout avez-vous à embarquer pour Gibraltar? demanda Gerbier.

—Eh bien! les deux officiers canadiens des Commandos de Dieppe,[28] vous le savez, et puis trois nouveaux gars de la R. A. F.

le chauffeur engineer
la gaine sheath
la suie soot
passer to smuggle
perquisitionner to make a police search
la maison de repos rest home
s'en tirer to pull through
brûlé (fam.) of no further use
R. A. F. Royal Air Force

[25]*le Bison*, one of the members of Jean-François's secret group, whose real name is hidden under a pseudonym indicating the great interest of many Frenchmen in American movies with Western settings. [26]Gerbier is the head of Félix's little unit, just as Félix is the leader of the one to which Jean-François belongs. None of the members of Gerbier's unit, except Gerbier himself, is known to Félix. These precautions were necessary because the Gestapo resorted to torture in order to discover the composition of the different levels of the Resistance movement. [27]*parce qu'il y a urgence*, because of an emergency. [28]*Commandos de Dieppe*, soldiers (mainly Canadian) who participated in the costly experimental landing at that Normandy seashore town preceding the liberation of France. Many were killed, but others escaped into the countryside and were promptly sheltered by the French. The Resistance movement succeeded in getting most of them out of the country. Although, at the time of this episode, the Resistance had not completed its organization in southern France, it was establishing new contacts daily. British, French, and, later, American submarines were often used to evacuate grounded aviators, anti-German Frenchmen who were being pursued, commandos, countless fugitive Belgians, and liaison agents between the Free French in England and the Resistance leaders. It is to be remembered that M. Kessel was personally active in the liaison work, and served in the Free French forces as an aviator and parachutist. Two other famous writer-aviators worthy of note are Malraux and Saint-Exupéry, author of the last selection of this text.

tombés en parachute, et deux Belges en plus, des condamnés à mort par les boches.

—Et il y a encore un radio de chez nous qui va faire un stage en Angleterre, et aussi une jeune fille, dit Gerbier. Cela fait neuf. Où vont-ils attendre le sous-marin? . . . 5

—J'ai beau chercher, chercher, mais, à part le docteur, nous n'avons personne sur cette côte, dit Félix.

—Alors, il faut une reconnaissance dans la région et trouver une propriété, une auberge, une usine qui reçoive nos gens, dit Gerbier. Avant quarante-huit heures. . . . 10

—Je vois, je vois, dit Félix... Et j'ai un gars sur mesure. Mon copain du corps-franc. Vous ne l'avez jamais vu, mais vous savez de qui je cause. Il a un flair de chien de chasse. Seulement il est à Paris. Il a dû livrer un nouveau poste à Dubois Deux ce matin. . . .

La ferme était située à mi-chemin entre la grand'route nationale 15 et la mer. Les dépendances spacieuses, construites solidement, à l'ancienne, couvraient en fer à cheval le corps principal d'habitation,[29] du côté des terres. Vers l'horizon marin s'étendaient, jusqu'au rivage, des labours, des vignes, des bouquets d'arbres. Ces biens étaient clôturés par des murettes. Jean-François, assis le long d'un 20 sentier et sa bicyclette couchée à côté de lui, contemplait la ferme. De tous les refuges possibles qu'il avait notés au cours de la journée, celui-là paraissait, assurément, le mieux approprié. Jean-François sauta en selle.

Dans la cour picoraient des poules et, sur les marches du perron, 25 un vieux valet de ferme cassait du bois.

—Où est le patron? lui demanda Jean-François. . . .

le radio radio operator
faire un stage to have a training period
à part except for
une usine factory
sur mesure made to order
le flair scent
à mi-chemin half way
la grand'route highway
la dépendance outbuilding
à l'ancienne in the ancient style
en fer à cheval in horseshoe shape
les terres (f. pl.) fields
le rivage shore
le labour plowed field
le bouquet cluster
clôturé enclosed
la murette low wall
le refuge shelter
en selle on the bicycle seat
picorer to peck
le perron outside flight of stone steps

[29] *le corps principal d'habitation*, main residence.

La porte s'ouvrit et une femme en robe et fichu noirs parut. Elle était d'âge mûr, petite et portait la tête très droite.

—Le patron n'est pas là, le patron est en ville, dit-elle avec l'accent vif de la région.

5 Jean-François sourit à cette figure mate, régulière et sévère.

—Ça ne fait rien, Madame, dit-il. Le vrai patron, j'en suis sûr, c'est vous. . . . Vous me donnerez bien à boire. . . . J'ai la gorge en feu.

—Entrez, dit la femme. . . .

10 Dans la grande salle la fermière posa sur la table une bouteille et un verre.

—De l'eau aurait suffi, dit Jean-François.

—On n'a jamais refusé chez Augustine Viellat du vin à un passant, même en ces temps de misère, dit la femme avec hauteur.

15 —Vous avez fait la guerre? demanda-t-elle.

—D'un bout à l'autre, dit Jean-François, dans les corps-francs.

—Les corps-francs, reprit Augustine Viellat, c'étaient de bons soldats, on dit.

—On dit,[30] répéta Jean-François en riant. Il se leva soudain, 20 alluma le poste de radio posé sur un coffre et plaça l'aiguille à l'endroit des émissions de Londres.[31]

—Ce n'est pas l'heure, dit la fermière.

Elle se tenait debout, près de la table. Jean-François vint s'asseoir, à côté de la femme, sur un coin de cette table.

25 —Il faut que je trouve avant la nuit un endroit où cacher quelques camarades, dit-il.

le fichu neck scarf
mûr mature
mat expressionless
ça ne fait rien that makes no difference
avec hauteur proudly
allumer to turn on
le coffre chest
une aiguille pointer
se tenir debout to remain standing

[30]*On dit,* That's what they say. [31]*émissions de Londres.* General de Gaulle's Provisional Government and the Fighting French headquarters were in London. A number of American college students enrolled in his forces and trained in England before fighting in Africa and Italy. Whereas the German occupation and Vichy broadcasts were full of false propaganda, those emanating from London kept the French informed of the truth. At the risk of their lives, millions of people in France listened secretly, but regularly, to these London broadcasts (as well as to those of Boston's WRUL-WRUW). Coded messages sent to Resistance leaders also proved highly effective, as did the broadcasts of the latter to London. The quick reaction of the farmer's wife proved to Jean-François that she approved the Resistance movement.

Le Louvre, Paris

"La Famille de Paysans," by Louis Le Nain (1593-1648)

This realistic glimpse of family life among poor peasants of the seventeenth century is typical of the works of Louis Le Nain and his brothers. Their paintings were characterized by naturalness, simplicity, and compassion.

La fermière ne changea pas de visage mais baissa la voix pour demander:

—Ce sont des prisonniers évadés?

—Ce sont des Anglais, dit Jean-François.

—Sainte Vierge![32]... murmura Augustine Viellat... Des soldats anglais jusque chez nous! Je croyais qu'on les trouvait seulement dans nos pays du Nord. 5

—C'est bien là qu'ils ont commencé par se cacher, dit Jean-François. On les a traités merveilleusement.

—J'espère bien, dit la fermière. Les soldats anglais sont chez eux dans toute bonne maison française. 10

Augustine Viellat avait croisé son fichu noir sur sa poitrine et le fichu tremblait un peu.

—Alors, si je vous les amène? demanda Jean-François.

—Je vous dirai merci, reprit la fermière. . . . 15

—Et pour la sécurité? demanda Jean-François.

—Mon mari et ma fille sont dans mes idées[33] et le valet était ici du temps de mon beau-père, dit Augustine Viellat avec impatience. . . .

—Et pour la nourriture? demanda Jean-François. 20

—On n'est encore jamais mort de faim, grâce à Dieu, même par ces temps de malheur, chez Augustine Viellat, dit la fermière.

Ils arrivèrent par petits groupes en deux nuits. Les Canadiens des Commandos de Dieppe étaient passés par dix recueils: cabanes de pêcheurs, châteaux de hobereaux, hameaux de montagne, auberges routières. Les deux pilotes de la R. A. F., blessés, avaient été soignés pendant des semaines chez un médecin de campagne. Les francs-tireurs belges avaient travaillé dans une coupe de bois comme bûcherons. Enfin Félix amena un Polonais[34] taciturne à 25

évadé escaped
si what if
pour what about
le beau-père father-in-law
le recueil receiving point
le hobereau country squire
le hameau hamlet
routier roadside
le franc-tireur sniper
la coupe de bois fall of timber
le bûcheron lumberman

[32]*Sainte Vierge!* exclamation of surprise without the slightest sacrilegious implication.
[33]*sont de mes idées*, agree with me.
[34]*un Polonais.* The Nazis, with their race prejudices, were almost as cruel toward the Poles as toward the Jews. France received and cared for many Polish refugees during World War II, as she has during every persecution since the 18th century.

qui les Allemands, avant qu'il ne s'évadât, avaient cassé tous les doigts de la main droite. . . .

Augustine Viellat . . . sacrifiait toutes les réserves amassées pour un hiver de famine et leur abandonnait toutes les rations de pain 5 de sa famille. Cette patronne altière et despotique les soignait avec une sollicitude pleine de timidité. Les Anglais et les Canadiens étaient surtout l'objet de sa vénération. Ils lui semblaient des êtres un peu fabuleux. Ils venaient de si loin. Ils continuaient de se battre.

10 —Taisez-vous donc, leur disait Augustine Viellat, lorsqu'ils la remerciaient de quelque attention. Qu'est-ce qu'on serait devenus sans vous?

Et eux qui avaient reçu le même accueil à travers toute la France, ils souriaient d'un air gêné.

15 Jules Viellat qui, pour pied bot, avait été réformé en 1914 et en 1939, se répétait sans cesse: « Et moi aussi, je fais un peu la guerre maintenant. » . . .

La nuit venue, tout le monde se réunissait pour écouter les émissions anglaises dans la grande salle de la ferme où tout—portes et 20 volets—était soigneusement clos. . . .

Cela dura environ une semaine. Puis, un soir, Jean-François revint. Il annonça que le départ aurait lieu la nuit suivante. Augustine Viellat croisa son fichu sur sa poitrine pour cacher l'agitation de ses mains. Comme on allait se séparer pour dormir, 25 Augustine retint Jean-François:

—J'aimerais en avoir d'autres, à l'occasion, lui dit-elle presque timidement.

Sa demande n'étonna point Jean-François. Chaque fois que les gens commençaient, par hasard, à rendre service à la Résistance, 30 ils étaient heureux et voulaient continuer. . . .

—Les clients ne manquent pas, dit Jean-François en souriant à Augustine. . . . Et puis, on pourrait émettre de chez vous. . . .

la patronne protectress
altier haughty
se taire to be quiet
gêné embarrassed
le pied bot clubfoot
réformé deferred
la nuit venue after nightfall
une agitation shaking
retenir to detain
à l'occasion whenever the opportunity arises
émettre to broadcast

—Sainte Vierge! s'écria la fermière. . . .

—Attention, dit Jean-François, c'est la peine de mort. . . .

—Qu'est-ce que tu en penses, Jules? demanda la fermière.

—Je veux ce que tu veux, dit Jules Viellat. . . .

—Alors, je veux. 5

—J'en parlerai demain à mon chef, dit Jean-François.

Gerbier arriva avant le jour. . . .

—J'ai une mission pour vous. Une mission capitale, mon petit (sa voix était singulièrement douce et pénétrante). Vous conduirez au sous-marin le grand patron.[35] Vous entendez, le grand patron. 10 Il part aussi. Et je ne veux pas qu'il embarque avec toute la bande. C'est risqué. Nous sommes trop nombreux. Vous partirez avec lui d'un autre endroit—sur un petit canot. Le Bison vous l'amènera. Attendez mon signal quand je serai à bord. Trois points bleus et un trait.[36] 15

—Compris. Je réponds de tout, dit Jean-François. . .[37]

L'obscurité était profonde. Pourtant les arêtes des rochers abrupts qui crénelaient la crique se devinaient[38] sur le fond du ciel de nuit. Une grotte formait le fond de l'entaille étroite et sauvage en forme de flèche dentelée, par où la mer pénétrait dans la côte 20 aux cent détours.[39] . . .

Jean-François ferma les yeux et ne fut plus qu'une sorte d'antenne à l'écoute. . . . Il était étrange de penser que le patron prendrait place bientôt dans la barque. . . . Son existence était enveloppée dans une sorte de nuage sacré. Son départ avait tout l'appareil 25 d'un prodige de théâtre.[40] Venu on ne savait d'où, il allait s'abîmer dans la mer.

la peine de mort death penalty
capital vital
le canot rowboat
à bord on board
abrupt steep
créneler to indent
une entaille opening
dentelé notched
la côte coastal area
à l'écoute listening in
s'abîmer to be swallowed up

[35]*le grand patron,* presumably the head of the entire Resistance movement, whose real identity was unknown even to Gerbier. [36]*Trois points . . . trait,* three dots and a dash, Morse code for *v*, the conventional signal and symbol of trust in ultimate victory among the Allies. [37]In the following passage, which is omitted, Augustine refuses to be paid for keeping the refugees, asking only for arms for trusted neighbors. [38]*se devinaient,* were vaguely perceptible. [39]*aux cent détours,* with its irregular lines. [40]*l'appareil . . . théâtre,* the display and trappings of a dramatic "thriller."

Et voilà que lui, Jean-François, qui ne pensait jamais aux choses sérieuses, il allait servir de passeur au grand patron, à celui qui prévoyait, organisait et ordonnait tout. . . .

« Il faudra que j'en parle après la guerre à saint Luc. » Jean-
5 François se sentit sourire dans la nuit. Pauvre saint Luc avec son bonnet de laine, ses rutabagas, sa peur des gendarmes, alors que la vie était si belle, si large, si...

Jean-François se souleva légèrement sur les coudes. Toute pensée était suspendue en lui. Il était certain d'avoir entendu quelqu'un
10 remuer à la pointe des rochers qui, du côté droit, protégeaient la crique. . . . Confondu avec le sable mouillé, Jean-François, léger et glissant comme une couleuvre, traversa rapidement le pourtour de la crique. Il aperçut alors, entre deux blocs de pierre un autre bloc, aussi immobile, mais d'une ombre un peu plus grise. C'était
15 l'homme. . . . Jean-François entendit une voix sourde.

—Pas de bétise.[41] Je suis armé. . . . Je suis le beau-frère d'Augustine Viellat, dit l'interlocuteur invisible. . . .

—Et alors? demanda Jean-François.

—Ça va, ça va, dit l'homme. La patrouille des gendarmes a
20 passé plus haut. Les boches ne sont pas encore assez nombreux et ils ne connaissent pas le pays. Ils font confiance à la douane.

—Et la douane? demanda Jean-François.

—Comment, la douane? dit l'homme. Elle est bien bonne![42] La douane... c'est moi. Je suis l'adjudant pour tout le secteur. . . .
25 Des étincelles d'un feu bleuâtre s'élevèrent au-dessus de l'eau, tremblèrent et disparurent. Jean-François vit le signal et fut debout en même temps. Presque aussitôt, sur le sentier qui menait de la route au fond de la crique, il entendit des pas pesants et maladroits. . . .
30 Au bout de quelques instants deux ombres se laissèrent glisser sur le sable.

le passeur ferryman
le gendarme state policeman
alors que whereas
confondu blended
la couleuvre snake
le pourtour circumference
le beau-frère brother-in-law
faire confiance à to rely on
la douane coast guard
une étincelle spark
bleuâtre bluish
pesant heavy
maladroit clumsy

[41] *Pas de bêtise,* Don't do anything stupid. [42] *Elle est bien bonne!* That's a good one!

—Embarquez, murmura l'une d'elles.

Jean-François reconnut la voix du Bison.

Il mit le canot à la mer . . . Le passager monta à bord si gauchement, qu'il manqua de peu à faire chavirer l'embarcation. . . .

—Bonne chance, patron, chuchota le Bison. . . . 5

Le signal s'alluma encore une fois. La distance à parcourir jusqu'à ces feux était considérable. Mais les bras de Jean-François allaient et venaient comme des bielles huilées, régulières. Enfin, une vague forme se dessina au ras de l'horizon, tout proche. Jean-François donna un souple coup de rame. Le canot vint se ranger 10 contre la coque d'un sous-marin à peine émergé.

Quelqu'un à bord se pencha. Le faisceau lumineux d'une forte torche éclaira un instant le canot tout entier. Pour la première fois les deux hommes qui l'occupaient virent leurs figures arrachées à la nuit. Celui qui se levait avec difficulté de la banquette dit d'une 15 voix assourdie:

—Mon Dieu... le petit Jean... est-ce possible?

Et Jean-François reconnut son frère aîné.

—Le patron, balbutia-t-il. Écoute... comment...

La torche s'éteignit. La nuit fut plus noire qu'auparavant, im- 20 pénétrable. Jean-François fit un pas d'aveugle. Comme il touchait son frère, celui-ci fut enlevé par des bras invisibles. Le sous-marin s'éloigna, plongea.

Par réflexe, Jean-François lança son canot dans le sillage qui emportait son frère. Soudain, sans force, il abandonna les avirons. 25 La barque s'en fut lentement à la dérive.[43] Jean-François ne sut pas combien de temps il lui fallut pour comprendre et croire ce qui s'était passé. Puis il murmura:

le passager passenger
gauchement awkwardly
manquer de peu barely to miss
chavirer to capsize
une embarcation boat
à parcourir to be covered
aller et venir to go back and forth
la bielle connecting rod
régulier smoothly moving
au ras on the level
souple adroit
le coup de rame oar stroke
se ranger to draw up
la coque hull
le faisceau beam
fort powerful
la torche flashlight
arraché à torn away from
la banquette seat
assourdi muffled
lancer to drive (row)
le sillage wake
un aviron oar

[43]*s'en fut . . . à la dérive,* drifted aimlessly.

—Sacré saint Luc![44]... Quelle famille!...

Puis il se mit à rire et fit route en chantant vers le rivage sur la mer obscure.[45]

QUESTIONNAIRE *L'Embarquement pour Gibraltar*

I

A. Pourquoi la France, de toutes les nations européennes, tient-elle surtout à assurer une paix honorable?

B. Décrivez la façon dont la Résistance en France a opéré pendant l'occupation allemande.

II

1. Où Jean-François avait-il connu Félix? 2. Pourquoi Félix ne travaillait-il plus à son garage de Levallois? 3. Pourquoi Jean-François ne faisait-il rien en ce moment contre l'ennemi? 4. Est-ce que sa nouvelle vie était vraiment faite pour Jean-François? 5. Connaissait-il ses supérieurs dans les cadres de l'organisation? 6. Que portait Jean-François dans sa valise en arrivant à Paris? 7. A-t-il fini par remettre le poste émetteur au revendeur de meubles? 8. Où est-il allé retrouver son frère Luc? 9. Que faisait Luc au moment de l'entrée de Jean-François? 10. Jean-François a-t-il dit à son frère que son sauf-conduit était faux? 11. A-t-il senti que son frère lui était aussi proche que l'était le revendeur de meubles? 12. Pourquoi Gerbier avait-il fait venir Félix à Lyon? 13. Quels membres de la Résistance devaient partir pour Gibraltar? 14. Pourquoi Félix a-t-il dit que Jean-François était un gars sur mesure pour trouver le refuge? 15. Qui, selon Jean-François, était le vrai patron de la ferme? 16. Augustine Viellat savait-elle les heures des émissions de Londres? 17. A-t-elle consenti à recevoir des soldats anglais chez elle? 18. Que répondait la fermière quand les Anglais et les Canadiens voulaient la remercier? 19. Jules et Augustine ont-ils refusé d'avoir un poste émetteur chez eux? 20. Quelle nouvelle mission Gerbier avait-il pour Jean-François? 21. Avec qui Jean-François allait-il parler de ses aventures après la guerre? 22. Quelle ombre a-t-il aperçue entre les blocs de pierre? 23. Qui

faire route vers to make for

[44]*Sacré saint Luc!* That sly old Saint Luke! [45]From *L'Armée des ombres*. Publication authorized by René Juillard, éditeur.

a conduit le patron au bord de la mer? 24. Pourquoi Jean-François a-t-il murmuré, « Sacré Saint Luc!... Quelle famille!... »?

DISCUSSION *La Patrie*

1. In English we define chauvinism as extreme nationalism. The word comes from Nicolas Chauvin, an ardent supporter of Napoleon's nationalistic and military politics. What distinctions must be drawn between patriotism and chauvinism?

2. In the Resistance movement, described in "L'Embarquement pour Gibraltar," many men and even women under the age of 21 participated. Should men and women under 21 be given the right to vote? What do you think of the statement "If they're old enough to fight, they're old enough to vote"?

3. Many European countries have tried to achieve greater unity by forbidding the teaching of regional languages in the schools. France has at least four such regional languages: Basque, Breton, Alsatian, and Provençal. You will remember that Dom Karis spoke Breton to Jean Derrien. Should France encourage or forbid the teaching of Breton, Basque, Alsatian, and Provençal in the schools?

4. The invasions of France mentioned in "La Croix de Saint Louis" and preceding the occupation mentioned in "L'Embarquement pour Gibraltar" came through the same path from Germany which General de Gaulle has called "the centuries-old weakness of France." Enumerate all the historical invasions of France you can.

5. Article III of the *Déclaration des droits de l'homme* states: "Le principe de toute souveraineté (sovereignty) réside essentiellement dans la Nation." Are there any international sovereignties which should take precedence over national ones?

14

THE DEFINITION OF CIVILIZATION

After considering the concept of *patrie,* we enlarge our perspectives and derive from French fiction a definition of the broader concept of *civilisation.* We shall now witness the activities of a modern wartime field hospital through the eyes of a peace-loving internationalist seeking such a definition. The author, Georges Duhamel, member of the French Academy, is a distinguished contemporary novelist, poet, and editor. Like the vast majority of his compatriots, but more intensely and eloquently, he hates war and its inevitable consequences. He sees in its modern mechanized forms the results of a basically materialistic definition of civilization and human progress, created in part by overemphasis on the applications of science. He is not lacking in respect for the great services rendered by some phases of science, especially disinterested research and medicine. Himself a doctor who served in hospitals during World War I, he praises the humanitarian acts performed by surgeons and physicians, such as the ones described in the following selection taken from his book entitled *Civilisation.* However, he considers such services in time of war, facilitated by highly perfected mobile units and equipment, merely as a method of utilizing science to mitigate some of the harm brought upon us by the Age of the Machine. Human bodies become broken pieces to be fitted together in the surgical repair shop and shipped back as quickly as possible for further use. The operating room, taking on the guise of a heathen temple, conducts its activities as though they were some barbaric religious dance with its rites, ceremonies, idolatry, its confusion of values clustering around our contemporary idea of "civilization." In his own hunt for a definition of real civilization, he does not allow his personal severe criticism of orthodox religious institutions to prevent him from finding the substance of that definition in the Sermon on the Mount.

Duhamel, however, is no "appeaser." He stands ready to challenge any threat to individual liberty and dignity with typical French vigor. Indeed, during his entire career, which includes both world wars, he has consistently championed international and interracial understanding and unity, professing a fundamental faith in man and his ability slowly to build a better world.

Duhamel's distrust of the Machine Age as a solution for man's problems, shared by many Frenchmen such as the artisans in the Romains selection, needs explanation. Several of the stories already read indicate that the French, like Americans, have a fondness for material things which create physical pleasure or comfort, and which have multiplied during the Machine Age. Indeed, during three quarters of the nineteenth century the French developed a cult of science which found eloquent expression in Renan's *L'Avenir de la Science* (1848–1849). Many thought that it could and would solve all of man's physical and moral problems. Curel wrote a drama on science which he called "the new idol." France is still proud of her prominence as a pioneer and leader in numerous branches of theoretical and applied science.[1] But the exaggerated claims of many scientists, together with the crushing defeat by Prussia, which had perfected the means of destruction offered by science, gave pause to thoughtful Frenchmen. Similar experiences, but in much more terrible intensity through victory and defeat in the two world wars, have deepened the anguished hunt for an answer. Like the great scientist Louis Pasteur and the mathematician Henri Poincaré, many have sought a golden mean between

[1]Students of science will recognize, among the following, the names of many founders and leaders in the field of the physical, natural, and statistical sciences: Jussieux (botany), Buffon (natural history), Lamarck (founder of a theory of evolution), Saint-Hilaire (zoology), Cuvier (paleontology), Bernard (experimental medicine), Pasteur (biology), Charcot (pathology), Descartes, Pascal, D'Alembert, Poincaré, Monge, La Place, Le Verrier (mathematics, astronomy), Lavoisier, Berthelot (chemistry), Ampère (electrophysics), Becquerel, and the Curies (radium). French experimenters have been prominent in most fields of modern developments, both theoretical and applied, some of whom are particularly worthy of note: Papin (steamboat), Pascal (adding machine), Niepce and Daguerre (photography), Lumière brothers (motion pictures), Branly (experiments in wireless telegraphy), Braille (founder of Braille system of "reading" for the blind), Binet (statistical testing), and Rousselot (founder of experimental phonetics). Among the many present-day scientists may be mentioned the mathematicians Picard, Borel, Lebesque, Cartan; the physicists Langevin and the Duc de Broglie; the atomic scientists Joliot-Curie, Thibaud, the Perrins; the chemists Moureu, Prévost, Urbain; the biochemists and biologists Carrel, Thomas, Rostand, Bertrand, Bouin, Ancel, Courrier, and Roche.

materialistic scientism and abstract idealism, where science, philosophy, the arts, the humanities, and social studies and services may be interrelated and share the place of honor. Such a quest of the comprehensive golden mean, corresponding somewhat to the French temperament and very decidedly to French convictions, finds only faint echo in Duhamel's vigorous attack on the Machine Age as such. Nevertheless, the present selection does finely draw the issues involved, with an irony wherein paradox, euphemism and antithesis, images and comparisons, heighten the effect and suggest the reasons for the author's attitude.

These reasons are clearly enough expressed by Duhamel to permit the student to spell them out. They include man's appetite for destruction; the concentration of vast power for evil in the hands of a few, threatening a return to the Dark Ages; the reduction of many to the level of the robot, with accompanying debasement of heart and mind; readiness to accept tyranny; accentuation of speed and noise; the emphasis on quantity rather than quality; needless complications and meaningless activities, all tending toward complacency, unsteadiness, and confusion. The level of a civilization is often judged by the number of its refrigerators, bathtubs, and automobiles.[2] Thus ideals are replaced by things, spiritual values by material ones, inner delights by bodily comforts. As a result, we lose the revivifying contact with nature and the simple life so highly prized by Thoreau. Even generous souls are being deprived of silence and solitude, thought and meditation. Consequently, states Duhamel, we are apt to miss the road which leads to survival, genuine happiness, and the permanent values of life.[3]

[2]These are more numerous in France than many Americans suppose, and they are multiplying rapidly. Their relative infrequency is explained by the Frenchman as follows: a country three times invaded in seventy years, having to pay for the destruction in heavy taxes made more burdensome by low wages and profits, must choose between such luxuries as the above and the necessities of food and national security.

[3]Among other matters of interest in Duhamel's narrative, we should note the presence of Negro troops from France's African and Madagascan colonies. Few Americans realize the size and importance of Overseas France, whose colonies and protectorates remained surprisingly loyal even through the recent years of defeat. Part of France's relative colonial success in the past was due to her lack of strong racial prejudices. Today all countries having extensive colonies or protectorates are confronted with nationalistic movements. For France, they exist in southern Asia and north Africa, where the motherland has made heavy investments in an effort not only to develop natural resources but also to improve, both materially and culturally, the lot of the inhabitants. It is impossible to determine whether the spirit of nationalism will break the close ties existing between France and such areas, or, if maintained, what new form they may take.

GEORGES DUHAMEL

Civilisation

IL FAUDRAIT savoir ce que vous appelez civilisation. Je peux bien vous demander cela, à vous, d'abord parce que vous êtes un homme intelligent et instruit, ensuite parce que vous en parlez tout le temps, de cette fameuse civilisation.

Avant la guerre, j'étais préparateur dans un laboratoire industriel. C'était une bonne petite place; mais je vous assure que si j'ai le triste avantage de sortir vivant de cette catastrophe, je ne retournerai pas là dedans. La campagne! La pure cambrouse! quelque part bien loin de toutes les sales usines, un endroit où je n'entende plus jamais grogner vos aéroplanes et toutes vos machines qui m'amusaient naguère, quand je ne comprenais rien à rien, mais qui me font horreur maintenant, parce qu'elles sont l'esprit même de cette guerre, le principe et la raison de cette guerre!

Je hais le XXe siècle, comme je hais l'Europe pourrie et le monde entier sur lequel cette malheureuse Europe s'est étalée, à la façon d'une tache de cambouis. Je sais bien que c'est un peu ridicule de sortir de grandes phrases comme cela; mais, bah! je ne raconte pas ces choses à tout le monde, et puis, autant ce ridicule-là qu'un autre![1] Je vous le dis, j'irai dans la montagne, et je m'arrangerai pour être aussi seul que possible. J'avais pensé me retirer chez les sauvages, chez les nègres, mais il n'y a même plus de vrais nègres,

le préparateur assistant
pur unspoiled
la cambrouse countryside
grogner to growl
naguère formerly
ne . . . rien à rien nothing about anything
faire horreur à to horrify
pourri rotten
s'étaler to be spread out
le cambouis oil waste
sortir to utter
grand pretentious

[1] *autant ce ridicule-là . . . autre,* such an absurdity is no worse than any other.

maintenant. Tout ça monte à bicyclette et demande à être décoré. Je n'irai pas chez les nègres, nous avons tout fait pour les égarer; je l'ai bien vu à Soissons[2]...

Au printemps de cette année, j'étais à Soissons, avec tout le
5 G. B. C.[3] Je devine que G. B. C., cela ne vous dit pas grand'chose[4]; il faut encore vous en prendre à la civilisation: elle rebâtit la tour de Babel,[5] et, bientôt, les hommes auront avili leur langue maternelle au point d'en faire une sorte de patois télégraphique, sans saveur et sans beauté.

10 La retraite allemande avait porté la ligne vers Vauxaillon et Laffaux,[6] et, là, on se battait passablement. Dans un secteur de combat, une position comme le moulin de Laffaux, c'est une épine au fond d'une plaie: ça entretient l'inflammation. Vers le début de mai, il y eut une grande attaque sur ce moulin, et presque tout
15 mon groupe dut monter en ligne.

—Pour vous, sergent, me dit l'officier, vous resterez à l'hôpital et vous serez chargé du brancardage de l'A. C. A.[7] On vous donnera du monde.

Je suis maintenant au fait des subtilités du langage militaire. En
20 entendant qu'on me donnerait du monde, je compris fort bien qu'il n'y aurait personne, et, en effet, je demeurai à la tête de quatre hommes de rebut, espèces de crétins cacochymes dont personne n'avait l'emploi.[8]

Dès le samedi, les blessés arrivèrent par paquets de cent. Et

monter à bicyclette to ride a bicycle
être décoré to receive a medal
s'en prendre à to lay the blame on
avilir to debase
maternel mother
le patois jargon
passablement quite a bit
une épine thorn
la plaie wound
monter en ligne to go into the battle-line
pour as for
le brancardage stretcher-bearing
du monde some helpers
au fait de experienced in
de rebut useless
le crétin idiot
cacochyme weak-bodied
le paquet bundle

[2]*Soissons*, town of 20,000 in northeastern France (l'Aisne), rich in history and terribly devastated during World War I. [3]*le G. B. C.* See, in lines 5–9, Duhamel's way of making fun of such abuse in using alphabetic abbreviations. [4]*cela ne vous dit pas grand'chose*, those letters mean little to you. [5]*tour de Babel*, built by the sons of Noah to reach the sky and destroyed by God through a "confusion of tongues." Hence, here, an indication of "civilization" destroying all clarity through excessive use of alphabetic letters to stand for names of organizations. [6]*Vauxaillon et Laffaux*, tiny villages near Soissons completely devastated in 1916–1918. [7]*l'A. C. A.*, see explanation on page 227, lines 9 ff. [8]*dont personne . . . l'emploi*, assigned to no one in particular.

je commençai à les empiler méthodiquement dans les salles de l'A. C. A.

A vrai dire, la besogne ne marchait guère.[9] Mes brancardiers fourbus s'accouplaient mal, butaient comme des rosses couronnées et faisaient hurler les blessés. Ils picoraient au hasard dans l'amas énorme de la besogne, et toute l'A. C. A. piétinait d'impatience, comme une usine à chair humaine qui ne reçoit pas ses matières premières et qui tourne à vide.

Il faut que je vous explique ce que c'est qu'une A. C. A. Dans l'argot de la guerre, cela signifie une « autochir »; autrement dit, c'est ce qu'on a inventé de plus perfectionné comme ambulance. C'est le comble de la science, comme les canons de 400 sur voie ferrée;[10] ça suit les armées avec moteurs, machines à vapeur, microscopes, laboratoires, tout un outillage d'hôpital moderne. C'est le premier grand atelier de réparation que l'homme blessé rencontre au sortir de l'atelier de trituration et de destruction qui fonctionne à l'extrême avant. On apporte là les pièces les plus endommagées de la machine militaire. Des ouvriers habiles se jettent dessus, les déboulonnent en vitesse et les examinent avec compétence, comme on ferait d'un frein hydro-pneumatique,[11] d'une culasse ou d'un collimateur. Si la pièce est sérieusement avariée, on fait le nécessaire pour lui assurer une réforme[12] convenable; mais si le « matériel humain » n'est pas absolument hors

empiler to pile up
le brancardier stretcher-bearer
fourbu (fam.) exhausted
s'accoupler to pair up
buter to stumble
la rosse (fam.) old nag
couronné broken-kneed
picorer to peck away
au hasard at random
piétiner to tramp
la matière première raw material
tourner à vide "to grind away without grist"
un argot slang
perfectionné perfected
le comble height
la machine à vapeur steam engine
un outillage equipment
un atelier de trituration grinding room
un extrême-avant front-line area
la pièce part
endommagé damaged
déboulonner to unbolt
en vitesse with great speed
la culasse breech of a gun
le collimateur collimator for sight-setting
avarié damaged
faire le nécessaire to do what is necessary
convenable appropriate

[9]*la besogne . . . guère*, little progress was being made. [10]*les canons . . . voie ferrée*, large 400-millimeter guns mounted on special railroad carriages; effectively used in World War I. [11]*frein hydro-pneumatique*, brake used to check violence of recoil on big guns. [12]*une réforme*, a play on words, meaning both discarding badly damaged parts and discharging soldiers incapable of further service.

d'usage, on le rafistole avec soin pour le remettre en service à la première occasion, et cela s'appelle « la conservation des effectifs ».

Je vous l'ai dit, l'A. C. A. avait des trépidations de machine qui tourne à blanc. Mes brancardiers lui apportaient, avec des mala-
5 dresses de coltineurs ivres, quelques blessés qui étaient immédiatement digérés et éliminés. Et l'usine continuait à gronder, comme un Moloch[13] mis en appétit[14] par les premières fumées du sacrifice.

J'avais ramassé un brancard. Aidé d'un artilleur blessé au cou, et qui ne demandait qu'à se rendre utile en attendant d'être opéré,
10 je dirigeais mon équipe à travers la cohue. C'est alors que je vis passer, visage soucieux et souriant, front casqué, une manière de général raisonnable qui disait: « Ça ne va pas, votre brancardage. Je vais vous envoyer huit Malgaches.[15] Ce sont d'excellents porteurs. »

15 Dix minutes après, mes Malgaches étaient là.

C'était, avec plus d'exactitude, un assortiment de nègres où dominait l'élément malgache, une série d'échantillons prélevés sur le 1er Corps colonial qui, à cette heure même, tapait ferme devant Laffaux. Il y avait quelques Soudanais[16] sans âge, ridés, ténébreux,
20 cachant sous la vareuse réglementaire des grigris patinés qui sentaient le cuir, la sueur et les huiles exotiques. Pour les Malgaches, imaginez des hommes de taille médiocre, d'aspect chétif, qui ressemblaient à des fœtus noirs et sérieux.

hors d'usage beyond repair
rafistoler to patch up
les effectifs (m. pl.) effective military force
la trépidation vibration
tourner à blanc = *tourner à vide*
la maladresse clumsiness
le coltineur coal-heaver
digéré digested
le brancard stretcher
un artilleur artilleryman
opéré operated on
la cohue crowd
soucieux worried
casqué bearing a helmet
la manière kind
la série line
un échantillon sample
prélever to levy
taper ferme to fight aggressively
ridé wrinkled
ténébreux very black
la vareuse jacket
réglementaire regulation
le grigri amulet
patiné polished with time
médiocre medium
chétif frail
sérieux expressionless

[13]*Moloch*, the insatiable Ammonite god to whom children were sacrificed by burning. The comparison with war and cannon smoke is obvious. [14]*mis en appétit*, whose appetite is whetted. [15]*Malgaches*, natives of Madagascar. This enormous island in the Indian Ocean near the African coast (population of four million) is part of the French Union. [16]*Soudanais*, natives of the French Sudan (part of Afrique occidentale française), south of the Sahara, with a population of 3,600,000.

Tous ces gens prirent la bricole et, à mon ordre, se mirent à porter les blessés, avec un flegme silencieux, comme s'ils avaient déplacé des ballots de coton dans un dock.

J'étais satisfait, c'est-à-dire rassuré. L'A. C. A., rassasiée, travaillait à pleines mâchoires et avait le ronron des machines bien soignées qui ruissellent d'huile et dont toutes les pièces étincellent. 5

Étinceler! Le mot n'est pas trop fort. J'en fus aveuglé en pénétrant dans la baraque opératoire. La nuit venait de tomber, une des plus chaudes nuits de ce beau printemps brutal. La canonnade avait des soubresauts de géant malade. Les salles de l'hôpital regorgeaient d'une souffrance houleuse et confuse où la mort travaillait à mettre de l'ordre.[17] Je humai fortement l'obscurité du jardin, et, comme je vous l'ai dit, je pénétrai dans la baraque opératoire. 10

Il y avait plusieurs compartiments. Celui où je me trouvai soudain formait bosse au flanc de l'édifice. Une chaleur de four à puddler y régnait. Des hommes lavaient, brossaient, astiquaient avec minutie une foule d'instruments luisants, cependant que d'autres activaient des foyers qui avaient l'ardeur blême des lampes de soudeur. Sans cesse, des gens entraient, sortaient, portant des boîtes plates, cérémonieusement, à bout de bras, comme des maîtres d'hôtel dévoués aux rites pompeux de la table. 15 20

—Il fait chaud chez vous, murmurai-je pour dire quelque chose.

—Passez à côté, ça ira mieux, me dit en ricanant un nabot barbu comme un Kobold. 25

la bricole shoulder strap
le flegme apathy
déplacer to move
le ballot bale
rassasié gorged
à pleines mâchoires by big mouthfuls
le ronron purring
soigné kept up
ruisseler to drip
la baraque hut
opératoire surgical
le soubresaut jerk
regorger to overflow
houleux agitated
la bosse hump
le flanc side
le four à puddler blast furnace
astiquer to polish
avec minutie with great care
luisant glistening
activer to fire up
le foyer firebox
une ardeur intensity
blême white
la lampe de soudeur blowtorch
à bout de bras at arm's length
le maître d'hôtel butler
dévoué consecrated
à côté into the next room
ricaner to sneer
le nabot dwarf
le Kobold Germanic elf

[17]*la mort travaillait . . . ordre*, death was busy putting everything in order.

Je soulevai une couverture, avec l'impression de pénétrer dans la poitrine d'un monstre. En face de moi, élevé comme un monarque sur une espèce de trône où l'on accédait par plusieurs marches, je reconnus le cœur du personnage. C'était ce qu'on appelle un autoclave, une sorte de marmite immense où l'on eût fait cuire à l'aise un veau entier. Elle gisait à plat ventre et lâchait un jet de vapeur étourdissant, et monotone au point d'en faire perdre la conscience de l'espace et du temps. Brusquement, ce bruit infernal cessa et ce me parut comme la fin de l'éternité. Sur le dos de la machine, une charge de bouillottes continuaient à se gargariser et à crachoter. Semblable à un timonier, un homme manœuvrait un large volant, et, tout à coup dévissé, le couvercle de la chaudière tourna, laissant voir un ventre brûlant d'où l'on sortit toutes sortes de boîtes et de paquets.

A la chaleur de fournaise avait succédé une température moite, accablante, de hammam ou d'étuve.

—Où opère-t-on les blessés? demandai-je à un garçon qui lavait les gants de caoutchouc dans une grande bassine de cuivre.

—Par là, dans les salles d'opérations, parbleu! Mais n'y entrez pas de ce côté.

Je me replongeai dans la nuit, pareille à un gouffre de fraîcheur, et filai vers la salle d'attente retrouver mes brancardiers.

Ils apportaient à ce moment tout un lot de cuirassiers. Une division de « cavalerie à pied » donnait depuis le matin. Les plus beaux hommes de France avaient touché terre par centaines, et ils attendaient là, comme des statues brisées dont les restes sont encore de belles choses. Dieu! les fortes, les magnifiques créatures! Ils avaient des membres si puissants et des poitrines si vastes qu'ils ne

accéder to reach
un autoclave pressure sterilizer
à l'aise easily
à plat ventre flat on its stomach
étourdissant deafening
la bouillotte kettle
se gargariser to gargle
crachoter to spit frequently
le timonier helmsman
dévissé unscrewed
le couvercle lid
la chaudière boiler
moite moist
le hammam Turkish bath
une étuve sweating room
le caoutchouc rubber
par là that way
parbleu! of course!
le gouffre pit
filer to hasten
le lot batch
le cuirassier cavalryman (largely absorbed into other units by 1916)
donner to fight
toucher terre to fall
le membre limb

pouvaient pas croire à la mort et, sentant dégoutter de leurs plaies un sang riche et substantiel, ils conjuraient, avec des blasphèmes et des rires, les défaillances de leur chair divisée.

—Moi, disait l'un d'eux, ils feront ce qu'ils voudront de ma barbaque, mais pour m'endormir, barca! Je ne marche pas![18] 5

—Oui, tout ce qu'ils voudront, disait un autre, mais pas l'amputation! J'ai besoin de ma patte, même esquintée, j'la veux!

Ces deux hommes sortaient de la salle de radiographie. Ils étaient nus sous une couverture et portaient, épinglé à leurs pansements, un trousseau de fiches bigarrées, de croquis, de formules, 10 quelque chose comme un commentaire algébrique de leurs blessures, l'expression chiffrée de leur misère et du désordre des organes.

Ils parlaient de ce premier voyage au laboratoire en enfants bien dressés, qui reconnaissent que le monde moderne ne saurait plus vivre ni mourir sans la méticuleuse discipline des sciences. 15

—Qu'est-ce qu'il a dit, le major des rayons X?

—Il a dit que c'était un axe antéro-postérieur... Ça, je m'en doutais.

—Moi, c'est dans le ventre. Il a dit *l'abbomen*, mais je sais bien que c'est dans le ventre. Ah! Foutre de foutre! Mais je ne veux 20 pas être endormi, ça, j'veux pas!

La porte de la salle d'opération s'ouvrit à ce moment et un déluge de lumière envahit la salle d'attente. Une voix criait:

—Les suivants! Et le ventre d'abord!

Les porteurs noirs ajustèrent leurs bricoles et les deux causeurs 25 furent enlevés. Je suivis les brancards.

Imaginez un bloc lumineux, rectangulaire, enchâssé dans la

dégoutter to drip
conjurer to ward off
la défaillance exhaustion
la barbaque (fam. for meat) flesh
endormir to anesthetize
la patte foot
esquinté damaged
le pansement bandage
le trousseau bunch
la fiche reference card
bigarré multicolored
le croquis sketch
la formule diagnostic indication
chiffré in cipher
dressé trained
le major medical corps doctor
le rayon X X ray
un axe axis
s'en douter to suspect
l'abbomen mispronunciation of *abdomen*
foutre de foutre! (vulgar) what the devil!
le ventre the abdomen case
enchâssé set

[18]*barca! Je ne marche pas!* nix! Nothing doing!

nuit comme un joyau dans de la houille. La porte se referma et je me trouvai emprisonné dans la clarté. Au plafond, un vélum[19] immaculé diffusait l'éclat des lampes. Le sol, plan, élastique, était parsemé de linges rouges que des infirmiers cueillaient prestement
5 avec des pincettes. Entre le sol et ce plafond, quatre formes étranges qui étaient des hommes. Ils étaient complètement revêtus de blanc, leurs visages étaient couverts de masques qui, comme ceux des Touareg,[20] ne laissaient voir que les yeux; ils tenaient en l'air, et écartées, à la façon des danseurs chinois, leurs mains habillées de
10 caoutchouc, et la sueur ruisselait sur leurs tempes.

On percevait sourdement la trépidation du moteur qui sécrétait toutes les lumières. De nouveau gavé, l'autoclave remplissait l'univers de sa plainte stridente. De petits radiateurs renâclaient comme des bêtes qu'on caresse à rebrousse-poil. Tout cela faisait
15 une musique barbare et grandiose, et les gens qui s'agitaient là semblaient exécuter, avec harmonie, une danse religieuse, une sorte de ballet sévère et mystérieux.

Les brancards s'insinuèrent au milieu des tables, comme des pirogues dans un archipel. Rangés sur des linges, les instruments
20 avaient le rayonnement des vitrines d'orfèvres; et les petits Malgaches manœuvraient leur fardeau avec précaution et docilité. Ils s'arrêtèrent à l'ordre, et attendirent. Leurs cous, minces et noirs, bridés par les bricoles, leurs doigts crispés aux poignées des brancards, ils faisaient songer à des singes sacrés, dressés à porter les

la houille coal
plan flat
parsemé strewn
un infirmier hospital attendant
cueillir to pick (up)
prestement promptly
la pincette tongs
chinois Chinese
le caoutchouc rubber gloves
la tempe temple (of the head)
sourdement dully
gavé stuffed full
renâcler to snort
à rebrousse-poil against the hair
s'insinuer to worm one's way
la pirogue canoe
un archipel group of islands
le linge cloth
un orfèvre goldsmith, silversmith
le fardeau load
bridé bridled
la bricole shoulder strap
crispé clenched
le singe monkey

[19]*un vélum*, velarium or canopy to prevent glare of light. [20]*des Touareg*, nomadic Berbers inhabiting the Sahara desert. There are many Berbers (descendants of the Numidians, not to be confused with Arabs) in the French protectorate of Morocco, most of whom are loyal to France. They wear masks for religious festivals.

idoles. Les deux cuirassiers, énormes et blafards, dépassaient les brancards des pieds et de la tête.[21]

Il y eut quelques gestes rituels et les blessés se trouvèrent sur les tables.

A ce moment, mon regard rencontra celui d'un des noirs et j'éprouvai du malaise. C'était un regard calme et profond, comme celui d'un enfant ou d'un jeune chien. Le sauvage tournait doucement la tête à droite et à gauche et considérait les êtres et les objets extraordinaires qui l'entouraient. Les prunelles sombres s'arrêtaient légèrement sur toutes les pièces merveilleuses de cet atelier à réparer la machine humaine. Et ces yeux, qui ne trahissaient aucune pensée, n'en étaient que plus inquiétants. Un moment, j'eus la bêtise de songer: « Comme il doit être étonné! » Cette sotte préoccupation me quitta, et je ne ressentis plus qu'une honte insurmontable.

Les quatre Malgaches sortirent. J'en conçus quelque soulagement. Les blessés semblaient ahuris, stupides. Des infirmiers s'empressaient autour d'eux, leur liaient les mains, les jambes, les frottaient avec de l'alcool. Les hommes masqués donnaient des ordres et évoluaient autour des tables, avec les gestes mesurés de prêtres officiants.

—Où est le chef, là dedans? demandai-je tout bas à quelqu'un.

On me le désigna. C'était un homme de taille moyenne, il était assis, élevait ses mains gantées et dictait quelque chose à un scribe.

La fatigue, l'éblouissement des lumières, la canonnade, la rumeur industrielle[22] qui régnait là, tout contribuait à me procurer une sorte d'ivresse lucide. Je demeurai immobile, emporté dans une tourmente de réflexions. Tout ce qui m'entourait était fait pour le bien. C'était la réplique de la civilisation à elle-même, la correction

rituel ritualistic
le malaise uneasiness
la prunelle pupil (of the eye)
trahir to reveal
sot silly
s'empresser to press
évoluer to revolve
moyen medium
ganté gloved
dicter to dictate
un éblouissement dazzling effect
la tourmente tempest
la réplique retort

[21]*dépassaient les brancards . . . tête,* (were so tall that) their heads and feet extended over the ends of the stretchers. [22]*la rumeur industrielle,* confused noise, as in a factory.

qu'elle donnait à ses débordements destructeurs; il ne fallait pas moins de toute cette complexité pour annuler un peu du mal immense engendré par l'âge des machines. Je songeai encore une fois au regard indéchiffrable du sauvage, et l'émotion que je ressentis se
5 trouva faite avec de la pitié, de la colère et du dégoût.

Celui qu'on m'avait désigné pour le chef avait fini la dictée. Il demeurait figé dans sa position hiératique et semblait rêver. Je remarquai que, derrière ses lunettes, un beau regard grave brûlait, mêlé de sérénité, d'ardeur et de tristesse. On ne voyait presque rien
10 du visage, le masque celait la bouche et la barbe; mais les tempes montraient quelques jeunes cheveux gris et une grosse veine se gonflait sur le front, trahissant les efforts d'une volonté tendue.

—Le blessé dort, murmura quelqu'un.

Le chirurgien s'approcha de la table. Le blessé dormait en effet;
15 et je vis que c'était celui-là même qui déclarait si énergiquement ne point vouloir être endormi. Le pauvre homme n'avait pas osé balbutier sa protestation. Saisi dans l'engrenage, il avait été dominé tout de suite et s'abandonnait aux appétits de la mécanique, comme un saumon de fonte avalé par les laminoirs. Et puis, ne
20 savait-il pas que tout cela était pour son bien; puisque c'est à cela qu'en est réduit le bien.

—Sergent, me dit une voix, on ne séjourne pas sans bonnet à la salle d'opérations.

A l'instant de sortir, je regardai encore une fois le chirurgien. Il
25 était penché sur sa besogne avec une application où, malgré l'habit, la cagoule, les gants et tout l'appareil extérieur, on démêlait de la tendresse.

Je pensai avec force:

—Non! Non! Celui-là n'est pas dupe!

30 Et je me retrouvai dans la salle d'attente qui fleurait le sang et le

le débordement flood
indéchiffrable indecipherable
figé motionless
hiératique priestlike
les lunettes (f. pl.) glasses
celer to hide completely
tendu tense
le chirurgien surgeon
un engrenage meshing of gears
dominé overpowered
le saumon de fonte lump of molten metal
le laminoir roller
séjourner to stay
le bonnet surgical cap
un habit (surgical) gown
la cagoule mask
démêler to discern
fleurer to smell of

repaire de fauves. Une lampe voilée y entretenait une clarté sourde. Des blessés gémissaient, d'autres devisaient à mi-voix.

—Qui parle de tank[23]? disait l'un d'eux. Moi, j'ai été blessé dans un tank!

Un léger silence respectueux se fit. L'homme qui était enfoui 5 sous les pansements, ajouta:

—Notre réservoir d'essence a été crevé; j'ai les jambes cassées et je suis brûlé à la figure. Moi, je sais ce que c'est qu'un tank!

Il disait cela avec un accent étrange où je reconnus la vieille tourmenteuse de l'humanité: l'orgueil. . . . 10

Je haussai les épaules et m'en allai fumer une pipe au sein des ténèbres. Le monde me semblait confus, incohérent et malheureux; et j'estime qu'il est réellement ainsi.

Croyez-le bien, Monsieur, quand je parle avec pitié de la civilisation, je sais ce que je dis; et ce n'est pas la télégraphie sans fil qui 15 me fera revenir sur mon opinion. C'est d'autant plus triste qu'il n'y a rien à faire:[24] on ne remonte pas une pente comme celle sur laquelle roule désormais le monde. Et pourtant!

La civilisation, la vraie, j'y pense souvent. C'est, dans mon esprit, comme un chœur de voix harmonieuses chantant un hymne, 20 c'est une statue de marbre sur une colline desséchée, c'est un homme qui dirait: « Aimez-vous les uns les autres! » ou: « Rendez le bien pour le mal! » Mais il y a près de deux mille ans qu'on ne fait plus que répéter ces choses-là, et les princes des prêtres ont bien trop d'intérêts dans le siècle[25] pour concevoir d'autres choses sem- 25 blables.

On se trompe sur le bonheur et sur le bien. Les âmes les plus généreuses se trompent aussi, parce que le silence et la solitude leur sont trop souvent refusés. J'ai bien regardé l'autoclave monstrueux

le repaire den
le fauve wild animal
voilé veiled
sourd subdued
deviser to converse
enfoui buried
le réservoir tank
une essence gasoline
le tourmenteur tormenter
au sein de in the midst of
estimer to be of the opinion
sans fil wireless
revenir sur to change
rouler sur to roll down

[23]*tank.* Tanks (also called *chars d'assaut*) had already played an important part in World War I. They were a British invention. [24]*rien à faire*, nothing that can be done. [25]*intérêts dans le siècle*, worldly (secular) interests.

sur son trône. Je vous le dis, en vérité,[26] la civilisation n'est pas dans cet objet, pas plus que dans les pinces brillantes dont se servait le chirurgien. La civilisation n'est pas dans toute cette pacotille terrible; et, si elle n'est pas dans le cœur de l'homme, eh bien! elle
5 n'est nulle part.[27]

QUESTIONNAIRE *Civilisation*

I

A. Quels facteurs, selon Duhamel, ont contribué à la déformation de la vie civilisée de l'homme moderne?

B. Quel est le grand besoin de ceux qui vivent dans notre siècle?

II

1. Quel métier le sergent avait-il exercé avant la guerre? 2. De quoi accuse-t-il les machines? 3. Pourquoi n'ira-t-il pas chez les nègres après la guerre? 4. Comment la civilisation a-t-elle rebâti la tour de Babel? 5. Pourquoi le sergent n'est-il pas monté en ligne? 6. Ses brancardiers étaient-ils habiles? 7. Qu'est-ce que c'est qu'une « A. C. A. »? 8. Que signifie « le matériel humain »? 9. Quels excellents porteurs le général a-t-il envoyés au sergent? 10. Les Soudanais et les Malgaches viennent-ils de la même colonie? 11. De quelle souffrance les salles de l'hôpital regorgeaient-elles? 12. Quand le sergent a dit qu'il faisait chaud, où le nabot l'a-t-il envoyé? 13. Où opérait-on les blessés? 14. Qui avaient touché terre par centaines? 15. En quels termes les deux blessés parlaient-ils de leur premier voyage au laboratoire? 16. A quoi compare-t-on les gestes des chirurgiens et des aides? 17. Comment les petits Malgaches manœuvraient-ils leur fardeau? 18. Pourquoi le sergent a-t-il eu honte en rencontrant le regard du Malgache? 19. Décrivez le chef des chirurgiens. 20. Quel regard avait-il derrière ses lunettes? 21. Pourquoi le sergent ne pouvait-il pas rester à la salle d'opérations? 22. Quelle émotion est la vieille tourmenteuse de l'humanité? 23. A quoi pensait le sergent en s'en

la pince forceps *la pacotille* cheap imitation of the real goods

[26] *Je vous . . . vérité*, Verily I say unto you. These words were frequently used by Jesus to emphasize an important truth. They join the others above: "Aimez-vous les uns les autres" and "Rendez le bien pour le mal" to demonstrate the truth of the moral principles contained in the Sermon on the Mount (*Matthew* v, vi, vii). [27] From *Civilisation*. Publication authorized by *Mercure de France*.

allant fumer sa pipe? 24. A quoi ressemble la vraie civilisation à laquelle pense souvent le sergent? 25. Depuis combien d'années répète-t-on des phrases comme celles du Christ? 26. Où trouve-t-on la civilisation? 27. Si elle n'est pas dans le cœur de l'homme, où est-elle donc?

DISCUSSION *The Definition of Civilization*

1. The standard school dictionary in France, *Nouveau petit Larousse illustré*, defines Europe: "Une des cinq parties du monde, la plus petite, mais la plus civilisée et la plus peuplée, relativement à son étendue." Evaluate this definition, considering all possible meanings of the adjective "civilisée."

2. In the eyes of the Malgaches, which civilization seemed superior, that of Western Europe or that of their native Madagascar? Is it true, as Alphonse Daudet's Tartarin de Tarascon has said of the Africans, that "Nous les avons civilisés en leur donnant nos vices"?

3. What have been the roles of France and of the United States in the founding of the two great agencies for the prevention of warfare and the preservation of progressive civilization, the League of Nations (*la Société des Nations*) and the United Nations Organization (*l'Organisation des Nations Unies*)?

15

LIBERTÉ, ÉGALITÉ, FRATERNITÉ

In many of the preceding pages there has emerged a picture of the importance of French culture in the world of the past and present. Yet that culture, precious as it is, has its fullest value for those with leisure or with tastes for philosophy, pure science, literature, music, and art. Culture is less precious for the French as a nation than something else which they prefer to call civilization. We have witnessed Duhamel's account of the forces endangering it. The discussion of this concept by the brilliant German critic, Ernst-Robert Curtius, in his *Essai sur la France* (Paris, Grasset) is particularly pertinent, coming as it does from a citizen of France's traditional enemy of modern times and written as it was for his compatriots in the days when Hitlerism was beginning to develop. The following lines are typical:

Les conceptions française et allemande de civilisation sont différenciées dès leurs racines... Culture et civilisation poursuivent des buts différents... Nous plaçons la culture au-dessus de la civilisation. Les Français estiment que la civilisation est supérieure à la culture. Pour un Français, le mot de « civilisation » est à la fois le palladium [safeguard] de son idée nationale et le garant d'une solidarité universelle. Il n'est pas de Français qui ne le comprenne. Il enflamme les masses et il est susceptible d'acquérir un caractère sacré qui l'élève jusqu'à la sphère des idées religieuses...

Writing of a monument erected to the war dead at Eyzies[1] in southwestern France and inscribed: *A tous ceux qui sont morts pour la civilisation*, Curtius comments:

Alors ce mot de « civilisation » se gonfle de résonance, d'une dignité et d'une grandeur que nous ne lui soupçonnions pas... Entre

[1]This tiny village in picturesque Dordogne is famous for its caverns containing remarkable prehistoric murals, which clearly indicate that, before the dawn of history, parts of France were inhabited by highly talented human beings skilled in the arts and crafts.

toutes les nations, la France est la seule à pouvoir exprimer par ce mot de « civilisation » ses biens les plus sacrés.

He continues by studying in detail the various components of this conception, the strong preference given by the French for *méthodes souples* as compared with *systèmes rigides*, the equilibrium they keep between work and pleasure, and their belief in the intrinsic value of man and in the importance of developing his superior faculties. Promotion of technical capacities in order to satisfy man's material needs and yearnings should not be impeded, they believe, but far more desirable is the exercise of his ability to live rationally, as well as the attainment of practical and idealistic wisdom. To reach such a goal (similar to that of Benjamin Franklin, who has always had a host of French admirers), Curtius notes that France fought for Christianity and Fatherland in the medieval past. Since the French Revolution she has believed her sacred mission to be the liberation of oppressed peoples of the earth under the banner, not so much of France as of a triple universal ideal: *Liberté, Égalité, Fraternité*. This ideal had the force and fire of a religious conviction, yet took the form of the "lay and democratic republic," based on the separation of Church and State, and on government of, by, and for the people. The ideas of nation and civilization were fused, since France was considered by herself and others, not as a hoarder of national treasures, but as a bearer of the torch of progress for all races, creeds, and colors.

As Curtius indicates, for many years most thoughtful Frenchmen have abandoned the idea of any special French spiritual pre-eminence. They believe that fundamentally human nature is everywhere the same, that there are universal norms to be followed under an infinitude of particular forms, and that all men must acquire a common concept of civilization based on reasonable attitudes, peace, and mutual understanding. This idea, continues Curtius, is not merely theoretical, cultural, or official in nature, but one which has penetrated the most popular levels of the French nation. To complete the picture drawn by him, we should add the modern French conviction, not that man will inevitably progress in all directions, but that he must do so for survival. These directions extend from the culinary arts to the liberal arts, from the sensory to the mystical, from sociology to psychology, from economics to politics, from white to black. To correct the real danger of worshiping words instead of following realities, the enlightened Frenchman at various social levels tries to keep his critical faculties alert, even when he hears or uses such terms as *mission*, *civilisation*, or *humanité*. He tries to scrutinize his beliefs and the means of putting them into practice, thus preventing them from becoming sterile clichés. He constantly infuses in them new ideas, "new blood" better adapted to the necessities of the rapidly evolving world in which we live. Nor is the enlightened Frenchman unaware that many of his countrymen, like other men all over the world, are too tired from war's ravages or too congenitally self-centered to be interested in anything beyond creature comforts, self-preservation, and security.

To put the French concept of civilization into action, many Frenchmen, as well as Americans, are busying themselves with the difficult task of slowly creating One World. Paris, which was formerly the center of the International Institute of Intellectual Co-operation, is today appropriately the headquarters of the United Nations' UNESCO, which has done so much to bring the economic, social, and cultural forces of the world together. Strasbourg, point of contact for French and German cultures, has been the temporary capital of the semiofficial but very important Council of Europe, where French and Germans, along with other peoples of Free Europe, are moving toward international unity. France's two statesmen Jean Monnet and Robert Schuman have done more than anyone else to initiate and develop the very promising project of the integration of European coal and steel. This integration has become a reality and is destined, in the belief of its founders, to be the precursor of similar developments portending the industrial, economic, social, and political unification of Europe. Many French writers in recent years have concerned themselves with the grave problems involving man's intrinsic worth and his destiny in these times so fraught with possibilities for stark tragedy or for a better life. Passages might well have been chosen from such outstanding "humanists" as André Malraux or Albert Camus. Instead you will read a personal episode related by France's noted aviator-novelist and hero Antoine de Saint-Exupéry, whose writings, including *Le Petit Prince*, *Terre des hommes* (*Wind*, *Sand*, *and Stars*), *Pilote de guerre*, and *Vol de nuit*, are well-known in this country.

"Saint-Ex," who was a pioneer in postal aviation, flew to his death while on a mission during France's fight for liberation in 1944. He had previously published his moving *Lettre à un otage*, from which the present pages are taken. This little book, relating a personal experience as a reporter during the Spanish Civil War, was written in honor of a Jewish friend whom he admired and who was in danger of falling into the hands of the dreaded Gestapo. As a fine expression of the author's very French concept of man's dignity and brotherhood, of his conviction that "above all nations is humanity," the passage, which merits close study, will speak for itself without commentary. The reader should note that Saint-Exupéry finds the ultimate repository of brotherhood and respect for one's fellow man exactly where Duhamel had assigned the last hope for civilization: in the human heart.

Lettre à un otage

C'ÉTAIT au cours d'un reportage sur la guerre civile en Espagne.[1] J'avais eu l'imprudence d'assister en fraude, vers trois heures du matin, à un embarquement de matériel secret dans une gare de marchandises. L'agitation des équipes et une certaine obscurité 5 semblaient favoriser mon indiscrétion. Mais je parus suspect à des miliciens anarchistes.

Ce fut très simple. Je ne soupçonnais rien encore de leur approche élastique et silencieuse, quand déjà ils se refermaient sur moi, doucement, comme les doigts d'une main. Le canon de leur 10 carabine passa légèrement contre mon ventre et le silence me parut solennel. Je levai enfin les bras.

J'observai qu'ils fixaient, non mon visage, mais ma cravate[2]

otage hostage
assister en fraude to witness surreptitiously
un embarquement loading
la gare de marchandises freight yard
une agitation restless movement
une équipe crew
le milicien militiaman
le canon de carabine rifle barrel
fixer to stare at
la cravate necktie

[1] *la guerre civile en Espagne*. In this bloody conflict Saint-Exupéry's sympathies were with the republican loyalists, for reasons which will be evident in the later pages of this passage. He was, nevertheless, keenly aware of the menace of totalitarian engulfment on the republican, as well as on the fascist, side. Many loyalists were communists; others, as in the present case, were anarchists, a position more closely corresponding to the Spanish character, which, like the French, is strongly individualistic. However, a large percentage of the loyalists were devoted to the republican ideal, and to them went Saint-Exupéry's fundamental sympathy. During this civil war and throughout World War II, including the period of defeat, France gave political asylum to hundreds of thousands of Spanish refugees in spite of her own tragic problems. Most of these refugees have remained in France, joining those from Russia after the Russian Revolution, from Germany under Hitler, and from the Iron Curtain countries more recently. In the past two hundred years, France has been the major European haven for political exiles of all faiths, for reasons implicit in the present passage.

[2] *ma cravate . . . objet d'art*. The extreme Leftists considered anyone wearing a necktie to be a possible Fascist.

(la mode d'un faubourg anarchiste déconseillait cet objet d'art). Ma chair se contracta. J'attendais la décharge, c'était l'époque des jugements expéditifs. Mais il n'y eut aucune décharge. Après quelques secondes d'un vide absolu, au cours desquelles les équipes au travail me semblèrent danser dans un autre univers une sorte de 5 ballet de rêve, mes anarchistes, d'un léger mouvement de tête, me firent signe de les précéder, et nous nous mîmes en marche, sans hâte, à travers les voies de triage. La capture s'était faite dans un silence parfait, et avec une extraordinaire économie de mouvements. Ainsi joue la faune sous-marine. 10

Je m'enfonçai bientôt vers un sous-sol transformé en poste de garde. Mal éclairés par une mauvaise lampe à pétrole, d'autres miliciens somnolaient, leur carabine entre les jambes. Ils échangèrent quelques mots, d'une voix neutre, avec les hommes de ma patrouille. L'un d'eux me fouilla. 15

Je parle l'espagnol, mais ignore le catalan.[3] Je compris cependant que l'on exigeait mes papiers. Je les avais oubliés à l'hôtel. Je répondis: « Hôtel... Journaliste... » sans connaître si mon langage transportait quelque chose. Les miliciens se passèrent de main en main mon appareil photographique comme une pièce à 20 conviction. Quelques-uns de ceux qui bâillaient, affaissés sur leurs chaises bancales, se relevèrent avec une sorte d'ennui et s'adossèrent au mur.

Car l'impression dominante était celle de l'ennui. De l'ennui et

déconseiller to make inadvisable
expéditif prompt
la décharge discharge
le vide void
les voies (f. pl.) *de triage* sidings
la faune animal life
s'enfoncer to go down
le sous-sol basement
somnoler to doze
neutre noncommittal
transporter to convey
un appareil photographique camera
la pièce à conviction damaging evidence
bâiller to yawn
affaissé slumped over
bancal rickety
s'adosser à to lean back against

[3]*le catalan,* the very distinct dialect spoken by the Catalonians, whose province forms the northeastern section of Spain. Its capital is Barcelona. The Catalonians, as well as the Basques, are extraordinarily independent and have enjoyed relative autonomy at different periods of their history (like the Bretons and, to a lesser degree, the Alsatians in France). For centuries, there have been many former Catalonians living along the Mediterranean coast in France, west of Marseille. The Basques inhabit the regions of the western Pyrenees mountains in Spain and France. Anthropologists and linguists have yet to solve the mystery of their origin.

du sommeil. Le pouvoir d'attention de ces hommes était usé, me semblait-il, jusqu'à la corde. J'eusse presque souhaité, comme un contact humain, une marque d'hostilité. Mais ils ne m'honoraient d'aucun signe de colère, ni même de réprobation. Je tentai à plusieurs reprises de protester en espagnol. Mes protestations tombèrent dans le vide. Ils me regardèrent sans réagir, comme ils eussent regardé un poisson chinois dans un aquarium.

Ils attendaient. Qu'attendaient-ils? Le retour de l'un d'entre eux? L'aube? Je me disais: « Ils attendent, peut-être, d'avoir faim... » Je me disais encore: « Ils vont faire une bêtise! C'est absolument ridicule!... » Le sentiment que j'éprouvais—bien plus qu'un sentiment d'angoisse—était le dégoût de l'absurde. Je me disais: « S'ils se dégèlent, s'ils veulent agir, ils tireront! »

Étais-je, oui ou non, véritablement en danger? Ignoraient-ils toujours que j'étais, non un saboteur, non un espion, mais un journaliste? Que mes papiers d'identité se trouvaient à l'hôtel? Avaient-ils pris une décision? Laquelle?

Je ne connaissais rien sur eux, sinon qu'ils fusillaient sans grands débats de conscience. Les avant-gardes révolutionnaires, de quelque parti qu'elles soient, font la chasse, non aux hommes (elles ne pèsent pas l'homme dans sa substance), mais aux symptômes. La vérité adverse[4] leur apparaît comme une maladie épidémique. Pour un symptôme douteux on expédie le contagieux au lazaret d'isolement. Le cimetière. C'est pourquoi me semblait sinistre cet interrogatoire qui tombait sur moi par monosyllabes vagues, de temps à autre, et dont je ne comprenais rien. Une roulette aveugle jouait ma peau.[5] C'est pourquoi aussi j'éprouvais l'étrange besoin,

usé jusqu'à la corde worn thin
à plusieurs reprises repeatedly
le poisson chinois goldfish
faire une bêtise to do something foolish
se dégeler to shake off one's lethargy, unfreeze
un espion spy
fusiller to execute by shooting
le débat qualm
une avant-garde vanguard
quelque whatever
douteux suspicious
expédier to send off
le contagieux disease carrier
le lazaret d'isolement isolation ward
un interrogatoire questioning
de temps à autre from time to time

[4]*La vérité adverse,* i.e., facts or truths not coinciding with their obsessions. Saint-Exupéry is colorfully indicating the essential nature of totalitarian groups. [5]*Une roulette aveugle . . . peau,* A roulette wheel was blindly deciding my fate.

afin de peser d'une présence réelle, de leur crier, sur moi, quelque chose qui m'imposât dans ma destinée véritable. Mon âge par exemple! Ça, c'est impressionnant, l'âge d'un homme! Ça résume toute sa vie. Elle s'est faite lentement, la maturité qui est sienne.[6] Elle s'est faite contre tant d'obstacles vaincus, contre tant de maladies graves guéries, contre tant de peines calmées, contre tant de désespoirs surmontés, contre tant de risques dont la plupart ont échappé à la conscience. Elle s'est faite à travers tant de désirs, tant d'espérances, tant de regrets, tant d'oublis, tant d'amour. Ça représente une belle cargaison d'expériences et de souvenirs, l'âge d'un homme! Malgré les pièges, les cahots, les ornières, on a tant bien que mal continué d'avancer, cahin-caha, comme un bon tombereau. Et maintenant, grâce à une convergence obstinée de chances heureuses, on en est là.[7] On a trente-sept ans. Et le bon tombereau, s'il plaît à Dieu, emportera plus loin encore sa cargaison de souvenirs. Je me disais donc: « Voilà où j'en suis. J'ai trente-sept ans... » J'eusse aimé alourdir mes juges de cette confidence... mais ils ne m'interrogeaient plus.

C'est alors qu'eut lieu le miracle. Oh! un miracle très discret. Je manquais de cigarettes. Comme l'un de mes geôliers fumait, je le priai, d'un geste, de m'en céder une, et ébauchai un vague sourire. L'homme s'étira d'abord, passa lentement la main sur son front, leva les yeux dans la direction, non plus de ma cravate, mais de mon visage et, à ma grande stupéfaction, ébaucha, lui aussi, un sourire. Ce fut comme le lever du jour.

Ce miracle ne dénoua pas le drame, il l'effaça tout simplement, comme la lumière, l'ombre. Aucun drame n'avait plus eu lieu. Ce miracle ne modifia rien qui fût visible. La mauvaise lampe à pétrole, une table aux papiers épars, les hommes adossés au mur,

peser de emphasize
imposer to place securely
impressionnant impressive
résumer to sum up
la cargaison cargo
le piège trap
une ornière rut
cahin-caha = *tant bien que mal*
le tombereau dump cart
alourdir to burden
discret modest
le geôlier jailer
ébaucher un sourire to smile faintly
s'étirer to stretch
la stupéfaction amazement
dénouer to solve

[6] *Elle s'est faite . . . sienne,* That maturity which is his very own was slowly acquired.
[7] *on en est là,* this point has been reached.

la couleur des objets, l'odeur, tout persista. Mais toute chose fut transformée dans sa substance même. Ce sourire me délivrait. C'était un signe aussi définitif, aussi évident dans ses conséquences prochaines, aussi irréversible que l'apparition du soleil. Il ouvrait
5 une ère neuve. Rien n'avait changé, tout était changé. La table aux papiers épars devenait vivante. La lampe à pétrole devenait vivante. Les murs étaient vivants. L'ennui suinté par les objets morts de cette cave s'allégeait par enchantement. C'était comme si un sang invisible eût recommencé de circuler, renouant toutes
10 choses dans un même corps, et leur restituant une signification.

Les hommes non plus n'avaient pas bougé, mais, alors qu'ils m'apparaissaient une seconde plus tôt comme plus éloignés de moi qu'une espèce antédiluvienne, voici qu'ils naissaient à une vie proche. J'éprouvais une extraordinaire sensation de présence.
15 C'est bien ça: de présence! Et je sentais ma parenté.

Le garçon qui m'avait souri, et qui, une seconde plus tôt, n'était qu'une fonction, un outil, une sorte d'insecte monstrueux, voici qu'il se révélait un peu gauche, presque timide, d'une timidité merveilleuse. Non qu'il fût moins brutal qu'un autre, ce terroriste!
20 mais l'avènement de l'homme en lui éclairait si bien sa part vulnérable! On prend de grands airs, nous les hommes, mais on connaît, dans le secret du cœur, l'hésitation, le doute, le chagrin...

Rien encore n'avait été dit. Cependant tout était résolu. Je posai la main, en remerciement, sur l'épaule du milicien, quand il
25 me tendit ma cigarette. Et comme, cette glace une fois rompue, les autres miliciens, eux aussi, redevenaient hommes, j'entrai dans leur sourire à tous comme dans un pays neuf et libre.

J'entrai dans leur sourire comme, autrefois, dans le sourire de nos sauveteurs du Sahara.[8] Les camarades nous ayant retrouvés

délivrer to rescue
une apparition appearance
suinté exuded
s'alléger to become lighter
renouer to tie together again
restituer to restore
la signification meaning
éloigné distant
une espèce species
antédiluvien existing before the flood
proche close at hand
la parenté relationship
un outil tool
un avènement advent
résolu solved
le sauveteur rescuer

[8]*Sahara,* the Sahara desert, most of which is located in French North Africa. During Saint-Exupéry's long career as an aviator, he was often stationed in North Africa or engaged in flights over that territory, especially from 1926 to 1928. While there he

Bibliothèque nationale, Paris

"Pauvre France! . . . le tronc est foudroyé, mais les racines tiennent bon!" Lithograph by Honoré Daumier (1808-1879)

This sketch by France's most famous cartoonist-artist appeared in *Charivari* on February 1, 1871, a few days after the capitulation of Paris, which terminated the disastrous Franco-Prussian war. It seems equally appropriate to later crises.

après des journées de recherches, ayant atterri le moins loin possible, marchaient vers nous à grandes enjambées, en balançant bien visiblement, à bout de bras, les outres d'eau. Du sourire des sauveteurs si j'étais naufragé, du sourire des naufragés, si j'étais sauveteur, je me souviens aussi comme d'une patrie où je me sentais tellement heureux. Le plaisir véritable est plaisir de convive. Le sauvetage n'était que l'occasion de ce plaisir. L'eau n'a point le pouvoir d'enchanter, si elle n'est d'abord cadeau de la bonne volonté des hommes. 5

Les soins accordés au malade, l'accueil offert au proscrit, le pardon même ne valent que grâce au sourire qui éclaire la fête. Nous nous rejoignons dans le sourire au-dessus des langages, des castes, des partis. Nous sommes les fidèles d'une même Église, tel et ses coutumes, moi et les miennes... 10

Cette qualité de la joie n'est-elle pas le fruit le plus précieux de la civilisation qui est nôtre? Une tyrannie totalitaire pourrait nous satisfaire, elle aussi, dans nos besoins matériels. Mais nous ne sommes pas un bétail à l'engrais. La prospérité et le confort ne sauraient suffire à nous combler. Pour nous qui fûmes élevés dans le culte du respect de l'homme, pèsent lourd les simples rencontres qui se changent parfois en fêtes merveilleuses... 15 20

Respect de l'homme! Respect de l'homme!... Là est la pierre de touche! Quand le Naziste[9] respecte exclusivement qui lui ressemble, il ne respecte rien que soi-même. Il refuse les contradictions créatrices, ruine tout espoir d'ascension, et fonde pour mille ans, en place d'un homme, le robot d'une termitière. L'ordre pour 25

atterrir to land
une outre water skin
le naufragé shipwrecked person (including aviator)
le convive table companion
le cadeau gift
le proscrit exile (person)
tel such and such a person
le bétail à l'engrais pasture-fattened cattle
saurait = pourrait
la pierre de touche touchstone
la termitière anthill

participated in the experiences briefly recalled by him in the paragraph above, both as the rescuer and as the rescued. A fascinating account of these adventures and their human significance, including experiences with the dissidents and other natives of this region, is the subject of *La Terre des hommes* and, in beautiful symbolic form, of *Le Petit Prince*. [9]Saint-Exupéry refers to the German Nazi as typical of all people with totalitarian inclinations. These pages were written during the early years of the German occupation of France.

l'ordre[10] châtre l'homme de son pouvoir essentiel, qui est de transformer et le monde et soi-même. La vie crée l'ordre, mais l'ordre ne crée pas la vie.

Il nous semble, à nous, bien au contraire, que notre ascension 5 n'est pas achevée, que la vérité de demain se nourrit de l'erreur d'hier, et que les contradictions à surmonter sont le terreau même de notre croissance. Nous reconnaissons comme nôtres ceux mêmes qui diffèrent de nous. Mais quelle étrange parenté! elle se fonde sur l'avenir, non sur le passé. Sur le but, non sur l'origine. Nous 10 sommes l'un pour l'autre des pèlerins qui, le long de chemins divers, peinons vers le même rendez-vous.

Mais voici qu'aujourd'hui le respect de l'homme, condition de notre ascension, est en péril. Les craquements du monde moderne nous ont engagés dans les ténèbres. Les problèmes sont incohé- 15 rents, les solutions contradictoires. La vérité d'hier est morte, celle de demain est encore à bâtir. Aucune synthèse valable n'est entrevue, et chacun d'entre nous ne détient qu'une parcelle de la vérité. Faute d'évidence qui les impose, les religions politiques font appel à la violence. Et voici qu'à nous diviser sur les méthodes, 20 nous risquons de ne plus reconnaître que nous nous hâtons vers le même but.

Le voyageur qui franchit sa montagne dans la direction d'une étoile, s'il se laisse trop absorber par ses problèmes d'escalade, risque d'oublier quelle étoile le guide. S'il n'agit plus que pour 25 agir, il n'ira nulle part. La chaisière de cathédrale, à se préoccuper trop âprement de la location de ses chaises, risque d'oublier qu'elle sert un dieu. Ainsi à m'enfermer dans quelque passion partisane, je risque d'oublier qu'une politique n'a de sens qu'à condition d'être au service d'une évidence spirituelle. Nous avons goûté, aux 30 heures de miracle, une certaine qualité des relations humaines: là est pour nous la vérité.

châtrer to deprive
le terreau humus
la croissance growth
différer to be different
peiner to toil
valable valid
entrevu glimpsed
détenir to possess
la parcelle fragment
faute de for lack of
une escalade climb
la chaisière woman who rents chairs
âprement avidly
la location rental

[10] *L'ordre pour l'ordre,* Order for order's sake.

Quelle que soit l'urgence de l'action il nous est interdit d'oublier, faute de quoi cette action demeurera stérile, la vocation qui doit la commander. Nous voulons fonder le respect de l'homme. Pourquoi nous haïrions-nous à l'intérieur d'un même camp? Aucun d'entre nous ne détient le monopole de la pureté d'intention. Je puis combattre, au nom de ma route, telle route qu'un autre a choisie. Je puis critiquer les démarches de sa raison. Les démarches de la raison sont incertaines. Mais je dois respecter cet homme, sur le plan de l'Esprit, s'il peine vers la même étoile.

Respect de l'Homme! Respect de l'Homme!... Si le respect de l'homme est fondé dans le cœur des hommes, les hommes finiront bien par fonder en retour le système social, politique ou économique qui consacrera ce respect. Une civilisation se fonde d'abord dans la substance. Elle est d'abord, dans l'homme, désir aveugle d'une certaine chaleur. L'homme ensuite, d'erreur en erreur,[11] trouve le chemin qui conduit au feu.[12]

QUESTIONNAIRE *Lettre à un otage*

I

A. Comment les idées de « nation » et de « civilisation » ont-elles été vraiment réunies dans l'esprit français?

B. Pourquoi le Français croit-il à la tolérance et à l'esprit d'entente?

II

1. A quoi Saint-Exupéry avait-il assisté en fraude? 2. A qui a-t-il paru suspect? 3. Pourquoi les miliciens regardaient-ils sa cravate? 4. Comment la capture s'était-elle faite? 5. Dans quelle

quelle que soit whatever may be *faute de quoi* as otherwise *critiquer* to criticize *la démarche* step

[11] *d'erreur en erreur*, from error to error. [12] From *Lettre à un otage*. Publication has been authorized by Librairie Gallimard. In the concluding pages of this little book, Saint-Exupéry writes of his imperative need for the close bonds of friendship linking him to others who share his respect for man, a respect based not only on common ideals but also on the inviolate right of each to live his own life and follow his own convictions without restraint. He evokes warmly and specifically his admiration for his Jewish friend, so like him and yet so different from him, who, if still alive in that dismal period of occupation and concentration camps, is one of forty million hostages. He expresses his belief that the truths of tomorrow will be born in those dark caves of oppression and out of those tragic new experiences.

posture somnolaient d'autres miliciens au poste de garde? 6. Saint-Exupéry savait-il parler espagnol et catalan? 7. Quelle était l'attitude des miliciens devant ses protestations? 8. De quelle bêtise Saint-Exupéry avait-il peur? 9. Où avait-il laissé ses papiers d'identité? 10. Les avant-gardes révolutionnaires font-elles la chasse aux hommes ou aux symptômes? 11. Quel étrange besoin Saint-Exupéry éprouvait-il? 12. Quel âge avait-il? 13. Qu'est-ce qui a eu lieu alors? 14. De quoi manquait-il? 15. Qu'est-ce qui a été pour lui comme le lever du jour? 16. Le miracle a-t-il dénoué le drame? 17. Le terroriste qui avait souri était-il moins brutal que les autres? 18. Les miliciens lui ont-ils parlé quand il a commencé à fumer? 19. Quel est le plaisir véritable, selon Saint-Exupéry? 20. Quelle qualité est le fruit le plus précieux de notre civilisation? 21. Dans quel culte sommes-nous tous élevés? 22. Si la vie crée l'ordre, l'ordre crée-t-il la vie? 23. Que sommes-nous, les uns pour les autres, dans cette vie? 24. Quelle est la condition de la vérité d'hier et de celle de demain? 25. Que risque d'oublier le voyageur qui a franchi sa montagne dans la direction d'une étoile? 26. Est-ce qu'aucun d'entre nous détient le monopole de la pureté d'intention? 27. Avez-vous remarqué que Duhamel et Saint-Exupéry tous les deux finissent leur récit en faisant appel au cœur des hommes comme refuge de la civilisation et du respect de l'homme?

DISCUSSION *Liberté, Égalité, Fraternité*

1. Saint-Exupéry had difficulty understanding his Spanish captors, for they spoke Catalan rather than Spanish. When he tried to protest and explain in Spanish, he was ignored. Would the creation of an international language, superimposed upon all others, be a powerful influence for better international understanding, or would it be of only slight value?

2. As you have read through this book, you have become aware of many varieties of political opinion in France. France has been criticised for having so many political parties and platforms as to weaken its executive branch. Many French feel, however, that the two dominant political parties in the United States do not represent sufficiently the diverse opinions of our vast population. What do you think of this French point of view?

3. The civil war in Spain became, as Saint-Exupéry implies, a conflict between political extremists of the left and right. Under each totalitarian extreme, national elections become mere formal endorsement of a single party. A country cannot be free unless it has free elections. Do you approve of the Swiss practice of fining eligible voters who neglect their prerogative to vote?

4. Saint-Exupéry's moving recital is, as he entitles it, a letter to a hostage who is the victim of anti-Semitism. We know all too well the familiar story of race prejudice all over the world. Are there any nations whose people possess no race prejudice?

5. The second article of the *Déclaration des droits de l'homme* reads: "Le but [goal] de tout association politique est la conservation des droits naturels et imprescriptibles [inalienable] de l'homme. Ces droits sont la liberté, la propriété, la sûreté [security], et la résistance à l'oppression." What other rights might be considered as well?

VOCABULARY

UNLESS a special translation is required, the following vocabulary omits articles, personal pronouns, relative, demonstrative, possessive, and interrogative pronouns and adjectives, numerals, and words similar in spelling and meaning to the English equivalent. In general, the translations are limited to the meanings occurring in the various selections. Abbreviations used in the vocabulary are as follows:

adj. adjective	*inf.* infinitive	*pl.* plural
adv. adverb	*int.* interjection	*prep.* preposition
conj. conjunction	*m.* masculine	*pron.* pronoun
f. feminine	*neg.* negative	*sing.* singular
fam. familiar	*phr.* phrase	

à to at, with, on, of, by, in, behind, away, according to
abandonner to abandon, give up; **s'∾ à** to give way to
abattant: ∾ de belle besogne finishing a lot of work
abbé *m.* abbot, priest
s'abîmer to be swallowed up
abnégation *f.* abnegation, act of self-denial
abondamment plenty; **plus ∾** even more
aborder to approach, enter upon; to speak to; to begin the study of; **s'∾** to greet one another
abri *m.* shelter; **mettre à l'∾** to shelter
abriter to shelter, shade
abrupt steep
absolu complete
absolument absolutely
absorbé engrossed; **∾ par** wrapped up in
académicien *m.* member of a French academy
accablant overwhelming
accéder to reach
accélérer to accelerate
accent *m.* accent, tone
accepter to accept; **∾ de** to consent
accès *m.* outburst, fit, attack
accommoder: s'∾ de to adjust oneself to, reconcile oneself to
accompagner to accompany
(s')accomplir to accomplish
accord *m.* agreement, accord; **bien d'∾** in full accord (agreement)
accorder to give
s'accouder to lean on one's elbows
s'accoupler to pair up
accourir to run (rush) up, come running
accoutumance *f.* habit
accroché fastened, held up, hung up
s'accrocher to cling; to associate
accroire to believe
accueil *m.* welcome, reception
accueillir to welcome
achat *m.* purchase
s'acheminer to wend one's way
acheter to buy
(s')achever to end, finish

acquérir to acquire
activer to fire up
actualité *f.* item of current interest
actuel -le actual, real, present
actuellement at present
adieu good-by
adjudant *m.* adjutant
admettre to admit, allow
admirablement admirably
admissible admissible, allowable, eligible
adolescent *m.* youth
adorable adorable, lovely
adorer to love, adore, worship
adossé à with one's back against
adosser: s'~ à to lean back against
adresse *f.* skill
adresser to address; **s'~ à** to address
adroit clever
adroitement cleverly, skillfully
advenir to happen
adversaire *m.* adversary, enemy
affaibli weakened, faint
s'affaiblir to grow weak
affaire *f.* affair, business; **~s** business; **homme d' ~s** businessman, adviser; **avoir des ~s** to have trouble
affaissé slumped over
affectueusement affectionately
affectueux -se affectionate
affirmation *f.* affirmation, statement
affirmer to state; to steady
affliger to afflict, hurt, distress
affolé frantic, mad, maddened
affreux -se frightful
affût *m.* hiding place
afin de in order to
âge *m.* age; **le moyen ~** middle ages; **sans ~** ageless
âgé aged
s'agenouiller to kneel
agent *m.* policeman
aggravé aggravated
agir to act; **s'~ de** to be a question (matter) of
agitation *f.* shaking, restless movement
agité excited, troubled
agiter to move, shake; **s'~** to move about (restlessly)
agonie *f.* death agony
agréable agreeable, pleasant, pleasing
agréablement pleasantly
agrément *m.*: **les travaux d'~** fancywork
agricole: le comice ~ agricultural (livestock) show
aguets *m. pl.*: **aux ~** on the alert
ahuri astounded, bewildered
aide *m.* assistant
aider to help
aïeul *m.* grandfather
aigle *m.* eagle
aigre sharp, bitter, pungent
aigu -uë shrill
aiguille *f.* hairpin; switch; pointer; **de fil en ~** little by little
aiguillon *m.* prickle, thorn
s'aiguiser to sharpen
aile *f.* wing
ailleurs elsewhere; **nulle part ~** nowhere else
aimable friendly, likable, amiable
aimablement: peu ~ unpleasantly
aimer to love, like
aîné elder
ainsi thus, so, in this (that) way; **~ que** just as; **pour ~ dire** so to speak
air *m.* air, atmosphere, look, appearance, demeanor; way; melody; **avoir l'~** to seem; **chambre à ~** tube; **au grand ~** in the open air; **d'un ~ confit** pretending to be devout
aire *f.* field; surface; threshing floor
aisance *f.* fortune
aise *f.*: **à l'~** easily
aisé easygoing
ajonc *m.* gorse, furze
ajouré adorned with openwork
ajouter to add
ajuster to aim
alcool *m.* alcohol
alentours *m. pl.* neighborhood
alerte alert, spry
alèse *f.* wood added on
algébrique algebraic
s'aliter to take to one's bed
allée *f.* narrow walk, path; **ces ~s, ces venues** this coming and going

s'alléger to become lighter
allégrement nimbly, briskly, cheerfully, joyfully
alléluia *m.* hallelujah
allemand German; **Allemand** *m.* German
aller to go (along, about); to continue; to fit; to be; **allons!** come on! come, now! **ça va** (it's) all right (OK), it's going well; **va toujours** keep on going; **s'en ∾** to go away (off); **∾ en journée** to work by the day; **∾ quérir** to go for; **∾ et venir** to go back and forth
allié *m.* ally
allonger to lengthen, stretch down; **s'∾** to stretch out
allumer to light (up), stir up, turn on
allure *f.* speed; **à toute ∾** at full speed; **à faible ∾** at slow speed
alors then, well; **∾ que** when, whereas, while
alouette *f.* lark
alourdir to burden
Alsacien *m.* Alsatian, native of Alsace
alternativement alternately
altier -ère haughty
amande *f.* almond
amas *m.* pile
amasser to store (pile) up, collect
ambigu -uë ambiguous
âme *f.* soul
(s')améliorer to improve
amener to bring, take, lead
amer -ère bitter
amertume *f.* bitterness
ameuté rioting
ami *m.* friend
amical friendly
amie *f.* friend, sweetheart
amitié *f.* friendship
amolli softened
amour *m.* love; **pomme d'∾** tomato
amoureuse *f.* sweetheart
amoureux *m.* lover, suitor; *adj.* **-se** loving, in love
amour-propre *m.* ego, egoism, self-esteem, conceit, vanity
amphore *f.* vase
amusant amusing
amuser to amuse; **s'∾** to amuse oneself, have a good time
an *m.* year
anarchie *f.* anarchy
anarcho *m.* anarchist
ancêtre *m.* ancestor
ancien -ne ancient, old; former; **à l'∾ne** in the ancient style
anciennement formerly
âne *m.* donkey
ânerie *f.* gross ignorance, stupidity
ange *m.* angel
angélus *m.* Angelus
anglais English; **Anglais** *m.* Englishman
angle *m.* angle; corner
Angleterre *f.* England
angoisse *f.* anguish
angoissé anguished, agonized
anguille *f.* eel
anguleux -se angular
animal *m.* animal; bird
année *f.* year
annoncer to announce
antagoniste *m.* antagonist, enemy
antédiluvien -ne existing before the flood
antenne *f.* antenna
antique ancient
août *m.* August
apercevoir to perceive, notice; **s'∾ de** to notice
apeuré frightened
apic *m.* cliff
apitoyer to move to pity
aplomb *m.* footing
apothéose *f.* divine exaltation
apôtre *m.* apostle
apparaître to appear
appareil *m.* apparatus; apparel; **∾ de liaison** loud-speaker; **∾ de T. S. F.** radio; **∾ photographique** camera
apparent apparent; unreal
apparition *f.* appearance
appartement *m.* apartment, suite of rooms
appartenir to belong
appel *m.* call; **faire ∾** to appeal
appeler to call, summon, ask for
appétit *m.* appetite; **mettre en ∾** to whet one's appetite

applaudissement *m.* applause
appliquer to apply
apporter to bring
appréciation *f.* evaluation, appraisal, judgment
apprécier to appreciate, appraise, judge
apprendre to learn, find out; to teach
apprêt *m.* preparation
apprêter: s'∾ à to get ready to
approbatif -ve approving
approbation *f.* approving nod
approche *f.* approach
approcher (de) to approach; **s'∾ de** to approach
approprié appropriate
approuver to approve, agree
appuyé leaning
âpre rough
âprement avidly
après after, afterward; **∾ que** after; **d'∾** after, in accordance with
après-midi *m. or f.* afternoon
aquatique aquatic
arbre *m.* tree
arche *f.* Sacred Ark of the Covenant
archipel *m.* group of islands
ardent ardent, fiery, feverish, eager, eagerly attentive
ardeur *f.* intensity
arête *f.* ridge
argent *m.* money, silver
argot *m.* slang
arguer to argue, assert
argumentation *f.* method of reasoning
aristocratie *f.* aristocracy
arme *f.* weapon; **∾s** arms
armée *f.* army
armoire *f.* wardrobe
arpenter to pace up and down, walk along
arraché à torn away from
arrangé: bien ∾ in complete agreement
arrangement *m.* arrangement, agreement
arranger to arrange, settle, put in order; **s'∾** to arrange, come to an agreement, settle the affair
(s')arrêter (de, à) to stop, arrest; **∾ net** to stop short
arrière-saison *f.* declining years
arrivée *f.* arrival
arriver to arrive, reach; to happen; **en ∾ là** to come to this; **∾ à** to succeed in
arroser to irrigate
arrosoir *m.* watering can
art *m.* art; **∾ nouveau** modernistic
articuler to utter
artificiel -le artificial
artilleur *m.* artilleryman
artistique artistic
as *m.* ace
ascension *f.* climb; progress
aspect *m.* aspect, appearance
aspérité *f.* rough surface
assaillir to attack
assaisonner to season
assavoir: il est fait ∾ be it known
assemblée *f.* gathering
s'asseoir to sit (down)
assermenté who has taken the oath
assez (de) enough; rather; **en voilà ∾** that's enough
assiette *f.* plate
s'assimiler to assimilate
assis seated
assistance *f.* audience
assistant *m.* spectator; **∾s** audience, those present
assister (à) to be present (at); **∾ en fraude** to witness surreptitiously
assombrir to sadden
assommé overcome
assortiment *m.* assortment
assourdi muffled
assurance *f.* assurance; insurance
assurément certainly
assurer to assure; to insure, guarantee
astiquer to polish
atelier *m.* factory, (work)shop, room
athée *m. or f.* atheist
âtre *m.* hearth, fireplace
attablé seated at the table
attacher to attach, place, tie up, fasten
attaque *f.* attack
attaquer to attack
s'attarder to linger, loiter
atteindre to reach
atteint affected

attendant: en ~ meanwhile; **~ que** (waiting, to wait) until
attendre to wait for, expect; **s'~ à** to expect
s'attendrir to soften, become tender, move to pity
attente *f.* (period of) waiting, anticipation; **salle d'~** waiting room
attention! watch out!
atténuer to soften
atterré dismayed
atterrir to land
attester to attest, certify
attique imbued with Athenian culture
attirail *m.* equipment, paraphernalia
attirer to draw
attraper to catch
attrister to sadden
aube *f.* dawn; paddle; **roue à ~s** paddle wheel
auberge *f.* inn
aubergiste *m.* innkeeper
aucun *adj. and pron.* no, any, no one, not any, none; **ne ~** no, not any, none; **d'~s** some
audace *f.* boldness
au-dessous (de) below; **jusqu'~ de** down below
au-dessus (de) above, over
audience *f.*: **salle d'~** courtroom
audition *f.* broadcast
auditoire *m.* audience
aujourd'hui today
aumône *f.*: **quêteur d'~s** alms collector
auparavant before, first of all
auprès de near, with
aurore *f.* dawn
aussi also, so, such a; **~ . . . que** as . . . as
aussitôt immediately; **~ que** as soon as
Ausweis *m.* pass issued by German occupation forces
autant (de) as much (many); **d'~ plus (. . .) que** all the more (. . .) because; **d'~ moins (. . .) que** all the less (. . .) because; **~ dire** so to speak; **en faire ~** to do likewise
autel *m.* altar
auteur *m.* author, perpetrator
auto *f.* auto, driving; **pratique de l'~** to drive
autoclave *m.* pressure sterilizer
automne *m.* autumn
automobilisme *m.* driving
automobiliste *m.* driver
autorité *f.* authority
autour (de) around (it)
autre other, next; preceding; **d'~s** others; **~ chose** something else; **vous ~s** you (people); **l'un et l'~** both; **l'un l'~** one another; **de temps à ~** from time to time
(d')autrefois former(ly), of former times
autrement otherwise, in a different way
Autrichien *m.* Austrian
Auvergnat *m.* native of Auvergne
aval *m.*: **en ~** downstream
avaler to swallow, gulp down
avance *f.*: **d'~** in advance
avancer to advance, proceed; **s'~** to move forward, go along, make one's way
avant before; **~ que** before; **en ~** in front, (thrust) forward
avantage *m.* advantage
avant-garde *f.* vanguard
avarié damaged
avec with
avènement *m.* advent, arrival
avenir *m.* future
aventure *f.* adventure
avenue *f.* avenue, passageway
averse *f.* shower
avertir to warn
aveugle *adj.* blind; *noun, m.* blind man
aveuglé blinded
avide greedy
avidité *f.* greed
avilir to debase
aviron *m.* oar
avis *m.* opinion
avisé crafty
aviser to inform; to take action
aviver to brighten
avocat *m.* lawyer

avoir to have; **il y a** there is (are); ∾ **beau** (+ *inf.*) to be useless, do in vain; ∾ **peur** to be afraid; ∾ **l'air de** to seem; ∾ **raison** to be right; ∾ **tort** to be wrong; ∾ **besoin de** to need; ∾ **coutume de** to be accustomed to; ∾ **du flair** to have a gift for nosing things out; ∾ **faim** to be (get) hungry; ∾ **soif** to be thirsty; ∾ **la certitude de** to be certain of; ∾ **tôt fait de** not to take long; ∾ **honte** to be ashamed; ∾ **quelques torts** to be somewhat in the wrong; ∾ **la flemme** (*fam.*) to be lazy; ∾ **lieu** to take place; **eusse** *etc.* (+ *past participle*) would have
avoué *m.* attorney
avouer to confess
avril *m.* April
axe *m.* axis

bagage *m.* piece of baggage
bagne *m.* penitentiary
baie *f.* bay
bâiller to yawn
baiser to kiss, seduce
baisser to lower, bend; **se** ∾ to bend over
balade (*fam.*) *f.* stroll
balader (*fam.*) to stroll, saunter
balancer to balance, counterbalance; to sway; to waver; **se** ∾ to hover
balbutier to stammer, stutter, mumble
ballant: les bras ∾**s** empty-handed
ballon *m.* balloon
ballot *m.* bale
banc *m.*: **char à** ∾**s** small wagon with benches
bancal rickety
bande *f.* band, group, flock; stripe
bandoulière *f.*: **en** ∾ across his back
banlieue *f.* suburb
banquette *f.* seat
baptême *m.* baptism
baptiser to baptize, name
baptismal -aux: tenir quelqu'un sur les fonts ∾ to stand godfather to someone
baraque *f.* hut
barbacole *m.* pedantic schoolmaster
barbaque *f.* meat (*fam.*); flesh
barbare *m.* barbarian
barbe *f.* beard; **se faire la** ∾ to shave
barbouillé smeared
barbu bearded
barque *f.* boat
barrage *m.* dam; checking point
barrière *f.* barrier, gate
bas -se low, lower; **en** ∾ below; **tout** ∾ in a low voice, in a whisper, to oneself; **à voix** ∾**se** in a low voice; **sauter à** ∾ **de** to jump out of; **mettre . . .** ∾ to take off; **mettre à** ∾ to pull down; *m.* lower part; stocking
basque *f.* coattail
bataille *f.* battle
batailleur -se pugnacious
bataillon *m.* battalion
bateau *m.* boat; ∾ **de pêche** fishing boat
bâtiment *m.* building, construction business; **peintre en** ∾ house painter
bâtir to build
battant *m.* leaf (of a double door)
battement *m.* beating, beat
se battre to fight
battue *f.* tramp, trip, hunt
bauge *f.* den
bavard talkative
béant gaping
beau, belle beautiful, fine, good; **avoir** ∾ (+ *inf.*) to do in vain, be useless; **de plus belle** harder than ever, with more energy
beaucoup (de) much, many
beau-frère *m.* brother-in-law
beau-père *m.* father-in-law
bec *m.* beak, (*fam.*) mouth
bedeau *m.* beadle
belge Belgian; **Belge** *m.* Belgian
bénir to bless
bercé lulled
berger *m.* shepherd
besace *f.*: **en** ∾ like a double sack
besogne *f.* task, work; **abattant de belle** ∾ finishing a lot of work
besoin *m.* need; **avoir** ∾ **de** to need; **au** ∾ if necessary

bétail *m.* cattle; **~ à l'engrais** pasture-fattened cattle
bête *f.* animal, beast, bird, creature; fool
bêtise *f.* foolishness; **faire une ~** to act foolishly, do something stupid
bibliothèque *f.* bookcase, library
bicoque *f.* hut, shanty
bicyclette *f.* bicycle, bicycling; **à ~** on a bicycle; **monter à ~** to ride a bicycle
bidet *m.* nag, small horse
bief *m.* stretch of water
bielle *f.* connecting rod
bien well, very, fine, certainly, indeed, so; **~ entendu** of course; **~ que** although; **~ des** (+ *noun*) many; **tant ~ que mal** after a fashion; **~ sûr** certainly; **eh ~!** well! *m.* good; *m. pl.* property
bien-aimée *f.* beloved, sweetheart
bientôt soon
bienveillance *f.* good will
bigarré multicolored
bijou *m.* jewel
bijoutier *m.* jeweler
bile *f.*: **se faire de la ~** (*fam.*) to become disturbed, to fret
billet *m.* ticket, note
bissac *m.* bag
bistro(t) *m.* saloon
bizarre strange
blafard pale, wan
blague *f.* joke
blâmer to blame, censure
blanc, blanche white
blancheur *f.* whiteness
blasphème *m.* blasphemy, curse
blasphémer to blaspheme, curse
blé *m.* wheat, grain
blême pale, livid, white
blessé *m.* wounded man
blesser to wound, hurt
blessure *f.* wound, mark
bleu blue; **~ de fer** steel-blue
bleuâtre bluish
bloc *m.* block
blond blond, fair, light-colored
blouse *f.* smock, blouse
boche *m.* German
bœuf *m.* ox
bohème *m.* Bohemian
boire to drink; **~ plus que de raison** to drink to excess
bois *m.* wood, woods; **taille de ~** tally stick; **~ de buis** boxwood
boiserie *f.* wainscot, woodwork
boîte *f.* box
bombu barrel-chested; *m.* bulge
bon, bonne good, right, kindly; **à quoi ~** what's the use; **à la bonne heure** good! **de bonne heure** early; **pour de ~** really and truly; *m.* the good one; *f.* maid
bondé overcrowded
bonheur *m.* good fortune, happiness
bonhomie *m.* good nature
bonhomme *m.* simple (kindly) fellow; old man; **vieux ~** good old man
boniment *m.* smooth talk
bonjour good day, good morning, good afternoon
bonnement: tout ~ simply
bonnet *m.* cap, peasant's hat; surgical cap
bonsoir good evening
bonté *f.* goodness, kindness
bord *m.* board, edge, brim, side; **du ~ de** at the edge of; **à ~** on board
borne *f.* milestone
bosquet *m.* grove
bosse *f.* hump
bossu hunchbacked
bot: pied ~ clubfoot
botte *f.* boot; bundle
bouche *f.* mouth; **à la ~ en cœur** with the simpering look; **~ d'ombre** loud-speaker
bouchon *m.* tavern
boudeur -se sulking
boue *f.* mud
bouger to move, stir
bougre *m.* poor devil
bouillie *f.* gruel, stew; pulp
bouillon *m.* broth
bouillonner to seethe
bouillotte *f.* hot-water bottle, foot-warmer
boulange *f.* bread-making
boulanger *m.* baker

boulangerie *f.* bakery
boulet *m.* bullet
boulevardier *m.* man about town
bouleversé completely upset, distressed
bouleverser to upset, confuse
boulot (*fam.*) *m.* work
bouquet *m.* cluster
bouquin *m.* old book, book
bouquiniste *m.* second-hand book dealer
bourdonnement *m.* buzzing, whispering
bourg *m.* (small) town
bourgeois *m.* middle-class (affluent) person
bourgeoise (*fam.*) *f.* missis
bourgeoisie *f.* middle class
bourré stuffed
bourreau *m.* executioner
bourrelier *m.* harness-maker
bousculer to jostle, bump
bout *m.* end, bit, piece; **jusqu'au ~** to the last degree; **au ~ de** after; **venir à ~** to succeed; **à ~ de bras** at arm's length
bouteille *f.* bottle
boutique *f.* shop
boutonner to button
boutonnière *f.* buttonhole
bouvreuil *m.* bullfinch
braies *f. pl.* trousers
brancard *m.* shaft; stretcher
brancardage *m.* stretcher-bearing
brancardier *m.* stretcher-bearer
branchage *m.* branch, bough
branchette *f.* little branch
bras *m.* arm; **en ~ de** chemise, in shirt sleeves; **à ~ le corps** around the waist; **les ~ ballants** empty-handed; **à bout de ~** at arm's length
brassée *f.* armful
brave brave, good, fine, worthy
bredouiller to mumble, stammer
bref, briève *adj.* brief; *adv.* briefly, in short
breloque *f.* (watch) charm
breton -ne Breton, of Brittany; **en ~** in the Breton dialect
bricole *f.* shoulder strap
bridé bridled
brigadier *m.* sergeant; **~ de gendarmerie** state police sergeant
brillant *m.* diamond; *adj.* brilliant, bright, shiny
briller to shine, sparkle, be brilliant
brin *m.* sprig
briser to break
broc *m.* jug
brocanteur *m.* second-hand dealer
broche *f.* spit
brochet *m.* pike
brodé embroidered
brosser to brush
brouillard *m.* fog, mist
brouillé on bad terms
brouiller to set at variance, confuse; to shuffle; **se ~** to fall out, with someone
brousse *f.* bush
bru *f.* daughter-in-law
bruissant rustling
bruit *m.* noise; rumor
brûlé (*fam.*) of no further use
brûler to burn, boil
brume *f.* fog, mist
brusque abrupt, harsh, sudden
brusquement suddenly, abruptly, quickly
brusquer to precipitate (matters)
brusquerie *f.* abruptness
bruyant noisy
bruyère *f.*: **le coq de ~** grouse
bûcheron *m.* lumberman
buffet *m.* buffet, sideboard
buis *m.* (sprig of) boxwood; **le bois de ~** boxwood
buisson *m.* bush
bureau *m.* office
buse *f.* buzzard
but *m.* goal
buter to stumble
byzantin Byzantine

ça = cela; ~ et là here and there
cabane *f.* hut
cabaret *m.* inn, tavern
cabaretier *m.* innkeeper
cabinet *m.* office
cabot (*fam.*) *m.* dog, cur
cabriolet *m.* cabriolet, cab

caché secluded, hidden
cacher to hide
cacochyme weak-bodied
cadavre *m.* (dead) body
cadeau *m.* gift
cadran *m.* face (of clock)
cadre *m.* ensemble of executives (leaders); list of leaders
café *m.* café, tavern; coffee
cage *f.* cage; **en ∾** caged
cagoule *f.* mask
cahier *m.* notebook
cahin-caha as best one can
cahot *m.* bump, jolt
cajoler to pet
calcul *m.* calculation, plan
calculer to calculate
calé proficient
calèche *f.* light carriage
calme calm, quiet
calmé calmed, soothed
camarade *m.* comrade
camaraderie *f.* comradeship
cambouis *m.* oil waste
cambrouse *f.* countryside
cambuse *f.* drinking joint
camomille *f.* camomile tea
campagnard *m.* man of the country, peasant
campagne *f.* country; campaign; **faire ∾** to fight a campaign; **médecin de ∾** country doctor
campement *m.* camp
canadien -ne Canadian; **Canadien** *m.* Canadian
canalisé running in a channel
canard *m.* duck
candidat *m.* candidate
canif *m.* penknife
canne *f.* reed, cane
canon *m.* gun, cannon; **∾ de carabine** rifle barrel
canot *m.* rowboat
canotier *m.* canoeist
caoutchouc *m.* rubber; rubber gloves
capitaine *m.* captain
capital vital
capitaux *m. pl.* capital wealth
capoter to turn turtle
caprille *f.* caprille (kind of fish)
car for
carabine *f.* rifle; **canon de ∾** rifle barrel
caractère *m.* character, temper
carafe *f.* decanter
carapace *f.* shell, surface
carême *m.* Lent
caressant caressing
caresse *f.* caress
caresser to caress, stroke
cargaison *f.* cargo
carnier *m.* game bag
carré square
carrément flatly, bluntly
se carrer (*fam.*) to loll
carrière *f.* career
carriole *f.* carriage
carte *f.* card; **tireuse de ∾s** fortune-teller
cas *m.* case, affair; **en tout ∾** in any case
caserne *f.* barracks, military service
casqué bearing a helmet
casquette *f.* cap
casse-cou *m.* breakneck
casser to break (up)
casserole *f.* pan
catalan Catalan
cauchemar *m.* nightmare
cause *f.* cause, case; **à ∾ (de)** because of
causer to cause; to chat, talk
causerie *f.* conversation
causeur *m.* talker
cavalier-chauffeur *m.* knight-chauffeur
cave *f.* cellar
céder to yield, give (up)
ceinture *f.* belt
célèbre celebrated, famous
célébrer to celebrate
celer to hide completely
céleste celestial, heavenly
cendre *f.* ash
censément supposedly
centaine *f.* about one hundred; **par ∾s** by hundreds
centimètre *m.* centimeter (0.394 inches)
cependant however, nevertheless; **∾ que** while

cercle *m.* club
cérémonie *f.* ceremony; **voix de ∾** formal (ceremonious) tone of voice
cerf-volant *m.* kite
certainement certainly
certes certainly
certitude certainty; **avoir la ∾ de** to be certain of
cervelle *f.* brain
cesse: sans ∾ incessantly
chacun each (one)
chagrin *m.* grief, sorrow; **∾ gaufré** embossed leather; *adj.* morose
chaîne *f.* (watch) chain
chair *f.* flesh
chaire *f.* pulpit
chaise *f.* chair
chaisière *f.* woman who rents chairs
châle *m.* shawl
chaleur *f.* warmth, heat
chaleureux -se warm, ardent
chambranle *m.* casing
chambre *f.* room; **∾ à air** tube
champ *m.* field; **aux ∾s** in the country; **en pleins ∾s** in open fields
champagne *f.* champagne; **fine ∾** liqueur brandy
chance *f.* (good) luck, chance
chandelle *f.* candle; **voir trente-six mille ∾s** to see stars
change *m.* (*also used in pl.*) exchange
changement *m.* change
changer (de) to change
chanson *f.* song
chant *m.* song, singing
chanter to sing, chant
chantier *m.* yard; construction job
chapeau *m.* hat; **∾ melon** derby; **∾ haut de forme** top hat
chapelet *m.* rosary; **égrener son ∾** to tell one's beads
chapelle *f.* chapel
chaque each, every
char *m.* wagon; **∾ à bancs** small wagon with benches
charbonnier *m.* coal vender
charcutier *m.* pork butcher
charge *f.* charge, load, burden, responsibility
chargé loaded, laden, full
charger to load, fill; to entrust; **se ∾ de** to assume responsibility for, take it upon oneself to
charité *f.* charity, alms
charme *m.* charm, feeling of delight
charrette *f.* cart
charrue *f.* plow
chasse *f.* hunt; **de ∾** hunting; **faire la ∾ à** to hunt
chasser to hunt, chase (away), eject, drive out, dismiss
chasseur *m.* hunter
château *m.* chateau, castle
châtrer to castrate; to deprive
chaud warm; **faire ∾** to be warm
chaudière *f.* boiler
chauffer to warm, heat
chauffeur *m.* chauffeur, driver, engineer
chaussé shod
chausser to put on (one's feet)
chaussure *f.* shoes
chauve bald
chavirer to capsize
chef *m.* head, leader, chief
chef-lieu *m.* governmental seat
chemin *m.* road; **rebrousser ∾** to turn back; **se mettre en ∾** to set out; **en ∾** on the (my) way; **en ∾ de fer** by train
cheminée *f.* fireplace, hearth, mantelpiece
cheminer to walk (go) along, proceed
chemise *f.* shirt, chemise; **en bras de ∾** in shirtsleeves
chenapan *m.* scamp
chêne *m.* oak
cher, chère dear, dearly, cherished
chercher to seek, look (for), get; **envoyer ∾** to send for; **∾ du regard** to look around for; **∾ à** to try to
chérir to love, cherish
chétif -ve frail
cheval *m.* horse; **pratiquer le ∾** to ride horseback; **à ∾** on horseback; **monter à ∾** to mount one's horse, go horseback riding; **fer à ∾** horseshoe; **en fer à ∾** in horseshoe shape
chevelure *f.* head of hair

cheveux *m. pl.* hair
cheville *f.* peg
chez at the home (store, inn, *etc.*) of, (at) home; with
chic (*fam.*) nice
chichement parsimoniously
chien *m.* dog
chien-chien (*fam.*) *m.* doggie
chiffré in cipher; **pli ~** coded message
chignon *m.* knot of hair, bun
chinois Chinese; **poisson ~** goldfish
chirurgien *m.* surgeon
chœur *m.* choir
choisir to choose
choix *m.* choice
chômer to cease work, be unemployed
chose *f.* thing, affair, matter, object, event; **autre ~** something else
chrétien *m.* Christian
christ *m.* crucifix, stone cross including figure of Christ
chuchoter to whisper
chut! ssh! hush!
chute *f.* fall
ciboire *m.* ciborium
cicéronien imbued with Cicero's style
ci-devant formerly; *adj.* late, former
cidre *m.* cider
ciel *m.* sky, heaven(s)
cierge *m.* wax church candle
cigale *f.* locust, cricket
cimetière *m.* cemetery
cinéma *m.* movie theatre
cinquième fifth; seventh grade
circonstance *f.* circumstance
circuit *m.* long-distance race
circuler to circulate
ciré: en toile ~e oilcloth
cité *f.* city
citer to cite, mention
citoyen *m.*, **citoyenne** *f.*, citizen
citoyen-commandant *m.* citizen-commander
civière *f.* stretcher
civil *m.*: **dans le ~** in civilian life
civilisé *m.* civilized man
claie *f.* hurdle, gate inside a barn
clair clear, bright, light, plain
clairement clearly
clairet *m.* light, red wine; claret
clairière *f.* clearing
clameur *f.* racket, uproar, sound
clapotement *m.* lapping (of waves)
clapoter to splash
claque *m.* (official's folding) hat
claquer to slam; to clack
clarté *f.* light
classique classical
clavecin *m.* harpsichord
clef *f.* key
client *m.* customer
cligner: ~ de l'œil to wink
clocher *m.* bell tower, steeple, belfry
clochette *f.* little bell
cloison *f.* partition, wall
clos closed; *m.* yard; enclosure
clôturé enclosed
clou *m.* nail
clousser (glousser) to cluck
cocher *m.* coachman
cochon *m.* pig; **~ de lait** suckling pig
cœur *m.* heart; **à la bouche en ~** with a simpering look; **de si bon ~** with so much spirit
cœur-volant *m.* flighty, fickle (heart)
coffre *m.* chest
coffrer: se faire ~ (*fam.*) to get pinched
cohue *f.* swarm, mob, crowd
coi: se tenir ~ to keep quiet
coiffe *f.* headdress
coiffé: bien ~ having well-dressed hair
coin *m.* corner; **au ~ de** in the corner of
coing *m.* quince
col *m.* neck, collar; mountain pass
colère *f.* anger, rage; **en ~** angry
colis *m.* package
collant close-fitting
collation *f.* light meal
colle *f.*: **~ forte** glue
collé glued, pulled tightly
collégien *m.*: **en ~** in his schoolboy uniform
collègue *m.* colleague
coller to stick, glue; to be in accord with
collet *m.* collar
collier *m.* (dog) collar
collimateur *m.* collimator for sight-setting (artillery)

colline *f.* hill
colonne *f.* column, pillar
colporteur *m.* peddler
coltineur *m.* coal-heaver
combattre to fight
combien how much (many), how
combinaison *f.* arrangement
comble *m.* height; **de fond en ∾** from top to bottom; **pour ∾ de malheur** as a crowning misfortune
combler to fill up
comice *m.*: **∾ agricole** agricultural (livestock) show
comique comical
comme as (if), (something) like, how, such as; **∾ ça** in that way
commencer to begin
comment how, what; what do you mean
commentaire *m.* commentary
commenter to comment upon
commerçant *m.* tradesman
commerce *m.* business
commère *f.* gossip, busybody
commis *m.* clerk
commisération *f.* pity
commode convenient; *f.* chest of drawers
commun common, communal, together
communiquer to communicate, tell
compagne *f.* companion, mate
compagnie *f.* company
compagnon *m.* companion, friend; journeyman
comparaison *f.* comparison
compartiment *m.* compartment
compassé formal
compère *m.* confederate
complaisance *f.* kindness
complet -ète complete; *m.* suit
complété completed
complice *m. or f.* accomplice
compliqué complicated
comporter to behave
composer to compose, write; **se ∾ de** to be composed of
comprendre to understand, realize
compression *f.* reduction
compromettre to compromise
compromis *m.* compromise
compte *m.* account; **se rendre ∾ de** to realize; **mettre en ∾** to enter in the account; **à bon ∾** cheap; **faire ses ∾s** to make up one's accounts
compter to count (on), reckon
compteur *m.* indicator; **∾ de vitesse** speedometer
comptoir *m.* counter
comte *m.* count
comtesse *f.* countess
concentrer to concentrate; to repress
concevoir to conceive, feel
concitoyen *m.* fellow citizen
conclure to conclude, settle, arrange
concours *m.* fair; competition
condamner to condemn
condition *f.* condition, position; **à ∾ de** on the condition of
conduire to drive, lead, propel
confessionnal *m.* confessional (box)
confiance *f.* confidence, trust; **faire ∾ à** to rely on
confier to confide
confit candied; **d'un air ∾** pretending to be devout
confiture *f.* jam
confondu blended
confort *m.* comfort
confortablement comfortably
confrère *m.* colleague
confronté confronted, brought face to face
confus confused; vague
confusément confusedly; vaguely
confusion *f.* embarrassment
congé *m.* leave
conjurer to ward off
connaissance *f.* knowledge; acquaintance
connaître to know, be acquainted with
conquérir to conquer
consacrer to consecrate
conscrit *m.* draftee, conscript
consentiment *m.* consent
conservateur *m.* conservative
conservation *f.* self-preservation
conserver to save, retain, keep
considération *f.* consideration, esteem
consoler to console, comfort

conspirer to conspire, plot
constaté established
se consteller to be studded
constituer to constitute, create
construction *f.* building
construire to build, construct
consulter to consult, observe, look at
contagieux *m.* disease carrier
conte *m.* (short) story, tale
contempler to contemplate, gaze at
contenant containing
content satisfied, happy, content(ed)
contenter: se ∾ de to be satisfied with
contenu contained; represented; *m.* contents
conter to tell, relate
contigu -uë adjoining
continu continual, incessant
continuer to continue
contourner to go around
se contracter to contract
contradictoire contradictory
contraindre to compel, force
contraire contrary
contre against; **tout ∾** right against
contredire to contradict
contremarche *f.* countermove
contre-ordre *m.* counterorder
contretemps: à ∾ at the wrong time
contributions *f. pl.* tax administration
contrôler to inspect
contrôleur *m.*: **∾ de gaz** gas-meter man
convaincu convinced, with strong convictions
convenable suitable, reasonable, appropriate
convenir to fit; to be advisable
convention *f.* convention, custom
converger to converge
conviction *f.*: **pièce de ∾** damaging evidence
convive *m.* table companion
copain *m.* pal
copeau *m.* shaving, chip, sliver
copie *f.* copy; manuscript
copier to copy
coq *m.* rooster; **∾ de bruyère** grouse
coque *f.* shell, hull
corde *f.* cord, rope; **usé jusqu'à la ∾** worn thin
corne *f.* horn
corps *m.* body, corps; **à bras le ∾** around the waist
corps-franc *m.* special army unit
correctionnelle *f.* police court
corriger to correct
Corse *f.* Corsica
corsetière *f.* corsetmaker
cossu costly, rich
costaud (*fam.*) *m.* big strong fellow
costume *m.* costume, dress, attire
côte *f.* hill; coast, coastal area; **∾ à ∾** side by side
côté *m.* side; **à ∾ de** beside; **du ∾ de** toward, in the direction of; **de ∾** sideways; neighboring; **à ∾** adjoining, into the next room; accidental; **de l'autre ∾** on the other side
coteau *m.* slope, hill(side)
cotiser to get up a subscription
coton *m.* cotton
cotoyer to skirt
cotret *m.* fagot, bundle of sticks
cou *m.* neck
couchant setting
couché lying
couchée *f.* bed
coucher to lay low; **se ∾** to sleep, lie down
coude *m.* elbow
coudre to sew
couler to flow, run; to sink
couleur *f.* color
couleuvre *f.* snake
couloir *m.* corridor
coup *m.* blow, knock; draught; knack; stroke; **tout à ∾** suddenly; **∾ de vent** gust of wind; **∾ de volant** jerk of the wheel; **d'un (seul) ∾** in one continuous gesture, all of a sudden; **∾ de grêle** hailstorm; **∾ d'état** radical action; **faire un ∾ pareil** to do such a thing; **∾ de poignet** twist of the wrist; **sur le ∾** instantly; **∾ de rame** oar stroke
coupable *m.* guilty person
coupe *f.* fell, chopping down
couper to cut (off)
cour *f.* courtship; court, yard

courageux -se courageous
couramment readily
courant *m.* current; **mettre au ~** to inform; **se tenir au ~** to keep informed
courbé bent, bowed
courir to run, flow, travel (fly) about (over), roam, rush
couronne *f.* funeral wreath
couronné broken-kneed
courrier *m.* courier
cours *m.* course; rate; **en ~** current; **au ~ de** in the course of
course *f.* race, walk, trip, run
court short
courtier *m.* broker, middleman
courtil *m.* garden
couteau *m.* knife
coûter to cost
coutil *m.*: **pantalon de ~** ducks
coutume *f.* custom; **avoir ~ de** to be accustomed to
couturière *f.* dressmaker
couvercle *m.* lid
couvert (de) covered (with); *m.* cover; **mettre le ~** to set the table
couverture *f.* cover, blanket
couvre-joint *m.* strip of wood to cover the joints
couvrir to cover, shield, protect
cracher to spit (out)
crachoter to spit frequently
craindre to fear; to show; to be damaged by
crainte *f.* fear
cramoisi crimson
cran *m.* notch
crâne *m.* cranium, brain
craquement *m.* crack
craquer to creak, crack
crasseux -se filthy
cravate *f.* necktie
crayon *m.* pencil
créateur -trice creative
crèche *f.* manger
créer to create
créneler to indent
crépuscule *m.* twilight
cresson *m.* water cress
crête *f.* comb; crest, ridge, top
crétin *m.* idiot
creuser to dig, cut out, groove
creux *m.* pit, hollow; **en ~** in concave form
crever to have a flat tire (*fam.*); to burst, blow (up), break
cri *m.* cry, scream, shout
criard piercing
crier to cry (for), shout, call, crow; **sans ~ gare** without warning
crieur *m.* crier; **~ public** town crier
crique *f.* sea cove
crisper to contract, clench
cristal *m.* crystal
critiquer to criticize
crochet *m.* detour
croire to believe, think; **~ à** to believe in; **à ~** it looks as though
croisement *m.* crossroads
croiser to cross
croissance *f.* growth
croissant *m.* crescent
croître to grow
croix *f.* cross
croquis *m.* sketch
crosse *f.* butt (of a gun)
crotte *f.* mud, dung
crucifié crucified
cruellement cruelly
cueillir to pick (up)
cuir *m.* leather, hide
cuirassier *m.* cavalryman
cuire to cook; to smart; **il m'en cuirait** I would certainly have reason to repent
cuisine *f.* kitchen
cuivre *m.* copper
cul *m.* behind
culasse *f.* breach of gun
culotte *f.* (knee) breeches
culotté (*fam.*): **être ~** to have guts
cultivateur *m.* farmer
curé *m.* (parish) priest, curé, curate
curieusement curiously
curieux -se curious

d'abord at first, first (of all)
d'ailleurs moreover, besides
dalmatique *f.* tunic
dame *f.* lady; *int.* indeed, of course, well

damner to damn
dancing *m.* dance hall
Danemark *m.* Denmark
dangereux -se dangerous
dans in, into
danse *f.* dance
danser to dance
danseur *m.* dancer
dare-dare posthaste
daté dated
davantage more
de of, with, from, by, than, for, on, at, to, in, worth, as a
déambuler to stroll
débarquer to get off
débarrasser: se ~ de to get rid of
débat *m.* debate, qualm
se débattre to struggle
débit *m.* shop
déblatérer to rail, rant
débordement *m.* flood
déboulonner to unbolt
debout standing, on one's feet, erect; **se tenir ~** to remain standing
débraillé untidy, disorderly, all unbuttoned
début *m.* beginning
décembre *m.* December
décent decent, respectable
décevoir to disappoint
déchaîné running wild
décharge *f.* discharge
déchiffrer to puzzle out
déchirant heart-rending, agonizing
déchirer to tear, rip, rend
décider to decide; **se ~ (à)** to make up one's mind, determine, decide upon
déclamer to declaim
décliner to decline, refuse
déconcertant bewildering
déconseiller to make inadvisable
décontenancé disconcerted
décor *m.* decoration
décorer to decorate
découvert exposed
découvrir to discover, uncover, reveal
déçu disappointed
dédaigner to disdain
dédale *m.* labyrinth
dedans inside; **être mis ~** to be taken in; **au ~** inside
défaillance *f.* exhaustion
défaillir to sink, faint, wane, waste away, fail
défaire to get rid of; **se ~** to come undone, loosen
défait in disorder
défaut *m.* fault, failing, defect
défendre to forbid; **se ~ de** not to allow oneself to
défense *f.* defense; **de ~** defensive
défiler to file (past), walk single file
définitif -ve final, definite
définitivement definitely, definitively
défoncé knocked in, staved in
déformé misshapen,deformed,distorted
dégagé free
dégager to give forth; **se ~** to free oneself, escape; to emanate
se dégeler to shake off one's lethargy
dégoût *m.* disgust
dégoûtant *m.* disgusting person
dégoûter to disgust
dégoutter to drip
dégrafer to unfasten
degré *m.* degree; **au premier ~** preliminary
déguisé disguised
déguisement *m.* disguise
déguster to enjoy; to sip
dehors outside; **au ~** (on the) outside; **en ~** frank and open
déjà already
déjeuner to have lunch
déjouer to miscarry; to fool
delà: au ~ (de) beyond, above
délai *m.* delay
délectable delicious
délectation *f.* enjoyment
délicat delicate, sensitive
délire *m.* delirium, frenzy
délivrer to issue; to rescue
déluge *m.* flood
demain tomorrow
demande *f.* request
demander to ask, request, require; **se ~** to wonder
démarche *f.* step; **faire une ~ auprès de** to approach

démarrage *m.* start
démarrer to start, drive off, stir, move away, budge
démêler to discern
se démener to struggle
demeurant: au ∼ nevertheless
demeure *f.* residence, dwelling; **faire une ∼** to dwell
demeurer to live; to remain
demi half; **. . . heure(s) et ∼e** half past . . .; **à ∼** half
demi-brute *f.* half-animal
demi-douzaine *f.* half a dozen
demi-heure *f.* half an hour
demi-voix: à ∼ in an undertone
démolir to demolish
démon *m.* demon, devil
démonétisé withdrawn from circulation
démonter to take down
dénaturer to misrepresent, slander
dénouement *m.* ending
dénouer to clear up, solve, end; to untie
dent *f.* tooth
dentelé notched
dentelle *f.* lace; **travail de ∼** lace-work
dénué devoid
déparer to spoil
départ *m.* departure
département *m.* department (administrative division of France)
dépasser to pass, supersede
dépaysé out of place
dépendance *f.* outbuilding
dépendre (de) to depend (upon)
dépenser to spend, expend
dépenses *f. pl.* expenses
dépérir to waste away
se dépeupler to become empty
dépister to throw off the track, put off the trail
dépit *m.* resentment
déplacer to move
déposer to lay, place
depuis since, for, ago, as early as; **∼ que** since
dérailler to be derailed
déranger to disturb
derechef once more
dérive *f.*: **à la ∼** adrift
dernier -ère last; **dans les ∼ temps** lately
derrière behind, in back of; *m.* buttocks, rear, back, tail
dès since, from, immediately on; **∼ que** as soon as; **∼ le matin** first thing in the morning; **∼ lors** from then on; **∼ maintenant** from now on
désagrément *m.* unpleasantness
descendre to go (come) down
désespérer to despair
désespoir *m.* despair
désigner to designate, indicate, point out
désintéressé uninvolved, disinterested
désir *m.* desire
désirer to desire, want
désœuvré idle
désœuvrement *m.* idle life
désolé sorrowful, disconsolate, grievous
désordonné reckless, immoderate, inordinate
désordre *m.* disorder
désormais henceforth
despotique tyrannical
dessécher to dry up, wither
dessin *m.* design
dessiner to draw, sketch; **se ∼** to be (become) visible
dessus on it (them); **de ∼** from; **prendre le ∼ de** to overcome
dessus-dessous upside down; **sens ∼** upside down
destinée *f.* destiny
destructeur -rice destructive
détaché detached
détachement *m.* detachment
détaler to scurry off, scamper away
détenir to possess
détour *m.* turn, turning
détourner to divert, misappropriate
détrempé soaked
détresse *f.* distress
détrôné dethroned
deuil *m.* mourning; **faire ∼** to grieve
deux two; **∼ fois** twice; **tous (les) ∼** both

deuxième second
dévaler to go down
devancer to get ahead of, anticipate
devant before, in front (of); **~ vous** ahead; **au ~ de** to meet
devanture *f.* (shop) window
dévaster to ruin, devastate
devenir to become
devers *m.* slope
dévider to reel off
dévier to twist; to deflect
deviner to guess
deviser to converse
dévissé unscrewed
dévoiler to reveal, unveil
devoir to be to, have to, must, ought, should, can; *m.* duty
dévoué devoted, consecrated
se dévouer to dedicate oneself, rise to the challenge
diable *m.* devil
diacre *m.* deacon
dictée *f.* dictation
dicter to dictate
Dieu *m.* God; **dieu** *m.* god
différend *m.* difference of opinion
différer to be different
difficile difficult
diffuser to spread, diffuse
digéré digested
digne worthy
digue *f.* dike
se dilater to expand, swell
dimanche *m.* Sunday
dîner *m.* dinner
dîneur *m.* diner
dire to say, tell, think; **faire ~** to send word; **~ son fait à** to say what one thinks of; **autant ~** so to speak; **pour ainsi ~** so to speak; **pour mieux ~** to be more exact; **vouloir ~** to mean; **c'est dit** all right; **ce disant** with these words; **dis donc!** say!
direction *f.* direction, driving
dirigeant *m.* leader
diriger to direct, guide; **se ~** to make one's way, go
discerner to discern, distinguish
discontinu interrupted
discours *m.* speech
discret -ète discreet, modest
discrètement discreetly
disgrâce *f.* misfortune
disparaître to disappear
dispenser to relieve (of the task); **se ~ de** to avoid, get out (rid) of
dispersé scattered, dispersed
disposer to dispose, arrange; **~ de** to have at one's disposal; **se ~ à** to prepare
dispositions *f. pl.*: **prendre les ~** to make the arrangements
disproportionné disproportionate
disque *m.* signal
dissimuler to hide
dissolution *f.* solution; rubber cement
distance *f.* distance; **à peu de ~** a little distance away
distinguer to distinguish
distraction *f.* amusement
distraire to divert, amuse
distrait distant, inattentive, absent-minded
distribuer to distribute, deliver
distribution *f.* distribution, presentation
divers various, varied, different, diverse; **le fait ~ de journal** news(paper) item
diversifié diversified
divin divine
diviser to divide
dix-huitième eighteenth, made in the eighteenth century
dizaine *f.* about ten
doctorat *m.* doctorate, doctor's degree
doigt *m.* finger
domaine *m.* domain, area of learning
domestique *f.* servant
dominer to dominate, rise above, overpower
dominical Sunday
dommage *m.*: **c'est ~** it's a pity
donc so, therefore, then, now, just
donnant donnant give and take
donner to give, deal; to make, execute; to go into action, fight; **~ la mesure** to show the extent; **~ rendez-vous à** to arrange to meet

doré gilded, glazed; rendered persuasive and august; *m.* gilt
dormir to sleep
dos *m.* back
dot *f.* dowry
douane *f.* customs administration; coast guard
douanier *m.* customs inspector, guard
doubler to pass; **~ le pas** to quicken one's pace
doucement gently, softly, sweetly, slowly
douceur *f.* gentleness, sweetness, comfort, kindness
doué endowed
douillet comfortable
douleur *f.* sorrow, grief, pain
doute *m.* doubt; **sans ~** doubtless
douter (de) to doubt, question, have misgivings about; **se ~ (de)** to suspect
douteux -se doubtful, suspicious
doux, douce sweet, gentle, tender, soft, pleasant; **en douce** secretly
dragon *m.* dragoon
drame *m.* drama, tragedy
drap *m.* sheet
drapé wrapped
drapeau *m.* flag
dressé trained
dresser: ~ l'oreille to prick up (cock) one's ears; **se ~** to arise; to stand erect
droit *m.* right, law
droit straight, right, upright, erect; **la ligne ~e** straightaway; **de ~e** on the right; **à ~e** at (to) the right; **tout ~** straight ahead
drôle *m.* rogue, rascal
drôlement comically
duper to dupe, fool
dur hard, harsh, cruel, severe
durant during; **une heure ~** for an hour
durcir to harden
durer to last

eau *f.* water; **herbe d'~** water plant; **grive d'~** water thrush
eau-de-vie *f.* brandy; **~ de marc** white brandy
ébaucher: ~ un sourire to smile faintly
ébéniste *m.* cabinetmaker
ébloui dazzled
éblouissement *m.* dazzling effect
écarlate scarlet
écart *m.* difference
(s')écarter to spread, separate, move (push) aside
échafaudage *m.* scaffolding
échalier *m.* wooden fence
échange *m.* exchange
échanger to exchange
échantillon *m.* sample
échapper to escape; **s'~** to escape, drop out
échauffé warm
échelle *f.* ladder
échelon *m.* echelon, level
échoppe *f.* booth
éclair *m.* flash of lightning
éclaircissement *m.* enlightenment, lightening
éclairé lighted, enlightened
éclairer to light (up)
éclat *m.* burst, roar (of laughter)
éclatement *m.*: **~ d'un pneu** blowout
éclater to burst (forth), break (in pieces), break out; **~ d'un large rire** to burst out with a hearty laugh
écluse *f.* floodgate
école *f.* school
économe economical, thrifty
économie *f.* saving
économique economic
écoulement *m.* transitoriness, passing
s'ecouler to go (pass) by
écoute *f.* : **à l' ~** listening in
écouter to listen (to)
écraser to crush, run over
s'écrier to cry, exclaim
écrire to write
écrivain *m.* writer
s'écrouler to fall
écu *m.* crown (coin)
écuelle *f.* bowl
écuellée *f.* bowlful
écumer to skim

écurie *f.* stable
édifice *m.* building
édifier to erect
éduquer to bring up, educate
effacé effaced, disappearing
effacer to efface, make . . . disappear
effaré frightened
effectifs *m. pl.* effective military force
effet *m.* result; **en ∾** in fact, indeed
effigie *f.* effigy, statue
effleurer to graze, touch lightly
effort *m.* effort, energy, spurt
effraction *f.*: **pénétrer par ∾** to break into (as a burglar)
effrayer to frighten
effronté impudent, saucy
égal equal
égalité *f.* equality, evenness
égard *m.* respect; **à l'∾ de** in regard to
égaré misguided
égarer to lead astray
égayer to cheer (up)
église *f.* church
égoïste egoistic, selfish
s'égorger to cut each other's throats
égrener: ∾ son chapelet to tell one's beads
élaborer to elaborate, formulate
élaguer to lop off, prune
s'élancer to spring (rush) forward
élastique elastic, springy
Élévation *f.* elevation of the Host
élève *m. or f.* pupil, student
élevé raised, brought up
éliminé eliminated
éloigné distant
s'éloigner to go away, withdraw
émaner to emanate, come forth
emballé: ∾ par (*fam.*) carried away by
emballement *m.* speeding
s'emballer to bolt, step on the ac, celerator
embarcation *f.* boat
embarquement *m.* embarkation; loading
embarquer to embark
embaumer to perfume the air
embelli improved
d'emblée right away
embrasé burning hot
embrasser to kiss, embrace
embrouillamini (*fam.*) *m.* confusion
embrouiller: je t'embrouille no one is the wiser for it; **s'∾** to become entangled
embuscade *f.*: **en ∾** in ambush
émerger to emerge, appear
émerveillé amazed, struck
émetteur: le poste ∾ radio broadcasting unit, transmitter
émettre to broadcast
émeutier *m.* rioter
émigrer to emigrate
éminent eminent, exalted
émission *f.* broadcast
emmagasiner to store up
emmener to take (away)
émoulu: frais ∾ de fresh from
émouvoir to stir the emotions, affect, touch, move
empaillé stuffed
emparer: s'∾ de to seize
empêcher to prevent, hinder
empesé starched
empiler to pile up
emplette *f.*: **faire ∾ de** to purchase
(s')emplir to fill
emploi *m.* job, occupation
employé *m.* employee
employer to use
empoisonné poisoned
empoisonnement *m.* poisoning
emporter to carry (take) (away, off)
empressé eager
s'empresser to hasten, press
emprisonné imprisoned
ému moved, touched, affected
en in, some, (because) of (it), by, from there, from it, on, as a, with; **tout ∾** while
encadrement *m.* frame
enchanter to enchant, delight
enchâsser to set
enclave *f.* enclosure
enclavé enclosed
enclin inclined
enclos *m.* enclosure
encolure *f.* neck and shoulders
encore still, yet, again; **∾ une fois** once more

encourir to incur
encre *f.* ink
endimanché in one's best (Sunday) clothes
endommagé damaged
endormir to anesthetize; **s'∾** to go to sleep
endosser to put on
endroit *m.* place, spot
énergie *f.* energy, vigor, force, moral strength, will power
énergique energetic
énergiquement energetically
énerver to get on one's nerves
enfance *f.* childhood
enfant *m. or f.* child; *m.* boy; **tout ∾** when very young
enfantin childish, child's
enfer *m.* hell
enfermer to shut up, enclose
enfiévré feverish
enfin finally, just the same
s'enflammer to become inflamed
enfoncé thrust, sunk deep, pulled down
enfoncer to put in, sink, thrust; **s'∾** to go down, plunge
enfoui buried
s'enfuir to flee, fly away, take flight
engagement *m.* promise
(s')engager: ∾ dans to enter, plunge into
engendré engendered, created
engoulevent *m.* goatsucker
engrais *m.*: **bétail à l'∾** pasture-fattened cattle
engrenage *m.* cogs of a gear
engueuler: se faire ∾ (*fam.*) to get bawled out
s'enivrer to be enraptured, intoxicated
enjambée *f.* stride
enlever to raise, lift, remove, carry (take) off
ennemi *m.* enemy
ennui *m.* boredom
ennuyer to annoy, upset; **s'∾** to be (become) bored
ennuyeux -se tedious, boring, annoying
énorme enormous, huge
enquête *f.* investigation
s'enrhumer to catch cold
enseigne *f.* sign
enseigner to teach
ensemble together
ensevelir to bury
ensuite then, next, afterward
entaille *f.* opening
s'entasser to pile up
entendre to hear, listen; to understand; **s'∾** to come to an understanding; **entendu** agreed, understood, true; **bien entendu** of course
entier -ère entire, whole; **tout ∾** wholly, entirely
entonner to begin to sing
entourer to surround
entrailles *f. pl.* entrails, stomach
entraîner to drag
entre between, among
entre-bâiller to half open
entrée *f.* entrance
entrepreneur *m.* contractor
entreprise *f.* undertaking, enterprise
entrer (dans) to enter, come (go) in; **∾ en rage** to become furious
entretenir to maintain, keep up
entrevu glimpsed
énumérant enumerating, reckoning
envahir to invade; to come over
envelopper to envelop, wrap (up), cover
envers toward, in regard to; **à l'∾** on the wrong side, inside out, wrong way up
envie *f.* desire; **avoir ∾ de** to desire, want
envier to envy, covet
environ around, about
environs *m. pl.*: **aux ∾** in the neighborhood
s'envoler to take flight, fly away; to come forth
envoyer to send (forth); **∾ chercher** to send for
épais -se thick
s'épandre to spread out
épargner to save, spare
épars scattered

épatage *m.* (*a coined word*) showing off
épatant (*fam.*) swell
épater to astound, startle
épaule *f.* shoulder
épée *f.* sword; **∾ de gala** dress sword
éperdu wild, bewildered
épervier *m.* sparrow hawk
épicier *m.* grocer
épidémique epidemic
épier to watch, spy
épine *f.* thorn
épingle *f.* pin; **monter en ∾** to show off
épinglé pinned
éplucher to crack
époque *f.* time, period
épouser to marry
épouvantable frightful, terrifying
époux *m.* married man; **les deux ∾** the man and wife
éprendre: s'∾ de to fall in love with
épreuve *f.* test
éprouver to experience, feel
épuiser to exhaust; **s'∾** to wear oneself out
équilibre *m.* balance
équipage *m.* crew
équipe *f.* team, crew
équité *f.* fairness, justice
équivaloir to be equivalent, equal in value
ère *f.* era
éreinté worn out
errant wandering, migratory, stray
erreur *f.* error; **d'∾ en ∾** from error to error
escabeau *m.* stool
escalade *f.* climb
escalier *m.* stairway
s'esclaffer (*fam.*) to laugh
esclave *m.* slave
escompté anticipated
espace *m.* space, interval; duration
espagnol Spanish
espèce *f.* kind, species
espérance *f.* hope
espérer to hope (for)
espiègle mischievous
espion *m.* spy
espoir *m.* hope
esprit *m.* mind, intelligence, spirit; wit
esquinté damaged; exhausted; severely criticized
s'esquiver to slip out
essayer to try, endeavor
essence *f.* gasoline
essoufflé out of breath, panting
essuyer to wipe away
est *m.* east
estampe *f.* print, engraving
estimer to be of the opinion, consider
estrade *f.* platform
et and; **∾ . . . ∾** both . . . and
étable *f.* stable, cowshed
établir to establish, place, settle
étage *m.* flight (of stairs); story
étagère *f.* shelf
étalage *m.* window display
étaler to display; **s'∾** to be spread out
étape *f.* stay, stopover
état *m.* state, condition; **coup d'∾** radical action
été *m.* summer
éteindre to extinguish, put out; **s'∾** to go out
étendard *m.* flag
s'étendre to extend, stretch out
étendu extended, outspread, stretched out, extensive
éternel -le eternal, everlasting
étinceler to sparkle
étincelle *f.* spark
s'étirer to stretch
étoile *f.* star
étonnement *m.* astonishment, amazement
étonner to astound, amaze; **s'∾ de** to be astonished at
étouffer to choke, smother
étourdi rattle-brained
étourdissant deafening
étrange strange
étrangement strangely, queerly
étranger -ère foreign
étranglé strangled, choked, choking
être to be; **n'y ∾ pour rien** to have nothing to do with it; **en ∾** to have reached; **soit** so be it; **quel(-le) que soit** whatever may be; *m.* (human) being

étreinte *f.*: **sous l'∼ de** in the grip (embrace) of
étrier *m.* stirrup
étriqué skimpy
étroit narrow, limited
étude *f.* study
étuve *f.* sweating room
évader to escape
éveil *m.* warning
événement *m.* event
évêque *m.* bishop
évidemment evidently, obviously
évincé ousted, supplanted
éviter to avoid, miss
évoluer to revolve, evolve
évoquer to evoke, call forth, bring back
exagéré exaggerated
s'exalter to become exalted (excited)
examen *m.* inspection
examinateur *m.* examiner
s'exaspérer to get exasperated
exceller to excel
exciter to excite, arouse; **s'∼** to get excited
s'exclamer to exclaim
exclure to exclude
exclusivement exclusively
excuser to excuse; **pour ∼** as an excuse
exécutant *m.* one who carries out the designs of others
exécuter to execute, take, perform
exemple *m.* example; **par ∼** indeed, for example
exercer to exercise; to have use of
exercice *m.* exercise; *pl.* drill
exiger to demand
existence *f.* existence, life
exotique exotic
expédier to ship, send off
expéditif -ve prompt
expliquer to explain
explosible explosive
explosif *m.* explosive
exprès expressly, on purpose
exprimer to express
externe *m.* day student
extraordinaire extraordinary
extrême-avant *m.* front-line area
extrémiser to give extreme unction
fabrique *f.* factory; church treasury
fabuleux -se fabulous
face *f.* face; **de ∼** facing; **(d')en ∼ (de)** opposite; **en ∼** straight in the face; **pile ou ∼** heads or tails; **se voiler la ∼** to hide one's face (in horror)
fâché angry
se fâcher to grow angry
fâcheux -se disagreeable, annoying
façon *f.* way, manner; **d'une ∼ ou de l'autre** in one way or another; **à la ∼ de** like
facteur *m.* postman
fade flat
fagot *m.* fagot, bundle (of small firewood)
faible weak, slight; **à ∼ allure** at slow speed
faiblement weakly, faintly
faiblesse *f.* weakness
faillir to fail; (+ *inf.*) almost
faim *f.* hunger; **avoir ∼** to be (get) hungry
fainéant *m.* loafer
faire to make, do, act, perform; to take; to finish; to matter; to say; to write; **ça ne fait rien** that makes no difference; **∼ chaud** to be warm; **se ∼** to take place; to become; to be acquired; **∼ son profit de** to profit by; **∼ le tour de** to go around; **se ∼ la barbe** to shave; **∼ des rentes** to give an income; **∼ des journées** to work by the day; **∼ mal** to do harm, hurt; **∼ rage** to rage; **∼ semblant** to pretend; **il est fait assavoir** be it known; **∼ campagne** to fight a campaign; **∼ voir** to show, expose; **∼ une demeure** to dwell; **se ∼ mou** to become putty; **∼ froid** to be (get) cold; **∼ bon visage à** to be friendly with; **∼ un tour** to take a walk; **∼ place à** to make room for; **∼ bonne garde** to keep a sharp lookout; **∼ dire** to send word; **∼ emplette de** to purchase; **∼ une démarche auprès de** to approach; **∼ un coup pareil** to do such a thing; **∼ sa**

soumission to surrender; **en ~ autant** to do likewise; **~ le ménage** to do housework; **se ~ de la bile** to become worried, to fret; **~ des réussites** to play solitaire; **rien à ~** nothing can be accomplished; **~ marcher** to play a joke on; **se ~ inscrire** to contribute; **se ~ coffrer** (*fam.*) to get pinched; **~ venir** to send for, get; **~ sauter** to pry off; **~ une bêtise** to act foolishly, do something foolish; **~ ses comptes** to make up one's accounts; **~ valoir** to show the qualities of; **~ partie de** to belong to; **~ le tir** to fire a shell; **se ~ engueuler** (*fam.*) to get bawled out; **~ l'instruction** to teach; **~ . . . à la nage** to swim; **~ un stage** to have a training period; **~ la guerre** to fight; **~ confiance à** to rely on; **~ un pas** to take a step; **~ route vers** to make for; **~ horreur à** to horrify; **~ le nécessaire** to do what is necessary; **~ la chasse à** to hunt; **~ appel à** to appeal to; **~ de** to study (a subject)

faisceau *m.* beam
fait *m.* fact; **dire son ~ à** to say what one thinks of; **~ divers de journal** news(paper) item; **au ~ de** experienced in; *adv.* **tout à ~** entirely, wholly
falloir to have to, must, be necessary; to need; **il s'en est fallu de bien peu que nous . . .** we came very close to . . .; **peu s'en faut** almost
fameux -se famous
familier -ère domestic, familiar
famille *f.* family; **en ~** at home
fanal *m.* lantern
fané faded
fangeux -se slimy
fantaisie *f.* fancy
fantastique fantastic
fantôme *m.* phantom
faquin *m.* rascal
fardeau *m.* load
farine *f.* flour
fascine *f.* bundle
fatalité *f.* fate
fatiguer to tire, wear out
faubourg *m.* section, district, suburb
fauchage *m.* mowing
faucon *m.* falcon
faune *f.* animal life
faute *f.* fault, mistake; **~ de** for lack of; **~ de quoi** as otherwise
fauteuil *m.* armchair
fauve *m.* wild animal
fauvette *f.* warbler
faux, fausse false; **à ~** falsely
faveur *f.* favor
favoris *m. pl.* side whiskers
favoriser to favor
fébrilement feverishly
fécond prolific, bountiful
feindre to feign, pretend
Feldgendarmerie *f.* German military police
féliciter to congratulate
femelle *f.* female
femme *f.* woman, wife; **de ~** female
fendillé *m.* cracking
fendre to split, crack; to force one's way through
fenêtre *f.* window
féodal feudal
fer *m.* iron; **~ à cheval** horseshoe; **bleu de ~** steel-blue; **frisé au petit ~** tightly curled; **~ forgé** wrought iron; **en chemin de ~** by train; **en ~ à cheval** in horseshoe shape
férié: jour ~ holiday
ferme firm, solid, fixed; **taper ~** to fight aggressively; *f.* farm; **valet de ~** farm hand
ferme-château *f.* combination of farm and château
fermer to close, shut
fermeté *f.* firmness
fermier *m.* farmer
fermière *f.* farmer's wife
féroce fierce, ferocious
ferraille *f.* old iron
ferré: la voie ~e railroad
fête *f.* festival, holiday; **de ~** festive; **~ patronale** patron saint's day
feu *m.* fire; **~ follet** will-o'-the-wisp; **mettre le ~** to set fire; *adj.* late, deceased

feuille *f.* leaf, sheet
feuillée *f.* foliage
feuilleter to thumb through
feuillu leafy
feutre *m.* felt hat
fiacre *m.* cab
fiançailles *f. pl.* engagement
fiancé *m.* engaged man
se fiancer to become engaged
ficelle *f.* (piece of) string; trick
fiche *f.* (filing, record) card, chart
ficher (*fam.*) to do
fichtre by golly!
fichu *m.* neck scarf
fidèle faithful; *m. pl.* the faithful
fidèlement faithfully
fidélité *f.* faithfulness, fidelity
fier -ère proud
fierté *f.* pride
fièvre *f.* fever
fiévreux -se feverish
figé congealed, solidified, motionless
figue *f.*: **moitié ∾ moitié raisin** half in jest, half in earnest
figure *f.* face, figure; **par la ∾** in one's face
figuré illustrated, depicted
fil *m.* thread; stitch; **de ∾ en aiguille** little by little; **sans ∾** wireless
file *f.* line (of cars)
filer to slip, escape; to hasten
fille *f.* girl, daughter; maid; creature (*used derogatorily*) **∾ de tête** strong-willed, capable girl; **vieille ∾** old maid
fillette *f.* (little) girl
fils *m.* son
fin fine, tiny, delicate; **∾e champagne** liqueur brandy; **∾ lettré** literary connoisseur; *f.* end; **à la ∾** finally
finalement finally, lastly
finauderie *f.* slyness
fini *m.* perfection in execution
finir to finish; **n'en plus ∾** never to finish
fiole *f.* vial
fioriture *f.* flourish
firmament *m.* sky, firmament
fixé settled, fixed, determined; the date set
fixer to stare at
flair *m.* flair, gift; scent; **avoir du ∾** to have a gift for nosing things out
flambée *f.* blaze
flamber to blaze, flame
flamme *f.* flame, fire
flanc *m.* side
flâner to loiter, saunter along, go slow
flasque limp
flatter to flatter
flatteur -se pleasing
flèche *f.* arrow
fléchir to bend, yield, give in; to tremble; to grow weak
flegme *m.* apathy, indifference
flemme (*fam.*) *f.*: **avoir la ∾** to be too lazy
fleur *f.* flower; **en ∾** in bloom
fleurer to smell of
fleurir to bloom
flic (*fam.*) *m.* cop
flirt *m.* flirtation
flocon *m.* wisp
flot *m.*: **à grands ∾s** plentifully
flottant loosely hanging
flotter to float
fœtus *m.* fœtus, unborn child
foi *f.* faith, trust; **ma ∾** my heavens; **∾ de** on the word of
foin *m.* hay
fois *f.* time; **à la ∾** at the same time; **une ∾** once; **deux ∾** twice
foisonnant plentiful
folie *f.* madness; extravagant remark
follet -ette lively, merry; **feu ∾** will-o'-the-wisp
foncer to plunge forward
fonction *f.* function
fonctionner to function
fond *m.* bottom, back, background, rear, depths, basis; **au ∾** fundamentally, at heart; **de ∾ en comble** from top to bottom; **à ∾** thoroughly; **∾ retiré** remote place
fonds *m.* (*sing. or pl.*) business, funds, resources
fonder to establish, found
fondre to melt
fonte *f.*: **saumon de ∾** "pig" (lump of cast metal)

fonts *m. pl.* : **tenir quelqu'un sur les ~ (baptismaux)** to stand (act as) godfather (godparents) to someone
force *f.* force, strength, might
forcer to force, oblige
forêt *f.* forest
forgé: fer ~ wrought iron
forgeron *m.* blacksmith
format *m.* size and shape (of book)
forme *f.* form, shape, figure; **chapeau haut de ~** top hat
former to form, create
formule *f.* prescription, diagnostic indication
fort *adj.* strong, powerful; great; deep; **au plus ~ de** at the height of; **la colle ~e** glue; *adv.* greatly, very (well); loudly
fortune *f.* fortune, wealth
fou, folle crazy, mad, reckless; **herbe ~** rank weeds
foudre *f.* thunderbolt
foudroyer to strike (down)
fouetter to whip
fougère *f.* fern
fouiller to dig, search, rummage
foule *f.* crowd, mass; **en ~** in great numbers
four *m.* oven; **~ à puddler** blast furnace
fourbu (*fam.*) exhausted
fournaise *f.* furnace
fournée *f.* ovenful, batch
fournir to provide, furnish
fourrure *f.* fur, skin
foutre (*vulgar*) : **~ de ~!** what the devil!
foyer *m.* fire, fireplace, hearth; firebox; home
fracas *m.* crash
fraîchement recently, freshly
fraîcheur *f.* coolness
frais, fraîche fresh; **~ émoulu de** fresh from; *m.* **prendre le ~** to take the air; **au ~** in the shade; *m. pl.* cost
franc, franche free, frank, open; **~ comme l'or** as open as a child; *m.* franc
français French; **Français** *m.* Frenchman
franchir to jump over, cross
franchise *f.* frankness
franc-maçon *m.* freemason
franc-or *m.* : **leur pesant en ~** their weight in gold
franc-tireur *m.* sniper
frapper to knock, strike, slap; **~ à mort** to doom to die
fraterniser to fraternize
fraude *f.* : **assister en ~** to witness surreptitiously
frein *m.* check, bit, brake
frémir to quiver, shiver, shudder
frémissement *m.* quiver
frénésie *f.* frenzy, madness
fréquenter to visit frequently
frère *m.* brother
frisé curly, curled; **~ au petit fer** tightly curled
frisson *m.* shiver, shudder, thrill
frissonner to shiver
Fritz *m.* German
froid cold; **faire ~** to be (get) cold; *m.* cold, coldness; *pl.* cold weather
frôler to touch lightly, brush against
front *m.* forehead, head
frontière *f.* frontier
frotté clean
frotter to rub; to drag
fruste worn
fuir to flee
fuite *f.* flight
fumée *f.* smoke, vapor, fumes
fumer to smoke
fumier *m.* manure
fureter to rummage
fureur *f.* fury, rage
furieusement furiously, angrily
furieux -se furious
fusain *m.* spindle-tree hedge
fusil *m.* gun; **~ à pierre** flint gun
fusiller to execute by shooting
fuyant fleeting

gâchette *f.* trigger
gage *m.* token, sign, pledge
gagner to win (over); to earn; to reach
gai gay, cheerful
gaieté *f.* gaiety; **en ~** having a gay time

gaillard strong, vigorous, gay, cheerful; *m.* (gay, young) fellow
gaine *f.* sheath
gaîté = gaieté
gala *m.*: **épée de ~** dress sword
galerie *f.* balcony
Galilée Galileo
galoper to gallop
gamin *m.* young boy, rogue
gant *m.* glove
ganté gloved
garçon *m.* boy, young fellow
garçonnet *m.* little boy
garde *f.* guard; **faire bonne ~** to keep a sharp lookout; **prenez ~** take care, watch out; **prendre ~ à** to pay attention to; **prendre ~ de** to be careful not to; *m.* watchman
garder to keep (on), watch over, guard; **se ~ de** to take good care not to
gardeur *m.*: **~ de vaches** cowherd
gare *f.* station; **~ de marchandises** freight yard; *int.* : **sans crier ~** without warning
se gargariser to gargle
gargouiller to gurgle; to shed water copiously (like a gargoyle)
garni decorated; **~ de** bearing its
garrot *m.* withers
gars *m.* (young) fellow, good old boy
gâteau *m.* cake
gâter to spoil
gauche left; **à ~** at (to) the left; **de ~** on the left
gauchement awkwardly
gaucherie *f.* awkwardness
gaufré: chagrin ~ embossed leather
se gausser (*fam.*) to joke
gavé (*fam.*) stuffed full
gaz *m.*: **contrôleur du ~** gas-meter man
gazon *m.* grass, lawn
géant giant; *m.* giant
geindre to groan, moan
gelée *f.* frost
geler to freeze
gémir to groan, moan
gémissement *m.* groan, moan
gendarme *m.* state policeman
gendarmerie *f.*: **brigadier de ~** police sergeant
gendre *m.* son-in-law
gêner to bother, embarrass
généralement generally
généreux -se noble
générosité *f.* generosity
genêt *m.* broom plant
genou *m.* knee; **à ~x** on one's knees
genre *m.* kind
gens *m. pl.* people, attendants
gentil -le noble, nice, pleasing, kind, friendly
gentilhomme *m.* gentleman, nobleman
gentillesse *f.* graciousness, kindness
gentiment nicely
geôlier *m.* jailer
germe *m.* germ
gésir to lie
Gestapo *f.* German secret police
geste *m.* gesture, movement
gibecière *f.* schoolbag
gibier *m.* (wild) game; **~ à plume** winged game
gigot *m.* leg of lamb
gît *3d person present of* **gésir**
gîte *m.* lodging; hole
glace *f.* ice; mirror
glacé frozen, chilled
glacial frigid
glaner to glean
glapissant screeching
glapissement *m.* yelp
(se) glisser to slip, slide, glide
gloire *f.* glory
glorieux -se glorious
glu *f.* glue, bird lime
gluant sticky
se goberger to live on the fat of the land
goguenard laughing up one's sleeve
golfe *m.* anatomical bulb; sinus
gondolage *m.* warping
gondolé warped
(se) gonfler to swell, puff out
gorge *f.* throat
gorger to gorge, glut
gosse (*fam.*) *m.* kid
gouffre *m.* pit
goût *m.* taste, liking; **de ~** cultured

goûter to enjoy; to taste
goutte *f.* drop
grâce *f.* favor, blessing, grace; **∾ à** thanks to
graisse *f.* grease
grand big, great, deep; pretentious; **au ∾ air** in the open air; **∾e route** highway
grand'chose (*with neg.*) not very much
grandeur *f.* size
grandir to grow
grand'mère *f.* grandmother
grand'route *f.* highway
grange *f.* barn
granit *m.* granite
gras *m.* wide part
gratis free, without pay
grattement *m.* scratching sound
gratter to scratch
grave serious, grave
gravement badly, seriously
gravir to climb
gravité *f.* seriousness
gré *m.* : **savoir ∾ de** to be grateful for
Grèce *f.* Greece
greffe *m.* office of the clerk of the court
greffier *m.* clerk (of the court)
grêle thin, spindly; *m.* hail; **coup de ∾** hailstorm
grenier *m.* loft
grièvement seriously
grigri *m.* amulet
gril *m.* grill, broiler
grille *f.* grillwork
grimaud *m.* dull schoolboy
grimper to climb
gris gray
grisé intoxicated
griser to intoxicate, exalt
griserie *f.* intoxication
grisonnant turning gray
grive *f.* thrush
grognement *m.* grunt
grogner to grumble, growl
grommeler to mutter
gronder to grumble, scold
gros, grosse big, fat, great, heavy; coarse; thick; swollen; *m.* bulk, greater part; intense heat
grotte *f.* grotto
guère: ne . . . ∾ scarcely, hardly
guéridon *m.* (pedestal) table
guérir to cure
guerre *f.* war; **en ∾** at war; **nerf de la ∾** sinews of war, money; **faire la ∾** to fight
guet-apens *m.* ambush, trap
guetter to lie in wait for, watch for
gueule (*fam.*) *f.* face, mouth (of animal)
gueux *m.* beggar, rascal
guide *f.* rein; *m.* guide
guise *f.* : **en ∾ de** by way of

(An asterisk indicates aspirate **h**.)

habile skillful, clever
habilement cleverly
habileté *f.* skill
habit *m.* (dress) coat, attire; *pl.* clothes
habitant *m.* inhabitant
habiter to inhabit, live in
habitude *f.* custom, habit; **comme d'∾** as usual
habitué accustomed; *m.* regular customer
habituel -le habitual, customary
***hacher** to chop
***haie** *f.* hedge
***haine** *f.* hate
***haïr** to hate
haleine *f.* breath
***haletant** breathless
***halte** *f.* halt, stop
***hameau** *m.* hamlet
***hammam** *m.* Turkish bath
***hanovrien -ne** of Hanover
***harde** *f.* (*usually pl.*) (worn) clothing
***hardiesse** *f.* boldness, daring; **prendre de la ∾** to become bold
***hasard** *m.* chance, luck; **au ∾** at random
***hâte** *f.* haste
(se) hâter to hasten, quicken, hurry
***hausser** to shrug, raise
***haut** high(er), tall; **à voix ∾e** in a loud voice; **chapeau ∾ de forme** top hat; *adv.* **tout ∾** aloud; *m.* top
***hautbois** *m.* oboe
***hauteur** *f.* height, top; haughtiness; **à ∾ de poitrine** at the height of his chest; **à la ∾ de** parallel to

*__hé bien__ all right
héberger to lodge
*__hein?__ eh?
hélas alas
*__héler__ to call
herbage *m.* meadow, pasture
herbe *f.* grass, plant, weed; **∾ d'eau** water plant; **∾ folle** rank weeds
herbeux -se grassy; hairy
*__hérissé__ bristling
se hérisser to ruffle up one's feathers
héroïque heroic
héroïsme *m.* (act of) heroism
*__héron__ *m.* heron
*__héros__ *m.* hero
hésiter to hesitate
heure *f.* hour, time, o'clock; **tout à l'∾** in a little while; a little while ago; **à l'∾** per hour; **. . . ∾(s) et demie** half past . . .; **à la bonne ∾!** good! **à ses ∾s** at times; **de bonne ∾** early
heureusement happily, fortunately
heureux -se happy, fortunate
*__heurt__ *m.* shock, jolt
*__heurter__ to bump into
*__hibou__ *m.* owl
*__hideux -se__ hideous
hier yesterday
hiératique priestlike
hirsute shaggy
*__hisser__ to hoist
histoire *f.* story, gossip; affair; history
historié bearing figurines
historique historical
hiver *m.* winter
*__hobereau__ *m.* country squire
homme *m.* man; **∾ d'affaires** businessman, adviser; **honnête ∾** gentleman
honnête honest, honorable; **∾ homme** gentleman
honnêtement decently
honneur *m.* honor
honorer to honor
*__honte__ *f.* shame; **avoir ∾** to be ashamed
*__honteux -se__ ashamed
hôpital *m.* hospital
horizon *m.*: **à l'∾** on the horizon
horloge *f.* clock
horloger *m.* watchmaker
*__hormis__ outside of
horreur *f.* horror; **faire ∾ à** to horrify
*__hors de__ outside; **hors d'usage** beyond repair
hospitalier hospitable
hospitaliser to take in, receive
hostile unfriendly, hostile
hostie *f.* wafer, Host
hôte *m. or f.* guest
hôtel *m.* hotel; town house; **maître d'∾** butler
*__hou__ *m.* hoot of owl
*__houille__ *f.* coal
*__houleux -se__ rolling (like the sea); agitated
huile *f.* oil; **d'∾** oily, shiny
huiler to oil
huissier *m.* bailiff
*__huit__ eight; **∾ jours** a week
humain human; *m.* human being
humaniste *m.* humanist (one learned in the Greek and Latin languages and literatures)
humblement humbly
*__humer__ to inhale, breathe (take) in
humeur *f.* humor
humide moist, wet
humidité *f.* moisture, dampness
*__huppe__ *f.*: **à grande ∾** tufted
*__hurlement__ *m.* howl, shriek, yell
*__hurler__ to shriek, yell
*__hutte__ *f.* hut
hypocrite hypocritical

ici here; now; **par ∾** this way
idée *f.* idea
identique identical
ignorer to be ignorant of, not to know
il (*introductory subject*) there (*often omitted in translation*)
île *f.* island
image *f.* image; **à leur ∾** like themselves
(s')imaginer to imagine
imité false, imitation
imiter to imitate

immaculé immaculate
immobile motionless
impassibilité *f.* impassibility, objective attitude
impassible impassive, unmoved, calm and collected
s'impatienter to become impatient
impertinent *m.* impertinent fellow
impétuosité *f.* impetuosity, impulsiveness
impliquer to imply
importer to matter, be important (of importance); **n'importe quel** any . . . at all; **qu'importe** what difference did it make; **n'importe quoi** anything (at all)
imposer to impose, place securely; **en ∾ à** to impress
imprécation *f.* curse
impressionnant impressive
imprimé printed; *m.* printed page
imprudent careless, imprudent
inaperçu unnoticed
inattendu unexpected
incendie *m.* fire
incertain uncertain
incident *m.* event, incident, occurrence
inclémences *f. pl.* storms
incliné tilted
s'incliner to bow (down)
inconcevable inconceivable
inconnaissable unknowable
inconnu unknown; *m.* stranger
incontinent immediately
inconvenant improper
incrédule unbelieving; *m.* unbelieving person
indéchiffrable undecipherable
indifférent indifferent; *m.* indifferent person
indigné indignant
indiquer to indicate, point out
individu *m.* individual
infailliblement without fail
infatigable tireless
infirmier *m.* hospital attendant
infligé inflicted
informateur *m.* announcer
informations *f. pl.* news
informer to inform; **s'∾** to inquire
ingénieur *m.* engineer
ingéniosité *f.* ingenuity
ingrat ungrateful
initier to initiate
injonction *f.* order, regulation
injure *f.* insult
injurier to insult
injurieux -se abusive
innommable unnameable, nondescript
inoubliable unforgettable
inquiet -ète uneasy (over), worried
inquiétant disturbing
s'inquiéter (de) to worry (about)
inquiétude *f.* anxiety, uneasiness, misgivings, uncertainty
inscrire to inscribe, write down, place; **se faire ∾** to contribute
insensible impersonal, indifferent, insensitive
insensiblement imperceptibly
insinuant insinuating
insinuer to insinuate, hint; **s'∾** to worm one's way
insouciant careless, heedless
inspecter to examine, inspect
inspirer to inspire; to suggest, prompt
installé settled
instance *f.* appeal; instance
instant *m.* moment, instant; **à l'∾** a moment ago, immediately
instantané instantaneous, immediate
instantanément instantly
instituteur *m.* schoolteacher
instruction *f.* : **faire l'∾** to teach
instruit educated
insupportable unbearable
intenable untenable
interdire to forbid
interdit stunned; prohibited
intéresser to interest; **s'∾ (à)** to become, (be) interested (in)
intérêt *m.* interest
intérieur *m.* interior, inside
interlocuteur *m.* speaker; one engaged in conversation
interminable endless
interrogatoire *m.* questioning
interroger to question, ask
interrompre to interrupt

intervenir to intervene, come in, interrupt
intimité *f.* intimacy; family circle
intransigeant uncompromising
intriguer to arouse (one's) curiosity
intuition *f.* feeling, intuition
inutile useless
invariablement invariably
inventif -ve imaginative
invention *f.* invention, imagination, fabrication, scheme
investi invested
invoquer to invoke
ironie *f.* irony
irriter to anger, irritate
isolation *f.*: **lazaret d'∾** isolation ward
issue *f.* outlet
ivoire *m.* ivory
ivre drunk
ivre-mort dead drunk
ivresse *f.* intoxication
ivrogne *m. or f.* drunkard

jacquet *m.* backgammon
jadis formerly
jaillir to gush (spring) forth
jalousie *f.* jealousy
jamais ever; **à ∾** forever; **ne . . . ∾** never
jambe *f.* leg; **dans les ∾s** underfoot
janvier *m.* January
jaquette *f.* jacket
jardin *m.* garden
jardinier *m.* gardener
jaune yellow
jaunir to grow yellow
jeter to throw, cast; utter; give; **se ∾** to fall upon
jeu *m.* game; **ce n'est pas de ∾** that's not fair
jeudi *m.* Thursday
jeune young
jeunesse *f.* youth
joaillier *m.* jeweler
jobard (*fam.*) *m.* easy mark
joie *f.* joy, rejoicing
joindre to join; **se ∾** to meet; **se ∾ à** to join
joint joined, clasped; *m.*: **trouver un ∾ pour** to discover the trick of
joli pretty, nice
jonc *m.* rush
joncher to be strewn on
joue *f.* cheek
jouer to play (with), act; to have a little play; **en se jouant** with great ease
jouet *m.* plaything
joueur *m.* player
jouir de to enjoy
jouisseur *m.* pleasure-seeker
jour *m.* day, light; **∾ férié** holiday; **au lever du ∾** at daybreak; **huit ∾s** a week
journal *m.* journal, diary, newspaper; **fait divers de ∾** news(paper) item
journée *f.* day; **faire des ∾s (aller en ∾)** to work by the day
joyau *m.* jewel
joyeusement joyfully
joyeux -se joyful, merry
juge *m.* judge
jugement *m.* judgment
juger to judge, consider
juif *m.* Jew
juillet *m.* July
juin *m.* June
jurement oath, curse
jurer to swear; **∾ avec** to match badly
jus *m.* juice
jusque up to, as far as; **jusqu'à** until, up to, even to (the point of); **jusques à** until; **jusqu'au dessous de** down below; **jusqu'au bout** to the last degree
juste just, right, fair, exact; *adv.* exactly; **tout ∾** just barely, approximately; **au ∾** exactly
justement as it happens (happened), exactly, precisely; indeed
justesse *f.* accuracy, exactness
justice *f.* justice, law, court(s) of law
justifier to justify

kilo *m.* kilogram (2.2 pounds)
kilomètre *m.* kilometer (0.624 miles)
kirsch *m.* cherry brandy

Kobold *m.* Germanic elf

là there, here; **par ∾** that way
là-bas down, (over) there
laboratoire *m.* laboratory
laborieux -se hard-working
labour *m.* plowed field
lâche cowardly
lâcher to release, let go, eject
là-dedans in there
là-haut up there
laid ugly
laine *f.* wool; vegetable down
laisser to leave, let, allow; to give; **ne pas ∾ de** not to fail to; **∾ tranquille** to leave alone
lait *m.* milk; **de soupe au ∾** easily moved to anger; **cochon de ∾** suckling pig
laitière *f.* milkwoman
lame *f.* (knife) blade
lamentable pitiful, lamentable
laminoir *m.* roller
lampe *f.* lamp; **∾ de soudeur** blowtorch
lancer to cast, throw, send out, get in the air, fly, hurl; to drive; to utter, proclaim
langage *m.* language, speech
langue *f.* tongue, language
lanterne *f.* lantern
laquais *m.* lackey
large wide, big; hearty; **de long en ∾** up and down
largeur *f.* width
larme *f.* tear
latin *m.* Latin (language)
lavande *f.* lavender (plant or perfume)
laver to wash
lavoir *m.* washhouse, community basin for washing clothes
lazaret *m.*: **∾ d'isolement** isolation ward
lécher to lick
lecteur *m.* reader
lecture *f.* reading
ledit (ladite, *etc.*) the aforesaid
légal legal; **sommations ∾es** summons
légende *f.* legend, caption
léger -ère light, slight; nimble
légèrement slightly
légume *m.* vegetable
lendemain *m.* next day
lent slow
lentement slowly
lessive *f.* washing
lettré *m.*: **fin ∾** literary connoisseur
lever to raise; **se ∾** to get up, arise; *m.* daybreak; **au ∾ du jour** daybreak
lèvre *f.* lip
liaison *f.*: **appareil de ∾** loudspeaker
libre free, unattached
licence *f.* license (degree obtained after minimum of two years of university study) **mémoire de ∾** dissertation for licence degree
licol *m.* halter
lien *m.* tie, link
lier to tie; **se ∾** to be joined, unite
lierre *m.* ivy
lieu *m.* place; **tenir ∾ de** to take the place of; **au ∾ de** instead of; **avoir ∾** to take place
lieue *f.* league (about $2\frac{1}{2}$ miles)
ligne *f.* line, battle line; **∾ droite** straightaway; **monter en ∾** to go into the (battle) line
limé filed down
limite *f.* limit(ed); maximum
linge *m.* (piece of) linen, cloth, clothes, kerchief; washing
lingère *f.* seamstress
lire to read
liséré edge; **∾ du jour** daybreak
lisse sleek
lisser to smooth (down)
lit *m.* bed
litige *m.* litigation, lawsuit
littéraire literary
littéralement literally
livre *m.* book; *f.* pound; franc
livrer to deliver
livret *m.* identification book
location *f.* rental
logement *m.* home, lodgings
loger to lodge, house; to put; **se ∾** to fit

logis *m.* house, lodging
loi *f.* law
loin far (away), distant; **au ~** in the distance; **plus ~** farther (on); **~ de là** to the contrary
lointain distant
Londres London
long, longue long, tall; **à la longue** in the end; *m.* **: le ~ de** along; **de ~ en large** up and down
longer to go (walk) along
long-œil *m.* telescopic lens
longtemps (for) a long time, long
longuement at length
longueur *f.* length
lors: dès ~ from then on
lorsque when
lot *m.* batch
louange *f.* praise
louer to rent; to praise
loup *m.* wolf
lourd heavy; swollen; extreme; *adv.* heavily; much
lueur *f.* glow, gleam, light
luge *f.* tobogganing
luire to shine
luisant glistening, gleaming
lumière *f.* light; magnificence
lumineux -se luminous
lundi *m.* Monday
lune *f.* moon; **~ de miel** honeymoon; **de ~** moonlight
lunettes *f. pl.* goggles, glasses
lutrin *m.* lectern
lutte *f.* struggle, contest, fight
lutter to struggle
luxe *m.* luxury
lycée *m.* high school in age level, but approximating junior college in level of instruction

mâcher to chew
machine *f.* machine; **~ à vapeur** steam engine
machinisme *m.* mechanization
mâchoire *f.***: à pleines ~s** by big mouthfuls
mâchonner to munch, chew on
maçon *m.* mason; **maître ~** master mason
magistrat *m.* magistrate, judge
magnifique magnificent
mai *m.* May
maigre thin, meager
maigrir to grow thin
maille *f.* mesh (of a police net)
maillot *m.* jersey; **~ de marin** sailor's jersey
main *f.* hand; **à la ~** on one's hand; **de ~(s) en ~(s)** from hand to hand; **poignée de ~** handshake
maint many a
maintenant now; today; **dès ~** from now on
maintenir to maintain, hold, keep
maire *m.* mayor
mairie *f.* town hall
mais but; why
maison *f.* house; **à la ~** at home; go home; **~ de repos** rest home
maisonnette *f.* little house
maître *m.* master, schoolmaster; **~ maçon** master mason; **~ d'hôtel** butler
majestueusement majestically
major *m.* medical-corps doctor
mal *m.* pain, injury, illness; evil; **mettre à ~** to injure; **faire ~ (à)** to do harm to, hurt; *adv.* badly; **tant bien que ~** after a fashion
malade sick; *m. or f.* sick person
maladie *f.* sickness; disorder
maladresse *f.* clumsiness
maladroit clumsy
malaise *m.* uneasiness
mâle masculine, male; *m.* male, man
malédiction *f.* curse
malgré in spite of
malheur *m.* misfortune; **pour comble de ~** as a crowning misfortune
malheureux -se unhappy, unfortunate; *m.* poor fellow, miserable child
malhonnêtement impolitely
malice *f.* craftiness
malicieux -se mischievous, malicious
malin *m.* shrewd fellow, rogue
maman *f.* mamma
manant *m.* lout
manche *m.* handle
manchon *m* muff

manger to eat (up), consume; to smother; **salle à ~** dining room
mangeur *m.* eater, diner
maniement *m.* handling
manière *f.* manner, method, kind; **en ~ de** by way of
manifestation *f.* display, manifestation
manille *f.* manille (French card game)
manne *f.* manna
manœuvrer to work, handle
manoir *m.* manor, country house
manque *m.* lack
manquer to lack, be lacking; to fail; **il ne manquerait plus que cela** that's just what we need! **~ de peu** barely to miss
manteau *m.* coat
maquignon *m.* horse dealer
marais *m.* marsh, swamp
marbre *m.* marble, marble top (of bureau)
marc *m.* marc, pulp of grapes
marchand *m.* businessman, merchant, seller; *adj.* **valeur ~e** market value
marchandage *m.* bargaining
marchandise *f.* : **gare de ~s** freight yard
marche *f.* step, pace, walk; marching song; **se mettre en ~** to set out
marché *m.* market; **par-dessus le ~** in addition
marcher to walk, progress; to go along well, go all right; to get along; **faire ~** to play a trick on
mardi *m.* Tuesday
marécage *m.* swamp, marshland
marée *f.* : **raz de ~** tidal wave
marelle *f.* hopscotch
mari *m.* husband
marier to marry; **se ~ à (avec)** to marry
marin *m.* : **maillot de ~** sailor's jersey; **vent ~** sea breeze; *adj.* (of the) sea
marmite *f.* kettle, pot
maroquin *m.* morocco (leather)
marque *f.* mark, sign
marquer to indicate, note, point out
marqueterie *f.* inlaid work
marron chestnut-brown; *m.* chestnut
mars *m.* March
marteau *m.* hammer
masque *m.* mask
masqué masked
massacrant foul
masse *f.* : **en ~** in a group
mat expressionless
matelot *m.* sailor
maternel -le mother
matière *f.* material; **~ première** raw material
matin *m.* (in the) morning; **dès le ~** beginning with the (next) morning
matinée *f.* morning
maudit cursed
maussade sulky, cross
mauvais bad
mécanique *f.* mechanics, mechanism, machine
méchant bad, evil, wicked, naughty
méconnaissable unrecognizable
mécontent discontented
mécontentement *m.* dissatisfaction, displeasure
médecin *m.* doctor; **~ de campagne** country doctor
médiocre medium, mediocre
médire de to slander
se méfier to watch out
meilleur better; **le (la) ~(e)** best
mélange *m.* mixture
mélangé intermingled
mêler to mix, mingle; to involve; **se ~ de** to meddle in, take part in
melon *m.* : **chapeau ~** derby
membre *m.* member; limb
même same, even, very; **tout de ~** all the same, nevertheless; **quand ~** nevertheless; **en ~ temps** at the same time; **quand bien ~** even though
mémoire *f.* memory; *m.* : **~ de licence** dissertation for *licence* degree
menace *f.* threat
menacer to threaten
ménage *m.* marriage; household, home; **faire le ~** to do housework
ménager to prepare, arrange; to spare
mendiant *m.* beggar
menées *f. pl.* scheming, intrigue

mener to lead, guide, direct; to take; to go
ménétrier *m.* fiddler
mensonge *m.* lie
menterie *f.* lie
menteur *m.* liar; *adj.* false
menteux = **menteur**
menu slim, tiny
méprendre: se ∾ sur to mistake
mépriser to scorn
mer *f.* sea
merci (bien) thank you (very much)
mercier *m.* owner of a dry-goods store
mercredi *m.* Wednesday
mère *f.* mother
mérite *m.* worth, quality
mériter to deserve
merveilleux -se marvelous
merveilleusement wonderfully
mésaventure *f.* misfortune, mishap
mesquinerie *f.* meanness, pettiness
messe *f.* Mass
messire *m.* sir
mesure *f.*: **donner la ∾** to show the extent; **à ∾ que** (in proportion) as; **sur ∾** made to order
mesuré measured
méthodiquement methodically
méticuleux -se finicky, meticulous
métier *m.* trade, occupation; **de son ∾** by trade
métro *m.* subway (of Paris)
mettre to put (in, on, up), place; to have; **se ∾ à** to begin; **. . . bas** to take off; **∾ à nu** to expose, lay bare; **∾ à mal** to injure; **∾ le couvert** to set the table; **∾ à l'abri** to shelter; **être mis dedans** to be taken in; **se ∾ en route** to set out; **se ∾ en tournée** to set out on one's rounds; **se ∾ en selle** to get into the saddle; **∾ en compte** to put in the account; **se ∾ en chemin** to set out; **∾ au courant** to inform; **∾ le feu** to set fire; **∾ à bas** to pull down; **∾ en appétit** to whet one's appetite; **se ∾ en marche** to set out
meubles *m. pl.* furniture; *sing.* piece of furniture
meuglement *m.* mooing
meunier *m.* miller
meunière *f.* miller's wife
meurtre *m.* murder
meurtri bruised; tired and drawn; sad
Mgr = **Monseigneur**
mi-chemin: à ∾ half way
Midi *m.* South (of France); **midi** *m.* noon
miel *m.*: **lune de ∾** honeymoon
miette *f.* crumb
mieux better; **tant ∾** so much the better; **valoir ∾** to be better; **pour ∾ dire** to be more exact
mignon -ne charming, sweet; *m.* darling
mijoter to simmer
milicien *m.* militiaman
milieu *m.* middle; circles; **au ∾ de** in the middle (midst) of; **en plein au ∾** right in the middle
militaire military
mille (a) thousand
millier *m.* thousand
minable dilapidated
mince thin, slender
mine *f.* look, appearance
ministre *m.* official; minister
minuit *m.* midnight
minute *f.* minute; **de ∾ en ∾** at every minute, from minute to minute
minutie *f.*: **avec ∾** with great care
minutieux -se scrupulous, thorough
misérable miserable, wretched, poor; *m.* wretch
misère *f.* misery, poverty; **dans la ∾** poverty-stricken
miséricorde *f.* mercy
mitraillette *f.* submachine gun
mi-voix: à ∾ in a low voice
mode *f.* fashion, style; **à la ∾** fashionable
modifier to change
mœurs *f. pl.* manners, customs
moindre: le (la) the least, the slightest
moine *m.* monk
moineau *m.* sparrow
moins less; **au (du) ∾** at least; **d'autant ∾ que** all the less because; **le ∾** the least

mois *m.* month
moisir to vegetate, go moldy
moisson *f.* harvest
moite moist
moitié *f.* half; ∾ **figue** ∾ **raisin** half in jest, half in earnest
mollesse *f.* softness, lack of vigor, weakness
mollet *m.* calf (of leg)
moment *m.* moment, time
monacal monastic
monarque *m.* monarch
mondain worldly, of society
monde *m.* world; public; people, society; **tout le** ∾ everyone; **du** ∾ some people, helpers
monnaie *f.* change (money)
monopole *m.* monopoly
monotone monotonous
monsieur *m.* (*pl.* **messieurs**) gentleman, mister; **Monsieur** Mister, sir
monstre *m.* monster
monstrueux -se monstrous, huge
montagne *f.* mountain
montant *m.* post
montée *f.* ascent, climb
monter to go (come) up, ascend, rise, mount; ∾ **dans** to get into; ∾ **à cheval** to mount one's horse, go horseback riding; ∾ **en épingle** to show off; ∾ **à bicyclette** to ride a bicycle; ∾ **en ligne** to go into the (battle) line
montre *f.* watch
montrer to show, point out; to teach
moquer: se ∾ **de** to make fun of, be indifferent to
moquerie *f.* jeering, mockery
moral moral, mental, intellectual
morceau *m.* piece, bit, scrap
mordre to bite
mort *f.* death; **robe de** ∾ shroud; **frapper à** ∾ to doom to die; **peine de** ∾ death penalty; *adj.* dead, still
mortel mortal, fatal
mot *m.* word; **ne sonner** ∾ not to breathe a word
moteur *m.* motor
mou, molle soft, flabby; **se faire** ∾ to become putty
mouche *f.* fly
mouchoir *m.* handkerchief
moudre to grind
moue *f.* pout
mouillé moist, wet, damp
mouiller to moisten, wet, water; to anchor; **se** ∾ to become moist
moulin *m.* mill
moulure *f.* moulding
mourir to die
mousse *f.* moss
moussu mossy, moss-covered
moustache *f.* mustache
mouton *m.* sheep
mouvement *m.* movement, motion, action
moyen -ne medium; ∾ **âge** middle ages; *m.* way, means
mucre damp
muet -te mute, silent; **à la** ∾ silently
mufle *m.* snout, nose; (*fam.*) punk
multiplicité *f.* multiplicity, great number
se multiplier to be in half a dozen places at once
municipal municipal, of the town
mur *m.* wall
mûr ripe, mature
muraille *f.* wall
murette *f.* low wall
se mûrir to ripen; to continue to bake
murmurer to murmur
musique *f.* music; band; ∾ **en tête** led by the band
myriade *f.* myriad
mystère *m.* mystery
mystérieux -se mysterious

nabot *m.* dwarf
nacre *f.* mother-of-pearl
naguère formerly
naïf -ve childish, simple, naïve
naissance *f.* birth, origin
naissant new(born)
naître to be born
naïvement in childlike fashion
nappe *f.* sheet of water; tablecloth
narguer to defy
narrer to narrate
natation *f.* swimming

nature *f.* nature, temperament
naturellement naturally
naufragé *m.* shipwrecked person
Naziste *m.* Nazi
ne not; ~ . . . **pas** not; ~ . . . **rien** nothing, not anything; ~ . . . **plus** no more, no longer; ~ . . . **jamais** never; ~ . . . **que** only
néanmoins nevertheless
néant *m.* nothingness
nébuleuse *f.* nebular system
nécessaire necessary; **faire le** ~ to do what is necessary
négligé neglected
négocier to negotiate
nègre *m.* Negro
neige *f.* snow
nerf *m.* nerve; ~ **de la guerre** sinews of war, money
nerveux -se nervous; *m.* nervous man
net: s'arrêter ~ to stop short
nettoyé clean; clear
neuf -ve new
neutre noncommittal
neveu *m.* nephew
nez *m.* nose; ~ **à** ~ face to face
ni nor; **(ne)** . . . ~ . . . ~ neither . . . nor
niche *f.* niche, recess
nid *m.* nest
niveau *m.* level; **passage à** ~ grade crossing
noblesse *f.* nobleness; nobility
nocif -ve noxious
nocturne nocturnal, for the night
nœud *m.* knot
noir black; **tableau** ~ blackboard; *m.* blackness
nom *m.* name; **au** ~ **de** in the name of
nombre *m.* number
nombreux -se numerous
nommer to name
non no; ~ **plus** (not) either
nonchalamment nonchalantly
nord north; *m.* north
normand Norman; *m.* Norman, inhabitant of Normandy
Normandie *f.* Normandy
notaire *m.* notary
noter to note, write down
nouer to tie (put) up; to knot
nourri nourished
nourrir to nourish, support
nourriture *f.* food
nouveau, nouvelle new; **de** ~ again; **du** ~ something new; **art** ~ modernistic; *m.* the new one
nouvelles *f. pl.* news; **prendre des** ~ to inquire; *sing.* (piece of) news
noyau *m.* pit (of fruit)
nu nude, bare; **mettre à** ~ to expose, lay bare
nuage *m.* cloud
nuance *f.* shade
nuée *f.* cloud; flock
nuire to hurt, harm; ~ **à** to detract from
nuit *f.* night; **la** ~, **de** ~ at night; **la** ~ **venue** after nightfall
nul, nulle no (one); **nulle part (ailleurs)** nowhere (else)
nullement not at all
nuque *f.* nape of the neck

obéir to obey
obéissance *f.* obedience
objet *m.* object
obliger to compel, oblige
obscur dark
obscurité *f.* darkness; ignorance
observatoire *m.* observatory
observer to observe, watch, note
obstiné stubborn, persistent, still determined
obtenir to obtain (permission)
occasion *f.* opportunity, chance, occasion; bargain
occident *m.* west
occupé occupied, busy, taken up
occuper to occupy, keep . . . busy, take up one's mind; **s'**~ **de** to be concerned with
odeur *f.* odor, smell
odieux -se odious, distasteful
œil *m.* (*pl.* **yeux**) eye; look; **à vue d'**~ visibly; **cligner de l'**~ to wink; **les yeux de la tête** an exorbitant sum
œillade *f.* glance; wink

œuf *m.* egg
œuvre *f.* work
offenser to offend
offert offered
office *m.* office; functions; service, mass
officiant *m.* officiating priest; *adj.* officiating
officiellement officially, formally
officier *m.* officer; **~ de santé** medical practitioner lacking a degree
offrande *f.* offering
offrir to offer, give
oiseau *m.* bird
ombre *f.* shade, shadow; **bouche d'~** loud-speaker
omnibus *m.* omnibus, horsecar
on one, they, we; people
oncle *m.* uncle
onctueusement unctuously, with excessive suavity
onctueux -se smooth, oily
ondée *f.* shower
onduler to sway
opération *f.*: **salle d'~** operating room
opératoire surgical
opérer to operate on
opiner to say with conviction
opposé opposite; **~ à** facing
oppressé oppressed, suffocating
or *m.* gold; **franc comme l'~** as open as a child; *conj.* now
orage *m.* storm
orateur *m.* orator
ordinaire: d'~ usually
ordonner to order
ordre *m.* order; class
ordure *f.* filth
oreille *f.* ear; **dresser l'~** to prick up (cock) one's ears
oreiller *m.* pillow
orfèvre *m.* goldsmith, silversmith
organiser to organize
orgueil *m.* pride
origine *f.* origin, beginning
ormeau *m.* elm
orné decorated, adorned
ornement *m.* ornament
orner to embellish
ornière *f.* rut
orteil *m.* big toe
os *m.* bone
osciller to waver
oser to dare
oseraie *f.* bed of water willows
osseux -se bony
otage hostage
ôter to remove, take off
ou or
où where; when
ouailles *f. pl.* flock
oubli *m.* forgetting, oversight
oublier to forget
oui yes
ours *m.* bear
outil *m.* tool
outillage *m.* equipment
outrage *m.* insult, outrage
outrager to insult, outrage
outre: ~ que not to mention the fact that; *m.* water skin
ouvert open; **tout ~** wide open
ouvrage *m.* (piece of) work, task
ouvré worked
ouvrier *m.* worker, person of the working class; *adj.* working
ouvrière *f.* factory girl, workwoman
(s')ouvrir to open; to start
ovale *m.* oval, egg-shaped design

pacotille *f.* cheap imitation
paille *f.* straw
pain *m.* (loaf of) bread
pain-chant *m.* sacramental unleavened bread
paire *f.* pair
paisible peaceful
paix *f.* peace
paletot *m.* overcoat
pâlir to grow light (pale), turn pale
palmarès *m.* honor roll
palmier *m.* palm tree
palpable tangible; easily perceived
palpiter to palpitate, throb, pulsate
pan *m.* skirt, flap; section, piece; tail, bottom part
pancarte *f.* placard, sign
panégyrique *m.* laudatory speech
panier *m.* basket

panneau *m.* panel
pansement *m.* bandage
pantalon *m.* (pair of) trousers; **~ de coutil** ducks
pape *m.* pope
papetier *m.* stationer
papier *m.* (piece of) paper, stationery
Pâques Easter
Pâques-Fleuries *f. pl.* Palm Sunday
paquet *m.* bundle, package, box, bunch
par through, out of, by, in, a, because of, by far; **~ ici (là)** this (that) way; **~ exemple** indeed, for example; **~-ci . . . ~-là** here . . . there; **~ la figure** in one's face; **~ le travers** obliquely
paradis *m.* paradise
paraître to appear, seem
paralysé paralyzed
parapluie *m.* umbrella
parbleu of course
parc *m.* park, grounds
parcelle *f.* fragment
parce que because
parcourir to cover, traverse
par-dessus: **~ le marché** in addition
pardieu by heavens
pardonner to pardon
pare-choc *m.* bumper
pareil -le similar, such (a); **faire un coup ~** to do such a thing
parent *m.* relative, parent
parenté *f.* (blood) relationship
parfait perfect
parfaitement certainly
parfois sometimes
parfum *m.* perfume
parfumer to (use) perfume
parier to bet
Parisien *m.* Parisian, inhabitant of Paris
parler to speak, talk, discuss
parlotter to chat, gossip, talk
parmi among
paroi *f.* wall
paroisse *f.* parish
paroissial parish, parochial
paroissien *m.* parishioner; (*fam.*) fellow
parole *f.* word
parquet *m.* public prosecutor's office
parsemé strewn
part *f.* side; part, share; participation; **de la ~ de** on the part of, on behalf of, from; **à ~** separately, except for; **de notre ~** for us; **quelque ~** somewhere; **nulle ~ (ailleurs)** nowhere (else)
partager to share
parti *m.* side; party; **prendre ~** to take sides
particulier -ère particular; private; peculiar
particulièrement particularly
partie *f.* part, section; game, contest; **faire ~ de** to belong to
partiellement partially
partir to leave, depart; **~ de** to start with; **à ~ de** beginning with
partisan *m.* supporter, partisan
partout everywhere
parvenir to reach; to come down
pas *m.* step, footstep; pace; **~ de** no; **(ne) . . . ~** not; **~ du tout** not at all; **à ~ tranquilles** leisurely; **doubler le ~** to quicken one's pace; **au petit ~** walking slowly; **faire un ~** to take a step
pascal Easter
passablement quite a bit
passage passage, right of way; **~ à niveau** grade crossing
passager passing, fleeting; *m.* passenger
passant *m.* passer-by
passé past; *m.* past
passer to pass (on, by); get (go) along, go (by, through); to spend; to advance; to smuggle; **se ~** to happen, take place; to unfold; **~ . . . dans** to put . . . through; **se ~ de** to do without
passeur *m.* ferryman
passionné intensely interested
passivité *f.* passivity
patauger to wade
patelin (*fam.*) *m.* village
paterne benevolent
paternel -le paternal

patine *f.* patina, old surface
patiné covered with green rust; polished by time
patois *m.* jargon
pâtre *m.* shepherd
patrie *f.* fatherland, native country
patriotique patriotic, patriot's
patron *m.* patron saint; employer, boss, master
patronal: fête ∼e patron saint's day
patronne *f.* protectress
patronnet *m.* young pastry-shop helper
patrouille *f.* patrol; **en ∼** on patrol duty
patrouiller to patrol, travel
patte *f.* foot
paupière *f.* eyelid
pauvre poor, miserable; *m.* poor man
pauvreté *f.* poorness, poverty
pavé paved
payer to pay (for)
payeur *m.* payer
pays *m.* country, countryside; land, region
paysan *m.* peasant, farmer
paysanne *f.* peasant, farmer's wife
peau *f.* skin
péché *m.* sin
pêche *f.*: **bateau de ∼** fishing boat
pêcher to fish
pécheur *m.* sinner
pêcheur *m.* fisherman
peindre to paint; **se ∼** to be painted; to become visible
peine *f.* pain, sorrow, emotional distress; difficulty, trouble; **à ∼** scarcely, hardly, imperceptibly; **être la ∼** to be worth the trouble; **∼ de mort** death penalty
peiner to toil
peintre *m.*: **∼ en bâtiment** house painter
pékinois *m.* Pekingese
pèlerin *m.* pilgrim
peloton *m.* field (of runners)
penaud crestfallen
penchant *m.* tendency, leaning
penché leaning
pencher to lean (over), incline; **se ∼** to lean (over)
pendant hanging, drooping; *prep.* during, for; *conj.* **∼ que** while
pendre to hang
pendu hanging; *m.* man who was hanged, man who hanged himself
pendule *f.* clock
pénétrer to penetrate, force one's way; to fathom; to go; **∼ par effraction** to break into (as a burglar); **se ∼ de** to become imbued with
pénible painful
péniblement painfully
pensée *f.* thought
penser to think; **∼ à** to think of
penseur *m.* thinker
pensionnaire *m.* student in residence
pensivement thoughtfully
pensum *m.* extra task (punishment)
pente *f.* slope
percevoir to perceive, discern; to hear
perche *f.* pole
perché perched
perdre to lose; to ruin, destroy
père *m.* father
perfectionné perfect
période *f.* sentence
permettre to allow, permit
pernod *m.* pernod (*apéritif*, milder than absinthe)
perplexe perplexed
perquisitionner to make a police search
perron *m.* outside stone steps
persécuté persecuted
personnage *m.* personage, person of rank; character
personnalité *f.* personality
personne *f.* person; **(ne) . . . ∼** no one, not anyone
personnel *m.* staff
perspective *f.* perspective, prospect; anticipation
perte *f.* loss; **à ∼ de vue** as far as one can (could) see
pertuis *m.* opening
pesant heavy; *m.*: **leur ∼ de francs-or** (for) their weight in gold
peser: ∼ de to emphasize
pesée *f.* pressing down
pester to curse

pétarder to explode
petit small, little; slight; **au ~ pas** walking slowly; *m. or f.* (**~e**) little one
petit-enfant *m. or f.* grandchild
petit-fils *m.* grandson
petit-maître *m.* fop
pétrifié petrified
pétrole *m.* kerosene
peu little, a few; scarcely; not very; **à ~ près** almost, nearly; **pour ~ que** if only; **un ~ de** a little, somewhat; **à ~ de distance** a little distance away; **~ à ~** little by little; **un ~ de tête** a few brains; **~ s'en faut** almost; **un ~ ça** something like that; **manquer de ~** barely to miss
peuple *m.* (common) people; multitude
peuplé populated
peuplier *m.* poplar tree
peur *f.* fear; **avoir ~** to be afraid
peut-être (que) perhaps
phare *m.* lighthouse, beacon
philosophe philosophical
photographie *f.* photograph
photographique: appareil ~ camera
phrase *f.* sentence, phrase
picorer to peck (away)
pie *f.* magpie
pièce *f.* piece, part; room; coin; **~ de théâtre** play; **~ à conviction** damaging evidence
pied *m.* foot, footing; **frapper des ~s** to stamp; **valet de ~** footman; **~ bot** clubfoot
piège *m.* trap
pierraille *f.* rubble
pierre *f.* stone, rock; **fusil à ~** flint gun; **~ de touche** touchstone
piété *f.* piety
piétiner to tramp
pieusement religiously, piously
piger: ~ le truc (*fam.*) to catch on
pignon *m.* gable end, end wall
pile *f.*: **~ ou face** heads or tails
piloter to drive, pilot
pin *m.* pine tree
pince *f.* forceps
pincée *f.* pinch; quick succession
pincer to pinch, catch
pincette *f.* tongs
pioche *f.* pick
piqué worm-eaten
piquer to prick
piquette *f.* inferior wine
pirogue *f.* canoe
pis worse; **tant ~** so much the worse
piste *f.* track
pitié *f.* pity
pitoyable pitiful
pittoresque picturesque
pivert *m.* woodpecker
place *f.* place, spot, room; square; position, job; **se remettre en ~** to take one's place (sit down) again; **faire ~ à** to make room for, to give way to; **de ~ en ~** at various spots
placement *m.* investment
placer to place, put
plafond *m.* ceiling
plaidant *m.* litigant
plaider to plead, have a lawsuit
plaideur *m.* litigant
plaidoirie *f.* pleading, address of counsel
plaie *f.* wound
plaindre to pity; **se ~** to complain
plainte *f.* moan, wail, groan
plaire to please; **se ~ à** to take pleasure in
plaisant funny, amusing; *m.* joker
plaisanter to joke
plaisanterie *f.* joke; **par ~** as a joke
plaisir *m.* pleasure
plan flat; *m.* plane
plancher *m.* floor
planer to hover, soar; to hold sway
plantain *m.* plantain (perennial weed)
plantation *f.* planting
planté planted, settled, standing still
se planter to stand squarely
plaque *f.* patch
plaqué *m.* veneer
plat *m.* flat; dish; palm; dead; *adj.* flat; **à ~ ventre** flat on one's stomach
platane *m.* plane tree
plate-forme *f.* level stretch of land
platine *m.* platinum

Platon Plato
plâtre *m.* plaster
plein full; **en ∾ au milieu** right in the middle; **en ∾** full, completely; **en ∾s champs** in the open fields; **en ∾ vent** (in the) open air; **à ∾es mâchoires** by big mouthfuls
pleurer to cry
pleurésie *f.*: **prendre une ∾** to be stricken with pleurisy
pli *m.* fold; **prendre un ∾** to form a habit; **∾ chiffré** coded message
plier to fold
plissé wrinkled
plonge *m.* hole
plonger to dive, sink; to dip
plu rained
pluie *f.* rain
plume *f.* feather; **gibier à ∾** winged game
plupart *f.* most
plus more, plus; **ne . . . ∾** no more, no longer; **non ∾** (not) either; **de ∾ belle** harder than ever, with more energy; **de ∾ en ∾** more and more; **d'autant ∾ . . . que** all the more . . . because; **de ∾** moreover; one more; **∾ . . . ∾** the more . . . the more
plusieurs several; **à ∾ reprises** repeatedly
plutôt rather; **∾ que** rather than
pluvier *m.* plover
pneu *m.* tire; **éclatement d'un ∾** blowout
pneumatique *m.* express letter
poche *f.* pocket
poêle *f.* frying pan
poésie *f.* poetry
poids *m.* weight
poignée *f.* handle, hilt; cuff; handful; **∾ de main** handshake
poignet *m.* wrist
poil *m.* hair; **à longs ∾s** of long-haired nap
poilu hairy
poing *m.* fist, hand
point *m.* point, spot; dot; **ne . . . ∾** not (at all); **∾ de** no; **un ∾ c'est tout** that's that
pointe *f.* touch; tip, point, top
pointer to sound in a staccato fashion
pointu pointed
poisson *m.* fish; **∾ chinois** goldfish
poisson-chien *m.* dogfish
poisson-femme *m.* female fish
poitrine *f.* breast, chest; **à hauteur de ∾** at the height of his chest
polaire polar
poli polished, shiny
poligone *m.* artillery range
polissonner to run about
politesse *f.* (act of) politeness, courtesy
politique political; *f.* policy, politics
Pologne *f.* Poland
Polonais *m.* Pole
pomme *f.* knob, handle, head; **∾ de terre** potato; **∾ d'amour** tomato
pompeux -se pompous
ponctuel -le punctual
populaire popular
porte *f.* door, gate
portefeuille *m.* pocketbook
porter to carry, take, deliver; to wear, bear; **se ∾** to be (of health); **∾ sur** to deal with
porteur *m.* porter, carrier
poser to put, place, lay; to ask
posséder to have, possess
poste *m.* post; set; **∾ émetteur** radio broadcasting unit
postulant *m.* candidate
posture *f.* position
pot *m.* jug, pot, tankard (large drinking cup)
poteau *m.* post; finish line
potelé plump
poterne *f.* postern gate
poudreux -se dusty
poudroyer to cover with (form clouds of) dust
poule *f.* hen, fowl; **∾ d'eau** moor hen
poulet *m.* chicken
poupée *f.* doll
poupin rosy-cheeked
pour (as) for; in order (to); what about; **∾ peu que** if only; **(se) (le) tenir pour dit** to accept without further ado; **∾ que** in order (so) that; **∾ de bon** really and truly
pourquoi why

pourri rotten
poursuivre to pursue, continue
pourtant however, and yet, nevertheless
pourtour *m.* circumference
pourvu provided
pousser to urge, impel; to push (open); to utter, make
poussière *f.* dust
poussin *m.* chick
pouvoir to be able, can; **se ~** to be possible; *m.* power
pratique *f.* practice, exercise; playing; customer; rogue; **~ de l'auto** driving; *adj.* practical
pratiquer to practice, exercise; to play; to associate with; **~ le cheval** to ride horseback
pré *m.* meadow
préalable preliminary
précéder to precede
précieux -se precious
se précipiter (sur) to rush (on, toward)
précis exact, accurate; precise
précisément as a matter of fact
précoce precocious
préférer to prefer
prélevé levied
premier -ère first; **au ~ degré** preliminary; **matière ~** raw material
prendre to take, seize; to catch; to assume; to overcome; to mistake; **s'y ~** to go about it; **prenez garde** take care, watch out; **~ de la hardiesse** to become bold; **~ des renseignements** to make some inquiries; **~ les dispositions** to make the arrangements; **~ parti** to take sides; **~ garde à** to pay attention to; **~ des nouvelles** to inquire; **~ le dessus de** to overcome; **~ le frais** to take the air; **~ garde** to be careful not to; **~ terre** to reach ground; **~ une pleurésie** to be stricken with pleurisy; **~ un pli** to form a habit; **s'en ~ à** to lay the blame on
se préoccuper de to give one's attention to
préparateur *m.* assistant
préparatifs *m. pl.* preparations
préparer to prepare
près (de) near, close (to); almost; **à peu ~** almost, nearly; **tout ~** very near
presbytéral rectory
presbytère *m.* rectory
prescription *f.* prescription; time limitation
présence *f.* presence; **en ~ de** in the presence of
présent present; **à ~** now
présenter to present; to introduce; to exhibit
préserver to preserve, keep
presque almost
pressé in a hurry; hurrying
pressentir to foresee
presser to urge; **se ~** to hurry (up)
prestement promptly
prestige *m.* prestige, influence
prêt ready
prétendant *m.* suitor
prétendre to claim
prétention *f.* pretension
prêter to lend
prêtre *m.* priest
preuve *f.* proof
prévenir to warn, inform
prévoir to foresee
prévoyant *m.* person providing for
prier to pray, beg, request
primevère *f.* primrose
principalement principally, primarily
principe *m.* principle
printemps *m.* spring
prise *f.* capture
prisonnier *m.* prisoner
privé private
priver to deprive
prix *m.* prize, reward; price, value
probablement probably
procédé *m.* technical operation
procéder to proceed
procès *m.* trial, lawsuit
prochain next, approaching
proche near, close (at hand)
procurer to procure, obtain; to create
prodiguer to lavish; **se ~** to give oneself unsparingly

produire to produce; to create
produit *m.* product
proférer to say, articulate, state
profit *m.* profit; **faire son ∾ de** to profit by
profiter (de) to profit (by)
profond deep, profound
profondeur *f.* depth
progrès *m.* progress
projet *m.* plan
prolongé prolonged
prolonger to extend
promenade *f.* walk
se promener to walk (about)
promesse *f.* promise
promettre to promise
promise *f.* fiancée
promontoire *m.* cliff
prompt quick, prompt
promu promoted
prône *m.* sermon
prononcer to deliver
propice propitious
propos *m.* word, remark, conversation, talk; **à ∾** appropriate; **à ce ∾** in this connection; **à ∾ de** in connection with
proposer to suggest, propose
proposition *f.* offer, proposition
propre own; clean; suited
propreté *f.* cleanness
propriétaire *m.* owner
propriété *f.* (piece of) property
proscrit *m.* exile
protéger to protect
protestation *f.* protest
prouesse *f.* exploit, military courage
prouver to prove
provisoire provisional
provoquant provoking
prudemment carefully
prune *f.* plum
prunelle *f.* pupil (of the eye)
Prussien *m.* Prussian
psychologique psychological
public: crieur ∾ town crier
publier to publish
puce *f.* flea
puddler: four à ∾ blast furnace
puis then
puisque since; but
puissance *f.* power
puissant powerful
punition *f.* punishment
pupitre *m.* desk
pur unspoiled, pure
pureté *f.* purity
purgatoire *m.* purgatory
purifier to purify
putois *m.* polecat
pyramide *f.*: **en ∾** in the shape of a pyramid

qualifier to qualify, designate
quand when; **∾ même** all the same, nevertheless; **∾ bien même** even though
quant à as for
quart *m.* quarter
quartier *m.* quarter, section, district
quartier-maître *m.* quartermaster
quatre four; **à ∾** for four players
que which, that, whom; what; than; how (many); let, may; namely; **ne . . . ∾** only; **c'est ∾** it is because
quel, quelle what (a), which, who; **∾ que** whatever
quelconque of some kind or other
quelque some, a few; a; (*with subjunctive*) whatever
quelquefois sometimes
quelqu'un, quelques-uns someone, somebody, some
querir: aller ∾ to go for
quêteur *m.*: **∾ d'aumônes** alms collector
queue *f.* tail
quitter to leave
quoi what, which; **de ∾ il retourne** what's up; **à ∾ bon?** what's the use? **∾ que** whatever; **n'importe ∾** anything (at all)
quoique although
quotidien -ne daily
quotidiennement daily

rabais *m.* reduction
rabaisser to lower
raccommodage *m.* mending
raccord *m.* joining

race *f.* race, pedigree; **de toute ∾** of all kinds
racheter to buy (back)
racine *f.* root
raconter to relate, tell
radio *m.* radio operator
radotage *m.* meaningless repetition
radouci softened
raffermi strengthened
rafistoler (*fam.*) to patch up, repair
rage *f.* rage, anger; **entrer en ∾** to become furious; **faire ∾** to rage
rageusement angrily
raide stiff
raie *f.* stripe
rail *m.* rail, track
raisin *m.*: **moitié figue moitié ∾** half in jest, half in earnest
raison *f.* reason, argument; **avoir ∾** to be right; **boire plus que de ∾** to drink to excess
raisonnable reasonable, logical
raisonnement *m.* (faculty of) reasoning
raisonner to reason with
rajeuni rejuvenated
râle *m.* water rail
ralentir to slow down, reduce, slacken
ramasser to pick up
rame *f.*: **coup de ∾** oar stroke
rameau *m.* branch
ramener to bring (lead) back
rampe *f.* banister
ramper to creep
rancune *f.* resentment
rancunier -ère vindictive, spiteful
randonnée *f.* trip, tour
rang *m.* row
rangée *f.* row
ranger to arrange; **se ∾** to draw up; to line up; to make room
ranimer to call back to life
rapide rapid, swiftly moving; *m.* express train
rapidement rapidly
rapiécé mended, patched
rappeler to recall, bring back; **se ∾** to remember
rapport *m.* connection; **en ∾** right; in agreement
rapporter to bring (back), take back; to report
rapprochement *m.* comparison
rapprocher: se ∾ de to approach
rarement rarely
ras *m.*: **au ∾ de** level with
raseur (*fam.*) *m.* bore
rassasié gorged
rassembler to assemble, bring together
rassuré reassured
râtelier *m.* rack
rater to miss fire
rauque hoarse, harsh, rough
ravir to delight, charm
rayer to call (strike) off
rayon *m.* ray; shelf; **∾ X X** ray
rayonnement *m.* radiance, glitter
rayonner to radiate, shine, beam
raz *m.*: **∾ de marée** tidal wave
réagir to react
rebâtir to rebuild
rebrousse-poil: à ∾ against the hair
rebrousser: ∾ chemin to turn back
rébus *m.* riddle
rebut *m.*: **de ∾** useless
recauser to talk again
réception *f.* reception, manner of greeting
recevoir to receive, get
rechange *m.*: **de ∾** extra
réchauffer to warm (up); **se ∾** to get warm, warm oneself
recherche *f.* search
rechercher to seek, search for
réciproque reciprocal
récit *m.* story
réclamer to call for; to protest, complain; to beg
récolte *f.* harvest
recommander to recommend
recommencer to begin again
récompense *f.* reward
se réconcilier to become reconciled
reconduire to take back, escort back
reconnaissance *f.* gratitude; reconnaissance, survey
reconnaître to recognize; to agree, admit; to remember
recours *m.* recourse

recouvrir to cover
recrutement *m.* recruitment
recruter to recruit
recteur *m.* priest
recteur-martyr *m.* martyr priest
recueil *m.* collection; receiving point
recueillement *m.* worshipful state
recueillir to gather (up), collect
reculer to move (step) back; to recoil; **se ~** to move back
rédaction *f.* wording
redescendre to come down again
redevenir to become again
redondance *f.* redundancy, unnecessary words
redoubler to redouble, increase
redoutable fearful, terrifying
réduit reduced
réel -le real
réellement really, in reality
refaire to remake
réfectoire *m.* dining hall
refermer to close again
réfléchir to reflect, think (about)
reflet *m.* glint; reflection
réflexe *m.* reflex (action)
réforme *f.* scrapping; discharge
réformé deferred
refouler to rebuff
réfractaire rebellious
refréner to check, restrain, control
refroidi chilled
refuge *m.* shelter
réfugié *m.* refugee
se réfugier to take refuge
regagner to regain; to return
regaillardi cheered up
regard *m.* look, expression; glance; eye(s); **chercher du ~** to look around for
regarder to look (at), watch
régi ruled, directed
région *f.* region, area
régional regional, local (paper)
registre *m.* register, book, diary
règle *f.* rule
réglé regulated, set, unchanging
réglementaire regulation
régner to reign; to prevail
regorger to overflow
regret *m.* sorrow, regret
regretter to regret, be sorry; to miss
régulier -ère regular; smooth moving
régulièrement regularly
reine *f.* queen
reins *m. pl.* back, waist
réinstallation *f.* re-establishment, putting back
réinstaller to put back
rejeter to throw back
rejoindre to join, meet; **se ~** to reunite
relégué relegated
relevé turned up
relever to raise (again), rise again, get up; to pick (pull) up; to relieve
relié bound
religieux -se religious
relier to read again
remarquer to notice, observe, remark
remède *m.* remedy
remerciement *m.* thanks
remercier to thank
remettre to hand over, give; to put back; **se ~ à** to begin again; **se ~ en place** to take one's place (sit down) again
remise *f.* coach house, carriage shed
remonter to go back up; to pull up
remontrer to point out
remplaçant *m.* substitute
remplacer to replace
rempli filled
remplir to fill, fulfil
remuant restless, turbulent
remuer to move, stir; to nod, shake; to mix up
remueur -se stirring, which stirred
renâcler to snort
renard *m.* fox
rencontre *f.* meeting
rencontrer to meet
rendez-vous *m.* rendezvous, appointment; **donner ~ à** to arrange to meet
rendormir to drop off to sleep again
rendre to make, do; to return, give (back); **se ~ compte (de)** to realize; **se ~** to go, return

renoncer à to give up
renouer to tie together again
renouvelé renewed
renseignements *m. pl.* information; **prendre des ∾** to make some inquiries
renseigner to inform
rente *f.* (*also used in pl.*) income; **faire des ∾s** to give an income
rentier *m.* person with private income
rentrée f. opening of school
rentrer to return (home); to go back (in)
renverse *f.*: **tomber à la ∾** to fall over backward
renverser to overturn, invert; **se ∾** to throw back, tilt
renvoyer to send away
repaire *m.* den
répandre to spread (about); to shed; **se ∾** to disperse, scatter, spread
reparaître to reappear
réparation *f.* repairing, repair (work)
réparer to repair, fix; to rectify
repartir to set out (leave) again; to reply
répartition *f.* distribution
repas *m.* meal
repenser to think again
se répercuter to echo
repérer to spot
répéter to repeat
replet -ète stout
réplique *f.* reply, retort
replonger to go back into
répondre to answer, reply; to correspond; **∾ de** to guarantee
répons *m.* liturgical response
réponse *f.* reply
reportage *m.* report
reporter to take back
repos *m.* (period of) rest; **en ∾** relaxed; **maison de ∾** rest home
reposant restful
reposer to rest; to put back; **se ∾** to rest
reprendre to continue, resume; to reread
représenter to represent, picture
reprise *f.*: **à plusieurs ∾s** repeatedly
repriser to darn
réprobation *f.*: **être en ∾** to be blamed
reproche *m.* reproach
reproduire to reproduce
rescapé *m.* survivor
réservé reserved; saved
réserver to have in store
réservoir *m.* tank
résine *f.* resin
résistant resistant, strong, tough
résolu determined; solved
résolution *f.* determination, resolution
résoudre to resolve, determine
respectueusement respectfully
respectueux -se respectful
respirer to breathe; to denote
resplendissant shining, glittering, resplendent
responsabilité *f.* responsibility
ressasser to keep on repeating
ressembler à to resemble, be similar to
ressentir to feel
ressort *m.* resort
ressortir to go out again
reste *m.* rest, remainder; **de ∾** certainly; **du ∾** moreover; **au ∾** still, yet; *pl.* remains
resté remaining
rester to remain, stay; to be left
restituer to restore
résumer to sum up
retard *m.* delay
retenir to keep back, retain, detain, hold up
retentir to resound, ring (out)
retiré retired; **fond ∾** remote place
retirer to pull (take) out; **se ∾** to withdraw, leave
retomber to fall again, fall back
retour *m.* return
retourner to return; to turn (up, inside out); **se ∾** to turn around; **de quoi il retourne** what's up
retraite *f.* retreat, hiding place
retranché cut off
retroussé turned up
retrouver to find (again), recover; to meet again
se réunir to assemble, get together

reussite *f.* success; solitaire; **faire des ∾s** to play solitaire
rêve *m.* dream
revêche bad-tempered
réveil *m.* awakening
réveiller to waken; **se ∾** to awaken
révéler to reveal
revendeur *m.* second-hand dealer
revenir to come back, return; **∾ sur** to change
rêver to dream
réverbère *m.* street lamp
rêverie *f.* reverie, dreaming
revers *m.* reverse (side); black
revêtir to cover; **se ∾** to be covered
revêtu clothed
revoir to see again; **au ∾** good-by
révolu (of time) completed
révolutionnaire *m.* revolutionary; *adj.* revolutionary
rhétorique *f.* eleventh grade
riant smiling
ricaner to sneer
richesse *f.* riches, richness
ridé wrinkled
rideau *m.* curtain
ridicule ridiculous, absurd; *m.* absurdity
rien anything; **ne . . . ∾** nothing, not anything; **∾ que** merely, only, solely; **ne . . . ∾ de (à) ∾** nothing about anything; **∾ à faire** nothing can be accomplished; **n'y être pour ∾** to have nothing to do with it; **∾ du tout** nothing at all
rigole *f.* gutter, ditch, canal
rigoler (*fam.*) to snicker
rigueur *f.* severity; severe cold weather
riposte *f.* retort
riposter to retort, reply
rire to laugh; **pour ∾** in fun; *m.* laugh, laughter; **éclater d'un large ∾** to burst out with a hearty laugh
risque *m.* risk
risqué risky
risquer to risk; **se ∾ à** to risk, venture
rissolé browned
rituel -le ritualistic
rivage *m.* bank, shore
rive *f.* bank
rivière *f.* river
robe *f.* cloak, dress; **∾ de mort** shroud
robuste strong, sturdy
rocher *m.* cliff
rocheux -se rocky
rogue arrogant
roi *m.* king
rôle *m.* role; roll; docket; **à tour de ∾** in turn
Romain *m.* Roman
romancier *m.* novelist
rompre to break
rond round; straightforward
ronfler to snore
rongé: **∾ de vers** worm-eaten
ronger to gnaw; to champ; **se ∾ les sangs** to fret over it
ronron *m.* purring
rose *f.* rose; *adj.* pink
roseau *m.* reed
rosée *f.* dew, dewlike drops
rosier *m.* rosebush
rosse (*fam.*) given to irony and jibes; *f.* old nag
rossignol *m.* nightingale
rot *m.* belch
rôtie *f.*: **∾ au vin** piece of toast dipped in wine
rôtir to roast
roue *f.* wheel; **∾ de secours** spare wheel; **∾ à aubes** paddle wheel
rouge red
rougeoyer to emit a reddish glow
rougir to flush, blush, grow red
rouillé rusty; hoarse; rust-colored
roulement *m.* roll, rolling
rouler to roll (up); to be drawn out; **∾ sur** to roll down
roulette *f.* roulette wheel
route *f.* road, way, course; **se mettre en ∾** to set out; **en ∾** on the way; **grande ∾** highway; **faire ∾ -vers** to make for
routier roadside; *m.*: **vieux ∾** old hand
rouvrir to open again
roux -sse red-haired; reddish, ruddy
ruban *m.* ribbon
rubicond ruddy

rude rough, hard
rudement roughly; ~ **turbiner** (*fam.*) to grind away like the deuce
rue *f.* street
se ruer to rush
rugir to roar
ruine *f.* : **en** ~ in ruins
ruisselant streaming, dripping
ruisseler to drip
rumeur *f.* murmur; clamor, uproar
ruse *f.* trickery
rustique rustic
rutabaga *m.* turnip

sable *m.* sand
sabot *m.* wooden shoe
sac *m.* sack, bag
saccadé jerky
saccager to plunder
sacerdotal priestly
sacré sacred, holy; damned, sly old
sacrifier to sacrifice
sacrilège sacrilegious
sage *m.* wise man
saignant bleeding
sain healthy, sane, sound
saint saintly, holy; *m.* (statue of) saint
saisi overcome, gripped
saisir to seize, grasp; to get the idea
saisissant striking
saison *f.* season
salaire *m.* salary
sale dirty, filthy
salle *f.* room; ~ **à manger** dining room; ~ **d'audience** courtroom; ~ **d'opérations** operating room; ~ **d'attente** waiting room
salon *m.* drawing room, parlor
saluer to greet
salut *m.* salvation; evening service; **salut!** hello! greetings!
samedi *m.* Saturday
sang *m.* blood; **se ronger les ~s** to fret over it; **en** ~ blood-red
sang-froid *m.* composure
sanglant bleeding, bloody
sanglier *m.* boar meat
sangloter to sob
sans without; except for; ~ **que** without; ~ **cesse** incessantly
sans-culotte *m.* republican, revolutionary
santé *f.* health; **officier de** ~ medical practitioner lacking a degree
saoul (*or* **soûl**) glutted, drunk; **tout leur** ~ all they want; ~ **comme un soleil** drunk as a lord
saperlotte by golly
sapin *m.* fir (pine) tree
sarcelle *f.* teal (small river duck)
sarment *m.* vine shoot
satisfaire to satisfy
sauf except
sauf-conduit *m.* pass
saugrenu ridiculous
saule *m.* willow tree
saumon *m.* : ~ **de fonte** pig (lump of cast metal)
saupoudré sprinkled
saurisson *m.* fresh-water herring
saut *m.* jump, leap
sauter to jump; to fly; ~ **à bas de** to jump out of; **faire** ~ to pry off
sauterelle *f.* grasshopper
sauteur *m.* unreliable opportunist
sautiller to hop along
sauvage savage, wild; *m.* savage
sauvageon *m.* wild stock (before grafting)
sauver to save
sauveteur *m.* rescuer
savant learned; skillful; skillfully designed and executed; *m.* scientist; scholar
savate *f.* worn-out shoe; old slipper
saveur *f.* savor, taste, odor, flavor
savoir to know (how); to be able, can; ~ **gré de** to be grateful for; **à** ~ namely; **saurait** = **pourrait**
scander to scan
scélérat wicked
sceptique skeptical
scie *f.* saw
science *f.* knowledge, skill; science
sculpté carved
sec, sèche dry; thin; crisp; stiff, unfriendly; wizened
sèchement bluntly
sécher to dry
sécheresse *f.* dryness, aridity
séchoir *m.* drier

seconde *f.* second; tenth grade
secouer to shake, jostle
secours *m.*: **roue de ~** spare wheel
secret *m.* secret, secrecy
secrétaire *m.* writing desk
sécréter to secrete
secteur *m.* sector
séculaire ancient, century-old
sécurité *f.* safety, security
sédentaire settled, fixed, permanent
séduction *f.* charm
séduit lured, charmed, captivated
seigle *m.* rye
seigneur *m.* lord
seigneurial baronial; owned by nobility
sein *m.* breast; **au ~ de** in the midst of
séjourner to stay
selle *f.* saddle; **se mettre en ~** to get into the saddle; **en ~** on the bicycle seat
sellette *f.*: **sur la ~** under the cross-examination
selon according to
semaine *f.* week
semblable similar
semblant *m.*: **faire ~** to pretend
sembler to seem (like)
semelle *f.* sole (of shoe)
semer to sow, spread; to shed; to get rid of
séminaire *m.* seminary
semonce *f.* scolding, reprimand
sens *m.* sense, feeling, meaning; **~ dessus dessous** upside down
sensibilité *f.* sensitiveness
sensible sensitive
sente *f.* path
sentier *m.* path
sentiment *m.* feeling, emotion
sentinelle *f.* sentry
sentir to smell (of); to feel, sense; **se ~** to feel
(se) séparer to separate
sergent *m.* sergeant
série *f.* series; line
sérieux -se serious; expressionless
serment *m.* oath
sermonner to sermonize, lecture, reprimand
serpe *f.* billhook
serpenter to wind, curve
serré tight(ly), pinched; heavy
serrer to squeeze, clasp
service *m.* favor, service
serviette *f.* napkin; portfolio
servir to serve, be of use; to help; to man; **~ de** to serve (act) as; **se ~ de** to make use of, use
servitude *f.* easement (obligations resulting from the right to use another's property under certain conditions); condition; obligation
seuil *m.* threshold
seul only, alone, sole
seulement only, even, merely
sévère severe, strict
sévèrement severely
si if; so; very; yes; what if; whether
siècle *m.* century
siéger to sit
siffler to whistle; to hiss
sifflet *m.* whistle
siffloter to whistle softly
signaler to point out, note; to brand
signe *m.* sign; symbol
signé signed
signification *f.* meaning
silence *m.* (period of) silence, peacefulness
silencieusement silently
silencieux -se silent
sillage *m.* wake
simple simple, ordinary; *m.* simple-minded (ingenuous) person
simplement simply
simulacre *m.* image, statue, idol
singe *m.* monkey
singulier -ère strange
singulièrement strangely, singularly
sinon if not; except
siroter to sip
site *m.* spot, location; landscape
situation *f.* situation; position
situé situated
sloughi *m.* Arabian hound
snobisme *m.* snobbery
sœur *f.* sister
soi-disant supposedly
soie *f.* silk

soif *f.* thirst; **avoir ∾** to be thirsty
soigner to care for, look after, keep up
soigneusement carefully
soin *m.* care, attention
soir *m.* evening
soirée *f.* evening
sol *m.* soil, ground
solaire solar
soldat *m.* soldier
solécisme *m.* grammatical mistake
soleil *m.* sun; **saoul comme un ∾** drunk as a lord
solennel -le solemn
solennité *f.* solemnity
solide solid, firm, strong
solidement solidly, stoutly, strongly, greatly, firmly
solitaire solitary
sombre dark, gloomy, somber, sullen
sommaire tense
sommation *f.*: **les ∾s légales** summons
somme *f.*: **∾ toute** in short; **en ∾** in short
sommeil *m.* sleep
sommeiller to be asleep
sommet *m.* summit, top
somnoler to doze
son *m.* bran; sound
sonder to probe
songe *m.* dream
songer to think, dream
songeur -se thoughtful
sonner to sound, strike, ring, resound; **ne ∾ mot** not to breathe a word
sonnette *f.* bell
sordide sordid, slovenly
sorte *f.* kind(s); way; **en ∾ que** so that
sortie *f.* departure, exit, leaving
sortir to go (come) out, leave; to take out; to protrude; to utter; *m.*: **au ∾ de** on coming out of (leaving)
sot, sotte silly
sou *m.* sou (five centimes)
soubresaut *m.* jerk
souci *m.* care, solicitude, anxiety, concern
soucier: se ∾ de to care for (about)
soucieux -se worried
soudain suddenly
Soudanais *m.* Sudanese
soudard *m.* hardened old soldier
soudeur *m.*: **lampe de ∾** blowtorch
souffle *m.* breath
souffler to breathe, blow
souffleter to slap, insult
souffrance *f.* suffering
souffrir to suffer; to permit
souhait *m.* wish; **à ∾** well
souhaiter to wish, hope
soulagement *m.* relief
soulever to raise
soulier *m.* shoe
souligné underlined
soumission *f.* submission; **faire sa ∾** to surrender
soupçon *m.* suspicion
soupçonner to suspect
soupçonneux -se suspicious
soupe *f.* soup; **de ∾ au lait** ready to "boil over"
souper *m.* supper
soupeser to feel the weight of
soupir *m.* sigh
soupirer to sigh
souple supple; soft
source *f.* spring
sourd deaf, dull, muffled, subdued
sourdement dully
sourire to smile; *m.* smile; **ébaucher un ∾** to smile faintly
souris *f.* mouse
sournois stealthy, sly, crafty
sous under, below
sous-marin underwater; *m.* submarine
sous-préfecture *m.* subprefecture
sous-préfet *m.* subprefect
sous-sol *m.* basement
soutenir to support, sustain, hold, uphold
souterrain underground; underhanded
souvenir *m.* memory
se souvenir (de) to remember
souvent often
souverain *m.* sovereign
spacieux -se spacious, roomy
spectacle *m.* sight, show, spectacle
spectre *m.* ghost; memory
spirituel -le spiritual

spirituellement wittily
spontané spontaneous
stage *m.*: **faire un** ~ to have a training period
stopper to stop
strident shrill, screeching
strophe *f.* stanza
stupéfaction *f.* amazement
stylé trained
subitement suddenly
substance *f.* matter, substance
substituer to substitute
subtil subtle
subtilité *f.* subtlety
subventionné subsidized
succéder to succeed; to follow
succès *m.* success
successeur *m.* successor
successivement in succession, one after the other (*or* another)
sud *m.* south
sud-ouest *m.* southwest
suée *f.* sweat; fatigue, hard job
suer to sweat
sueur *f.* sweat, perspiration
suffire to suffice, be enough
suffisant sufficient
suffoquer to choke
suie *f.* soot
suinté exuded
suite *f.* continuation, rest; **de** ~ in succession; **tout de** ~ at once, immediately; **par** ~ **de** as the result of
suivant *m.* next one
suivre to follow
sujet *m.* subject; boy; grafted stock; **au** ~ **de** concerning
superbe superb, magnificent
supérieur superior, higher, upper
supplice *m.* torture, punishment
sur on; at; over; upon; concerning
sûr sure, certain; **bien** ~ certainly
surcroît *m.*: **par** ~ **de** as an added
sûrement certainly
sûreté *f.* sureness
surgir to spring up
surhumain superhuman
surmonté topped, on top, surmounted
surmonter to surmount, overcome
surnommé nicknamed
surplis *m.* surplice
surprendre to surprise
surpris surprised
sursauter to start, give a jump
surtout above all, especially
survivre to survive
suspect suspect, open to suspicion
suspendre to suspend
suspendu hanging
syndicaliste *m.* trade unionist
syndicat *m.* workers' union
synthèse *f.* synthesis

T. S. F. (télégraphie sans fil) *f.* radio; **appareil de** ~ radio
ta, ta don't worry
tabac *m.* tobacco
tabatière *f.* snuffbox
table *f.* table; **à** ~ at the table
tableau *m.* picture; ~ **noir** blackboard
tache *f.* spot, speck
tâche *f.* task
tâcher to try
taciturne taciturn, uncommunicative
tactique *f.* tactics
taille *f.* waist; body; figure; size; ~ **de bois** tally stick
tailler to trim, prune; to carve; ~ **(dans)** to cut out
(se) taire to be silent, be quiet
talon *m.* heel; **tourner les** ~**s** to turn one's back
talus *m.* bank
tambour *m.* drum; ~ **de village** town crier
tandis que while
tanner to tan
tant so much (so), so many; ~ **pis** so much the worse; ~ **que** as (so) long (much) as; ~ **bien que mal** after a fashion; ~ **mieux** so much the better
tante *f.* aunt
tantôt: ~ . . . ~ now . . . now, first . . . then
tapage *m.* racket, noise, uproar
tape *f.* tap, poke
taper to tap; ~ **ferme** to fight aggressively

tapi crouched
tapoter to tap
tard late
tarder: ∾ **à** to be slow in; ∾ **de** to be anxious
tarif *m.* rate (of pay)
tas *m.* pile, lot
tasse *f.* cup
tâter to feel (by touching)
technique technical
teinte *f.* tint
tel, telle such, such and such a (person); ∾ **que** such as
tellement so (much)
témoignage *m.*: **en** ∾**s** as witnesses
témoigner to display, give evidence of; ∾ **de** to show, display
témoin *m.* witness
tempe *f.* temple (of the head)
tempérament *m.* temperament, nature
tempéré tempered, softened
temps *m.* time, times, period; weather; **dans les derniers** ∾ lately; **en même** ∾ at the same time; **de** ∾ **en** ∾ from time to time; **de** ∾ **à autre** from time to time
tenailles *f. pl.* pincers
tendance *f.* tendency
tendre to stretch, extend, hold out
tendre *adj.* tender, sweet, affectionate; soft
tendrement tenderly
tendresse *f.* tenderness
tendu extended, (out)stretched, outspread; tense
ténèbres *f. pl.* darkness, shadows
ténébreux -se shadowy, gloomy, dark, very black
tenir to hold (out); to keep; to get; **tiens!** why! look here (come on)! **tenez!** here! look! **se** ∾ to stand (up); **y** ∾ to restrain oneself; ∾ **à** to be anxious, desire; to depend on; ∾ **quelqu'un sur les fonts baptismaux** to stand godfather to someone; **se** ∾ **coi** to keep quiet; ∾ **lieu de** to take the place of; **se** ∾ **au courant** to keep informed; **se** ∾ **debout** to remain standing; ∾ **bon** to remain solid; to hold tight
tentative *f.* attempt
tenter to attempt
terminer to end, finish
termitière *m.* anthill
terrasse *f.* terrace (area of sidewalk in front of a café); sidewalk
terre *f.* earth, ground, land; field; **par** ∾ on the ground; **pomme de** ∾ potato; **de** ∾ earthen; **prendre** ∾ to reach ground; **toucher** ∾ to fall
terré holed up
terreau *m.* humus
se terrer to burrow
terriblement terribly
terrifier to terrify
territoire *m.* territory
testament *m.* will
tête *f.* head; top; **yeux de la** ∾ for an exorbitant sum; **un peu de** ∾ a few brains; **fille de** ∾ strong-willed capable girl; **musique en** ∾ led by the band; *m.* ∾**-à-**∾ interview, meeting
théâtre *m.* theatre; **pièce de** ∾ play
thébain of Thebes
tiercelet *m.* tercel (male falcon)
tiers *m.* third
tige *f.* stem
tilbury *m.* tilbury, gig
tilleul *m.* linden
timidement timidly
timonier *m.* helmsman
tinter to tinkle, ring
tir *m.*: **faire le** ∾ to fire a shell
tirer to draw, pull (out); to take; to fire, shoot; **s'en** ∾ to pull through
tireuse *f.*: ∾ **de cartes** fortuneteller
tiroir *m.* drawer
tisane *f.*: ∾ **des quatre fleurs** four-flower tea
tituber to stagger
toile *f.* (coarse) cloth, canvas; **en** ∾ **cirée** oilcloth
toilette *f.* attire, dress
toit *m.* roof; home
toiture *f.* roofing
tolérer to tolerate
tombeau *m.* tomb
tomber to fall, decrease; ∾ **à la renverse** to fall over backward

tombereau *m.* dumpcart
tome *m.* volume
ton *m.* tone (of voice)
tonnerre *m.* thunder
torche *f.* flashlight
tordre to twist; to make . . . writhe; **se** ~ to become twisted
tors twisted, crooked
torse *m.* torso, waist
tort *m.*: **dans son** ~ in the wrong; **avoir quelques** ~**s** to be somewhat in the wrong; **avoir** ~ to be wrong
tortiller to twirl, twist
tôt early, soon; **avoir** ~ **fait de** not to take long to
total *m.*: **au** ~ on the whole
totalitaire totalitarian
touche *f.*: **pierre de** ~ touchstone
toucher to touch; to react on; to receive; to reach; ~ **terre** to fall
touffe *f.* clump
toujours still, always, continually; **va** ~ keep on going; ~ **est-il** the fact remains
toupie *f.* top; (*fam.*) crazy fool, nitwit
tour *m.* turn, twist; round(s); trick; **faire le** ~ **de** to go around; **à son** ~ in his turn; **à** ~ **de rôle** in turn; **faire un** ~ to take a walk; *f.* tower
tourelle *f.* turret
touristique touristic
tourmente *f.* tempest
tourmenté disturbed, restless
tourmenteur *m.* tormenter
tournant *m.* turn
tourné: bien ~ well expressed
tournée *f.* round, tour; **en** ~ on an official trip; **se mettre en** ~ to set out on one's rounds
(se) **tourner** to turn (on, out); ~ **les talons** to turn one's back; ~ **à vide** "to grind away without grist"; **mal** ~ to go wrong
tournoyer to turn around, wheel, circle
tousser to cough
tout, tous *adj. and pron.* all, each, every, whole, very, any, anything, everything; *adv.* completely, quite; ~ **ouvert** wide open; ~ **à l'heure** in a little while, a little while ago; ~ **à coup** suddenly; **pas du** ~ not at all; ~ **en** while; ~ **à fait** entirely, wholly, quite; ~ **de même** all the same; ~ **bas** in a low voice; ~ **de suite** immediately, at once; ~ **le monde** everyone; **tous (les) deux** both; ~ **près** very near; ~ **contre** right against; ~ **droit** straight ahead; **somme** ~**e** after all; ~ **haut** aloud; ~ **juste** approximately; ~ . . . **que** however; **un point c'est** ~ that's that; **en** ~ **cas** in any case; **rien du** ~ nothing at all; ~ **bonnement** simply
toutefois however
toutou *m.* doggie, bow-wow
tracer to trace, mark (cut) out
traduire to translate
tragique *m.* writer of tragedy
trahir to betray, play false; to reveal
train *m.* pace, speed; **en** ~ **de** in the act of, busy, about to
traîner to lie (around), linger, drag (out); to trace; ~ **sur** to trail
trait *m.* feature; dash
traiter to treat
traître treacherous; *m.* traitor
tranche *f.* edge
tranché settled
tranquille quiet, calm, at ease; **à pas** ~**s** leisurely; **laisser** ~ to leave alone
tranquillement quietly
transi chilled
transmettre to broadcast
transpirer to perspire; to transpire
transporter to take, transport, convey
trappiste *m.* Trappist monk
traqué hunted
travail *m.* work, labor; ~ **de dentelle** lacework; **travaux d'agrément** fancywork
travailler to work; to worry, torment
travailleur *m.* worker
travers: par le ~ obliquely; **à** ~ through, across
traverser to cross, go through, penetrate

trèfle *m.* clover
trembler to tremble, flicker
trempe *f.* quality, character, stamp
tremper to dip
trépidation *f.* vibration
tressaillir to start, shudder
triage *m.* : **voies de ~** sidings
tribu *f.* tribe; flock
tribunal *m.* court
tricot *m.* knitting; jersey; **en ~** knitted
trier to sort out
trinquer to clink (touch) glasses, drink together
triompher to triumph
tripoter to play with
triste sad
tristement sadly
tristesse *f.* sadness
trituration *f.* grinding
trogne *f.* large red face
tromper to deceive; **se ~** to be mistaken
tronc *m.* trunk, stump; alms box
trône *m.* throne
trop too (much, many)
trotter to trot along; to bubble
trottiner to trot about, scamper about, busily take little steps
trottoir *m.* sidewalk
trou *m.* hole
trouble *m.* disturbance, turmoil
troubler to trouble, disturb, upset, move emotionally
troupe *f.* troop, group
troupeau *m.* flock
trousse *f.*: **à ses ~s** in pursuit of him
trousseau *m.* bunch; collection
trouvaille *f.* find
trouver to find; to consider; **se ~** to be; **~ un joint pour** to discover the trick of
truc (*fam.*) *m.* trick; **piger le ~** (*fam.*) to catch on
truite *f.* trout
tuberculeux -se tubercular
tuer to kill
tunique *f.* tunic (as of ancient Rome)
turbiner: rudement ~ (*fam.*) to grind away like the deuce
turbulent restless
turne *f.* (*fam.*) study room
type *m.* type, fellow; (*fam.*) character

un, une a, an, one; any; **les ~s** some; **l'~ et l'autre** both; **~ à ~** one by one; **l'~ l'autre** one another
unique only
uniquement solely
univers *m.* universe
urgence *f.* emergency, urgency
usage *m.* use, custom; **hors d'~** beyond repair
usé: ~ jusqu'à la corde worn thin
usine *f.* factory
utile useful

vacances *f. pl.* vacation; **aux ~** at vacation time
vache *f.* cow; **gardeur de ~s** cowherd; *adj.* (*fam.*) a dirty trick
va-et-vient *m.* coming and going
vague indistinct, vague
vaguement vaguely, faintly
vain vain, useless
vaincu overcome; *m.* conquered man
vainement vainly
vainqueur *m.* victor, winner
vaisseau-école *m.* training vessel
valable valid, good
valet *m.*: **~ de ferme** farm hand; **~ de pied** footman
valeur *f.* value; **~ marchande** market value
vallée *f.* valley
valoir to be (of) worth; to deserve; to be equal to; **faire ~** to show the qualities of; **~ mieux** to be better
se vanter to boast
vapeur *f.* dizziness; steam
vaquant à occupied with
vareuse *f.* jacket
varice *f.* varicose vein
varier to vary
vaste huge, immense, big, vast; deep
vautour *m.* vulture
vautré sprawling
veau *m.* calf
véhicule *m.* vehicle
veille *f.* evening (day) before

veillée *f.* evening (spent together)
veiller (sur) to watch (over)
veinard (*fam.*) *m.* lucky person
veine *f.* vein
se velouter to become soft (as velvet)
vélum *m.* canopy
vendange *f.* vintage, grape harvest
vendeur *m.* seller
vendre to sell; **à** ~ for sale
vendredi *m.* Friday
vénéré venerated
venir to come; ~ **à bout** to succeed; **faire** ~ to send for, get; ~ **de** to have just; **s'en** ~ to come, wend one's way; **la nuit venue** after nightfall; **aller et** ~ to go back and forth
vent *m.* wind; **coup de** ~ gust of wind; ~ **marin** sea breeze; **en plein** ~ in an exposed position, open air
vente *f.* sale
ventre *m.* stomach; abdomen case; **à plat** ~ flat on one's stomach
venue *f.*: **ces allées, ces** ~**s** this coming and going
ver *m.* worm; **rongé de** ~**s** worm-eaten
verdure *f.* greenness, vegetation
vérifier to check, verify
véritable true, real
véritablement truly
vérité *f.* truth
vermillon vermillion, red
vermoulu worm-eaten
verni varnished
vernis *m.* varnish
verre *m.* glass
vers *prep.* toward, about; *m.* verse, poetry
verser to pour; to shed
version *f.* translation into French
vert green; *m. pl.* green crops
vertu *f.* virtue; **en** ~ **de** by virtue of
veste *f.* jacket
vestige *m.* remains
vêtements *m. pl.* clothing
vêtu (de) dressed (in), clothed (in)
vexé vexed
viande *f.* meat
vibrer to vibrate
victoire *f.* victory
vide *m.* void; space, emptiness; **tourner à** ~ "to grind away without grist"; *adj.* empty
vider to empty; to clean
vie *f.* life, living
vieillard *m.* old man
vieillesse *f.* old age
vieillir to grow old
vierge virgin; *f.* virgin
vieux, vieille old; *m.* old man; *f.* old woman; **mon vieux** old fellow (boy); **vieille fille** old maid
vif, vive quick, lively; intense; penetrating; bright; keen; sharp
vigne *f.* vineyard
vigneron *m.* vine-grower
vilain ugly, nasty, wretched
village *m.* village; **tambour de** ~ town crier
ville *f.* city, town
vin *m.* wine; **rôtie au** ~ piece of toast dipped in wine
violence *f.* (act of) violence
violette *f.* violet; violet perfume
virer to turn over
visage *m.* face, expression; **faire bon** ~ **à** to be friendly with
vis-à-vis (de) toward, in regard to
viser to have one's eyes on; to aim (at)
visiblement visibly
vite quick(ly), rapid, fleeting; **plus** ~ **que ça** be quick about it
vitesse *f.* speed; **compteur de** ~ speedometer; **en** ~ with great speed
vitre *f.* window pane
vitreux -se glassy, colorless
vitrine *f.* shop window
vivant living, alive, alert
vivement quickly, keenly
vivre to live; *m. pl.* provisions; allowance
vocation *f.* call, calling, vocation
vœu *m.* toast
voici here is (are), here it is; ~ **que** now
voie *f.* track, way; ~ **ferrée** railroad; ~**s de triage** sidings

voilà there is (are); here it is (I am); lo and behold; that's that; **en ∾ assez** that's enough; **me ∾** here I am; **∾ que** now; **te ∾** you are here
voiler to veil; **se ∾ la face** to hide one's face (in horror)
voir to see, look into; to understand; **voyons** see here, after all, come now; **faire ∾** to show, expose; **se ∾** to be obvious
voisin neighboring, close by, neighborhood; *m.* neighbor
voisinage *m.* proximity
voiture *f.* car
voix *f.* (tone of) voice; **à ∾ basse** in a low voice; **à ∾ haute** in a loud voice
vol *m.* flight; theft; **au ∾** on the fly
volaille *f.* poultry, fowl
volant *m.* steering wheel; **coup de ∾** pull of the wheel
voler to fly; to rob
volet *m.* shutter
volontaire *m.* volunteer
volonté *f.* will
volontiers willingly
volte-face *m.* turn, about-face
vomir to vomit, pour out
voué destined
se vouer to devote oneself
vouloir to want, wish; to expect; to like; **en ∾ à** to have a grudge against; **∾ dire** to mean
vous: ∾ autres you (people)
vouvray *m.* vouvray (wine of the Loire district)
voyageur *m.* traveler
vrai true; **à ∾ dire** as a matter of fact
vraiment truly
vue *f.* view, sight; **à perte de ∾** as far as one can (could) see; **votre ∾** the sight of you; **à ∾ d'œil** visibly

y here, there, in (of, to) it; **il ∾ a** there is (are); ago
yeux *m. pl.* (*see* **l'œil**)

zélé zealous, enthusiastic
zyeuter (*fam.*) to look

FGHIJKLMN 0698765
PRINTED IN THE UNITED STATES OF AMERICA

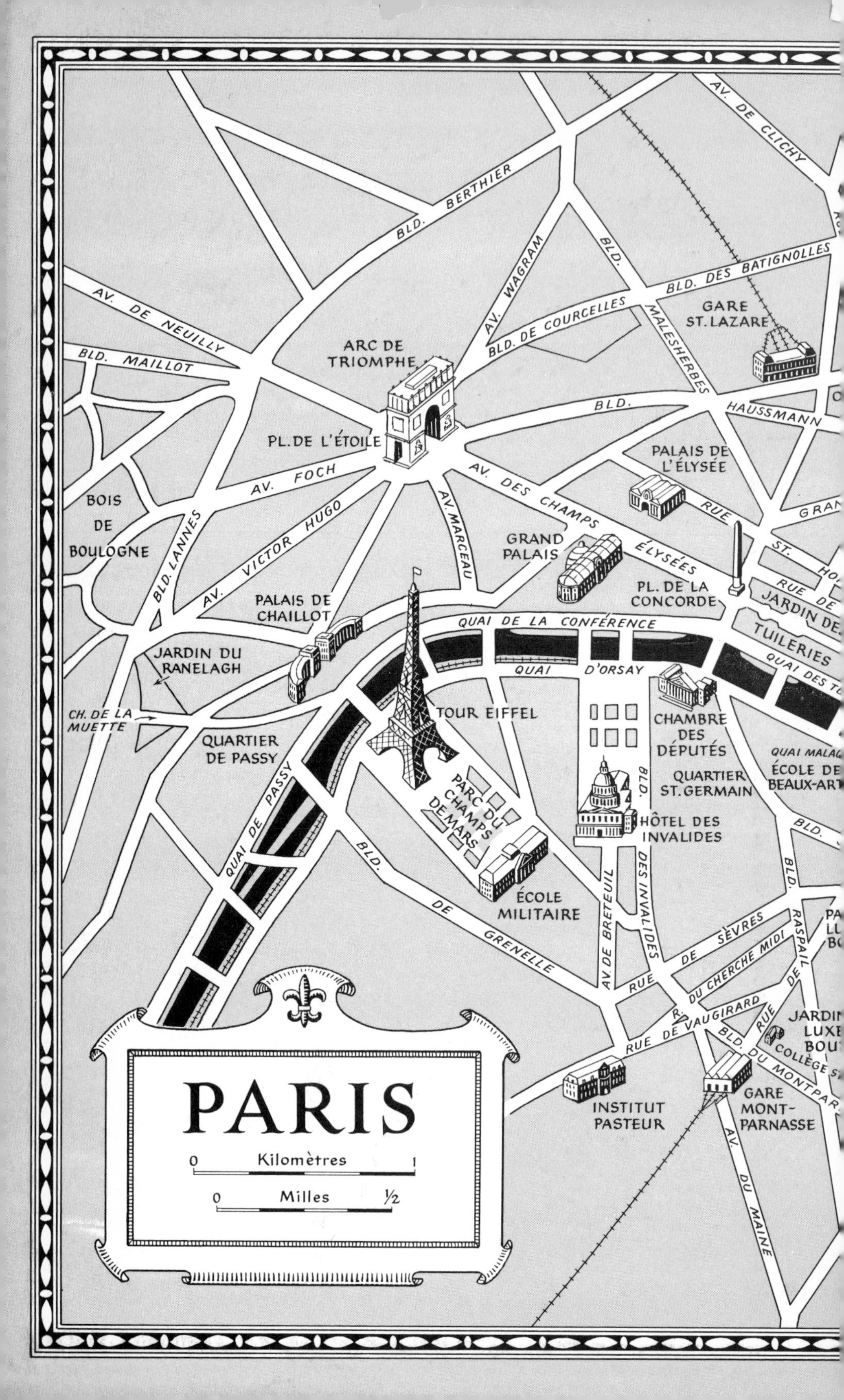
PARIS
Kilomètres
0
1
Milles
0
½
AV. DE CLICHY
BLD. BERTHIER
AV. WAGRAM
BLD. MALESHERBES
BLD. DES BATIGNOLLES
GARE ST. LAZARE
AV. DE NEUILLY
BLD. MAILLOT
BLD. DE COURCELLES
ARC DE TRIOMPHE
BLD. HAUSSMANN
PL. DE L'ÉTOILE
PALAIS DE L'ÉLYSÉE
AV. FOCH
AV. DES CHAMPS ÉLYSÉES
RUE
BOIS DE BOULOGNE
AV. VICTOR HUGO
AV. MARCEAU
BLD. LANNES
GRAND PALAIS
PL. DE LA CONCORDE
PALAIS DE CHAILLOT
QUAI DE LA CONFÉRENCE
JARDIN DES TUILERIES
JARDIN DU RANELAGH
QUAI D'ORSAY
CH. DE LA MUETTE
TOUR EIFFEL
CHAMBRE DES DÉPUTÉS
QUARTIER DE PASSY
QUARTIER ST. GERMAIN
QUAI DE PASSY
PARC DU CHAMPS DE MARS
HÔTEL DES INVALIDES
BLD. DES INVALIDES
BLD. DE GRENELLE
ÉCOLE MILITAIRE
AV. DE BRETEUIL
RUE DE SÈVRES
R. DU CHERCHE MIDI
BLD. RASPAIL
RUE DE VAUGIRARD
BLD. DU MONTPARNASSE
INSTITUT PASTEUR
GARE MONT-PARNASSE
AV. DU MAINE